고등학교

중국어 I
자습서

임승규 교과서편

머리말

　2018년을 바라보는 이 시점, 중국은 세계 60여 개국의 정상들과 함께 중국의 육·해상 실크로드 정책인 "一帶一路"(일대일로)의 시대를 열게 되었습니다. 현재 중국은 G2를 넘어 또 한 번 세계 제일의 경제대국으로 비상하고자 노력하고 있습니다. 이러한 시기에 그 나라의 언어를 공부한 다는 것은 미래 사회에서의 경쟁력을 갖추고 또 다른 비전을 꿈꾸는 것이라고 보아도 과언이 아닐 것입니다.

　「고등학교 중국어 I」자습서는 2015 개정 교육과정의 기본 이념 아래 편찬되었습니다. 특히, '쉬우면서도 과학적인' 교과서라는 주안점을 두고 제작된 내용 안에 학습자들이 이 한 권의 지도서로 보충 학습할 수 있도록 구성하였고, 자기 주도적 학습 향상 부분에 중점을 두었습니다.

　본 자습서는 교과서의 단원별 내용들에 대해서 학습 내용과 목표에 맞게 정리되고, 부연 설명이 필요한 부분이나 학습자들이 꼭 이해해야 하는 곳에서는 질문을 통해 학습자들의 사고력을 높여 줄 수 있도록 편찬되었습니다. 또한 매 단원이 끝날 때마다 듣기 평가와 쓰기 평가를 통해 배운 내용을 반복·점검하고, 기초 평가와 단원 종합 평가를 통해 학습자들이 정기 고사와 수능 시험까지 대비할 수 있도록 구성되었습니다. 아울러 각 단원의 주제에 맞는 중국의 문화를 소개하여 학습자들이 폭넓게 중국의 살아 있는 문화를 접할 수 있도록 하였습니다.

　이 자습서는 '쉽고 과학적으로' 중국어 기초 학습을 시작하여 듣기·말하기·읽기·쓰기의 종합적 기능을 학습한 후 중국어 의사소통 능력을 향상시키고 더 나아가 국제화 시대에 부응하는 글로벌 인재를 만드는 것이 목표입니다.

여러분, 씨앗이 싹을 틔워 열매를 맺기까지는 무엇이 필요할까요?

그것은 바로 '좋은 씨앗, 비옥한 토양, 그리고 인내와 신뢰의 시간'입니다.

첫째, 씨앗은 이미 그 안에 열매를 맺을 수 있는 가능성과 힘을 가지고 있습니다. 즉, 여러분 안에는 중국어를 학습할 수 있는 무한한 힘과 가능성이 있다는 것입니다.

둘째, 비옥한 토양은 씨앗이 건강하게 자랄 수 있도록 자양분을 제공하는 것이지요. 여러 종류의 토양이 있습니다. 길가, 돌밭, 가시나무밭, 그리고 좋은 땅. 여러분들이 생각하기에 비옥한 토양은 어디인가요? 바로 좋은 땅이지요. 여러분들은 중국어 학습을 시작하는 이 시점에 과연 어떠한 마음 밭에 씨앗을 뿌릴 건가요? 이 자습서는 여러분들의 중국어 학습에 비옥한 토양이 되어줄 것입니다.

셋째, 인내와 신뢰입니다. 중국 속담에 "不怕慢, 只怕站。"이라는 말이 있습니다. 이 말은 늦게 가는 것을 두려워하지 말고, 멈추는 것을 두려워하라는 말입니다. 학습자 여러분, 中国通이 되는 그날까지 멈추지 말고 정진하십시오.

이 지도서를 통하여 학습히는 여러분 모두를 축복합니다.

지은이 씀

이 책의 구성과 특징

단원 소개

단원의 중심 주제와 관련된 사실적인 삽화를 통하여 **흥미와 학습 동기를 유발**하도록 하였다.

단원 소개

'**문화적인 요소**'를 삽화로 제공하여 '**문화로 시작하는 중국어 수업**'이 가능하도록 하였다.

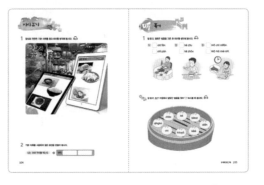

미리 보기

단원의 중심 주제와 관련된 **기본 어휘 학습**과 **간단한 문장**의 작문을 통하여 내실 있는 학습이 되도록 하였다.

듣기

기본적인 '**음소 판별 연습**'과 함께 간단한 놀이를 통한 '**활동형 발음 연습**'이 가능하게 하였다.

읽기 ①

단원의 **중심 주제 1**과 관련된 **실용적인 대화문**을 통하여 발음 및 독해연습을 할 수 있게 하였다. 또한 삽화를 통해 본문의 이해도를 높이고 간단한 설명으로 중국문화도 이해될 수 있게 하였다.

이해하기 ① 사진 속 중국

'**읽기①**'의 표현과 어법을 이해한 후, 확인할 수 있는 간단한 문제를 통해 중국어 회화 표현 및 어법을 다질 수 있게 준비하였다. 또한 주제와 관련된 **중국 사진**으로 흥미를 더할 수 있게 하였다.

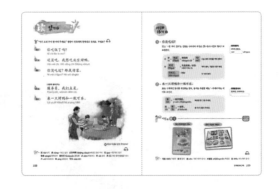

읽기 ②

단원의 **중심 주제 2**와 관련된 **실용적인 대화문**을 통하여 발음 및 독해연습을 할 수 있게 하였다. 중요 표현 및 단어를 정리하여 쉽게 이해할 수 있게 하였다.

이해하기 ② 사진 속 중국

'**읽기②**'의 표현과 어법을 이해한 후, 확인할 수 있는 간단한 문제를 통해 중국어 회화 표현 및 어법을 다질 수 있게 준비하였다. 또한 주제와 관련된 **중국 사진**으로 흥미를 더할 수 있게 하였다.

말하기

교체 연습과 함께 핵심 어휘의 의미를
확장해가는 '확장 연습'으로 과학적인
말하기 연습이 가능하게 하였다.

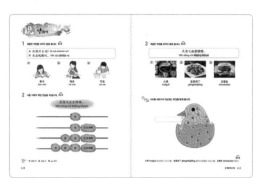

말하기

교체 연습과 함께 간단하고 재미있는
'말하기 활동'을 통하여 응용 회화 연
습을 하게 하였다.

쓰기

한어병음과 한자를 이용하여 단어 및
문장을 직접 써 보며 학습 내용을 익
힐 수 있도록 하였다.

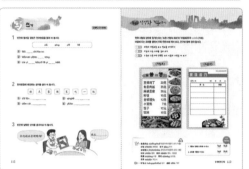

도전 실전

'실생활에 적용하기' 활동으로서, 학습
내용을 실제 중국의 다양한 상황에
적용해 볼 수 있도록 하였다.

그들의 삶 속으로

단원의 중심 주제와 관련된 중국의
문화를 명료한 설명과 실제적인 사진
으로 익힐 수 있도록 하였다.

가볍게 쉬어 가기

중국의 다양한 문화를 재미있게 배울
수 있도록 하였다.

듣기 평가

간단한 표현부터 두 사람의 대화까지
다양한 방식으로 듣기 평가를 할 수
있도록 하였다.

쓰기 평가

한자 및 한어병음 쓰기 문제부터 문
장 완성하기 등 난이도를 점차 높혀
쓰기 평가에 부담없도록 하였다.

기초 평가

단원의 기초적인 이해도를 파악하는
문제로 구성하였다.

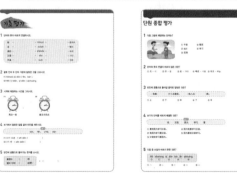

단원 종합 평가

단원을 총괄적으로 마무리하며 지필
고사를 미리 풀어보는 형식의 문제로
구성하였다.

목차

알아두면 유익한 교실 중국어

1
Xiànzài kāishǐ shàngkè.
现在开始上课。

수업 시작하겠습니다.

2
Wǒ diǎn yíxià míng.
我点一下名。

출석을 부르겠습니다.

3
Qǐng dǎkāi shū.
请打开书。

책을 펴세요.

4
Qǐng kàn shū (　) yè.
请看书(　)页。

책 (　)쪽을 보세요.

5
Qǐng gēn wǒ dú.
请跟我读。

따라하세요.

6
Zài dú yí biàn.
再读一遍。

다시 한 번 읽겠습니다.

7
Wǒmen xiūxi yíxiàr.
我们休息一下儿。

잠깐 쉬겠습니다.

8
Yǒu wèntí ma?
有问题吗?

질문 있습니까?

9
Ānjìng yíxià.
安静一下。

조용히 하세요.

10
Jīntiān jiù dào zhèr.
今天就到这儿。

오늘은 여기까지 하겠습니다.

11
Dàjiā xīnkǔ le.
大家辛苦了。

여러분, 수고하셨습니다.

주요 등장인물

내 꿈이 실현되는 걸 꼭 증명 하겠어 "진 민 하오"

김민호가 연예인의 꿈을 안고
중국 대륙을 접수하기 위해 중국으로 고고씽~
중국의 언어와 문화를 배우면서
자신의 꿈을 향해 노력함.
중국의 고등학교로 유학 가서
중국인 친구들과 함께 기숙사 생활을 하게 됨.

김민호
(金民浩 Jīn Mínhào)

사나이라면 자신의 신념이 완강해야지 "왕강"

김민호의 절친으로 엄마는 중국인,
아빠는 한국인인 다문화 가정의 중국인 남학생.
중국과 한국의 문화를 잘 알기에
김민호의 중국생활에 큰 도움을 주는 친구.

왕강
(王剛 Wáng Gāng)

내 미모여 피어나라~ "피아오 나라"

한장 미모에 관심이 많은 한국인 여학생.
순수 한글 이름.

박나라
(朴娜拉 Piáo Nàlā)

니 곁을 빙빙 돌며 도와줄게 "리빙빙"

중국인 여학생.

리빙빙
(李冰冰 Lǐ Bīngbing)

유인 우주선

중국은 세계 최고의 우주국가가 되는 것을 하나의 목표로 삼고 있는데, 2016년 '선저우 11호 유인 우주선'을 발사하여 성공하였다. '선저우 시리즈'는 1992년 시작된 중국의 유인 우주선 발사 프로젝트로 1999년 '선저우 1호' 발사 이후 지금까지 10차례의 성공적인 발사를 하게 되었다.

학습 목표
· 중국에 대한 기본 지식을 이해할 수 있다.
· 중국어의 특성을 이해할 수 있다.

학습 내용
· 중국 소개
· 중국어의 특징

문화
· 중국의 대표 문화

소림사

중국 쑹산에 위치한 소림사(少林寺)는 중국의 전통무술을 배울 수 있는 사찰로 예전부터 지금까지 중국을 찾는 관광객들에게 많은 인기를 받고 있다. 북위 효문제의 명으로 495년 공사를 시작하여 창건되었는데 바로 이 소림사에서 인도의 불경들이 중국어로 번역되었으며, 선종의 교리가 완성되었다.

톈안먼의 국기게양식

중국에서는 매일 아침, 저녁으로 국기호위대의 인도하에 국기게양식 행사를 진행한다. 수많은 중국인들의 소원 중 하나는 톈안먼 광장에서 열리는 국기게양식 행사를 보는 것이라고 한다.

태극권

중국의 태극권은 대표적으로 《진식태극권》과 《양식태극권》으로 나눌 수 있는데, 부드러움 속에서 강함을 추구하는 태극권은 음양오행의 조화를 이루며 수련하는 운동이자 중국을 대표하는 무술 중 하나로 공원에 나가보면 할아버지, 할머니들이 심신수양을 위해 태극권을 연마하는 모습들을 쉽게 찾아볼 수 있다.

1 중국 맛보기

중국의 오악

중국 5대 명산의 총칭으로 산시성(山西省)의 북악 항산(北岳恒山), 산시성(陝西省)의 서악 화산(西岳华山), 허난성(河南省)의 중악 쑹산(中岳嵩山), 산둥성(山东省)의 동악 타이산(东岳泰山), 후난성(湖南省)의 남악 헝산(南岳衡山)을 일컫는다. 참고로 황산은 중국의 오악 안에는 포함되지 않으나 오악 이상으로 높게 평가되고 있는 명산이다. 현재 '황산역'이 만들어져서 고속기차(高铁)로도 편하게 갈 수 있는 만큼 황산은 중국인들에게 큰 인기를 받고 있는 명산 중 하나이다.

중국을 대표하는 명산 '황산'

중국의 안후이성 남동부에 위치한 명산으로 2개의 호수, 3개의 폭포, 24개의 계류, 해발 1,000m가 넘는 72개의 봉우리가 있다. 1990년 유네스코에서 세계문화유산과 자연유산으로 지정되었다.

광장춤

광장무는 '광장에서 추는 춤'이라는 뜻이다. 중국 국가체육총국은 '전국 광장 건강체조댄스(광장무) 발표회'를 통해 총 12개의 국민 광장무를 공개하고 전국적으로 보급하였다. 중국의 광장무는 가난한 중국 계획경제 시절 누구나 쉽게 배워서 활용할 수 있었던 여가활동으로 사회주의의 집단 체조문화의 유산이기도 하다. 새벽이나 저녁, 어디서든 넓은 공터만 있으면 삼삼오오 모여서 음악을 틀어놓고 춤을 추는 모습들을 볼 수 있다.

11

중국은 어떤 나라인가요

1. 정식 국호는 '중화인민공화국(中华人民共和国)'이에요. '중화인민공화국'을 줄여서 '중국'이라고 한다.
2. 수도는 '베이징(北京 Běijīng)'이고, 국기는 '五星红旗 Wǔxīng-Hóngqí'예요.
   수도 '베이징' 이외에 중국의 4대직할시는 '톈진', '샹하이', '충칭'이 있다.
3. 중국 국가통계국 발표 자료에 의하면 2016년말 기준 중국 총인구는 약 13억 8천 2백만 명이며, 한족과 55개의
   소수 민족으로 구성되어 있어요.
4. 행정 구역은 22개의 성(※중국은 대만을 23번째 성으로 간주), 5개의 자치구, 4개의 직할시, 2개의 특별 행정구
   로 구성되어 있어요.

주어진 주제어로 마인드맵을 만들어 볼까요?

중국

오성홍기는 1949년 제작된 것으로 중국 정치협상회의 준비위원회가
공모전을 열어 총 2,992점 후보작 중에서 채택된 것이다. 별들의 의
미는 가장 큰 별은 공산당을, 작은 별들은 노동자, 농민, 소자산계급
과 민족자산계급을 나타낸다. 국기 바탕에 빨간색의 의미는 공산주
의와 혁명을 의미한다.

▲ 五星红旗
Wǔxīng-Hóngqí

▲ 한족과 55개의 소수 민족

▲ 발전하는 수도 베이징

'발전하는 수도 베이징' 사진은 중국의 CCTV(中国中央电视台, China Central Television) 건물 사옥의 모습이다. 2002년 베이징 국제입찰공
사 주관으로 이루어진 국제현상공모에서 당선된 이 CCTV 사옥은 중국 최초의 유럽식 고층건물로, 2008년 베이징 올림픽 개최와 시기를 같이
하여 완공되었다. 10ha(헥타르)의 부지에 높이 230m, 연면적 405,000m²의 CCTV사옥과 연면적 116,000m² 규모의 텔레비전 문화센터(TVCC)
로 계획되어 있는 CCTV사옥은 뉴스, 방송, 스튜디오, 프로그램 제작 등 TV제작의 전 과정에서 상호 연결된 활동을 결합하고 있으며 TVCC는
호텔, 방문객센터, 대형 극장 및 전시장으로 구성되어 있다.

Q 짝꿍과 함께하는 중국 퀴즈

　베이징　은/는 중국의 수도이자 2008년 하계올림픽의 개최지로서, 발전하는 중국을 대표하는 곳이다.

1. 중국은 2016년 神舟 Shénzhōu 11호 유인 우주선 발사 성공, 국내 총생산 세계 2위(IMF, 2015) 등 과학 기술 발전과 눈부신 경제 성장을 이루고 있어요.
2. 중국은 우리나라 수출액의 약 25%, 수입액의 약 22%를 차지하는 최대 교역국이에요. (한국무역협회, 2016)

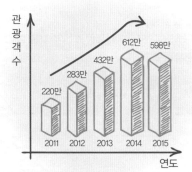

▲ 중국인 관광객의 증가 (한국관광공사, 2016)
(＊2015년 메르스로 인하여 관광객 감소)

▲ 중국인 관광객

'유커'라는 신조어가 만들어졌는데 이는 관광객을 통칭하는 중국어로, 일반적으로 중국인들은 뤼커(旅客, 여행객)라고 한다. '유커'들은 한 번에 대량으로 물건을 구매하고, 고가의 물품들을 많이 구입하는 특징을 갖고 있다.

▲ 중국에서 열린 한국 식품 전시회의 모습

▲ 우리나라의 방송 콘텐츠 수출

'우리나라의 방송 콘텐츠 수출은 날로 증가하고 있다. 사진에 나와 있는 프로그램은 '아빠 어디 가'라는 프로그램이며 이외에도 '러닝맨', '나는 가수다' 등의 우리나라의 예능 프로그램이 중국에서 큰 인기를 얻고 있다.

중국은 7번째 유인선인 '선저우 11호' 발사에 성공을 하였다. '선저우 시리즈'는 1992년 시작된 중국의 유인 우주선 발사 프로젝트로서 1999년 '선저우 1호' 발사 이후로 총 11호까지 이르게 되었다.

▽ 神舟 Shénzhōu 유인 우주선

Q 짝꿍과 함께하는 중국 퀴즈
중국 인구는 약 92%를 차지하는 한족 와/과 55개 소수 민족으로 구성되어 있다.

중국어에는 어떤 특징이 있나요

1. 중국어는 한족의 언어이기 때문에 '汉语 Hànyǔ'라고 하며, 표준어인 '普通话 pǔtōnghuà'를 사용해요.
2. 중국어는 '음의 높낮이'로 뜻을 구별해요. 이를 '성조'라고 한다.
3. 글자는 표의문자인 '한자'인데, 복잡한 '번체자'를 대신하여 간소화된 '간화자'를 사용해요.
4. 발음은 로마자를 이용한 '한어병음방안'을 제정하여 발음을 표기해요. 중국어는 '표의문자'이며, 한글과 영어 같은 경우는 '표음문자'에 해당한다.

1949년 중국공산당이 집권한 뒤 전면적인 문자개혁 작업이 시작되었고, 1956년 문자개혁위원회에서 한어병음방안(汉语拼音方案 Hànyǔ Pīnyīn Fāng'àn)을 채택 후 현재까지 사용하고 있다. 한어병음은 표음문자인 로마자 즉, 알파벳을 이용하여 한자의 음을 표기하며 표준어 발음을 나타내고 있다.

△ 汉语 Hànyǔ

△ 普通话 pǔtōnghuà

说好普通话，朋友遍天下。

푸통화를 잘하게 되면, 친구들이 온 세상에 퍼져 있다.

▽ 간화자(简化字 jiǎnhuàzì)

▽ 한어병음(汉语拼音 Hànyǔ Pīnyīn)

馬 → 马
國 → 国
愛 → 爱

guójiā

国家

중국어는 뜻으로 이루어진 글자(표의문자)로 음을 나타낼 수 없는 한계가 있다. 이에 한자의 음을 표기하는 방법이 만들어졌는데 이것이 바로 한어병음이다.
한어병음의 표기는 다음과 같다.
$a>o=e>i=u=ü$(33쪽 참고)

러닝머신에서 뛰고 있는 두 사람의 등번호에는 왼쪽(간화자의 '간'), 오른쪽(번체자의 '번')이 적혀져 있다. 우리가 배우는 중국어는 복잡한 한자를 간략하게 만든 간화자로 쉽게 생각하면 한자의 팔, 다리를 잘라서 만든 글자라고 생각하면 된다.

Q 짝꿍과 함께하는 중국 퀴즈
요즘 중국에서 사용하는 한자는 본래의 복잡한 한자를 간단하게 변형시킨 글자라고 하여 │ 간화자 │라고 부른다.

3 중국에는 어떤 먹거리가 있나요

1. 중국 요리는 프랑스 요리, 터키 요리와 함께 세계 3대 요리 중의 하나예요.
2. 중국의 대표 요리는 쓰촨 요리(川菜chuāncài), 장쑤 요리(苏菜sūcài), 광둥 요리(粤菜yuècài), 산둥 요리(鲁菜lǔcài)예요.
3. 쓰촨 요리는 맵고 향신료를 많이 사용하며, 장쑤 요리는 담백하고 재료의 맛을 살려 주며, 광둥 요리는 부드럽고 달콤하며 모양이 아름답고, 산둥 요리는 해산물 요리가 발달했어요.

생각 열기

내가 알고 있는 중국 요리를 적어볼까요?

대표적인 음식들

• 베이징 카오야
300년의 역사를 가지고 있으며 구워진 껍질이 바삭바삭하고, 고기가 부드러우며, 윤기가 흐르고 기름기가 많지만 느끼하지가 않아 인기가 많은 요리이다.

北京烤鸭 Běijīng kǎoyā

麻婆豆腐 mápó dòufu

• 마파두부
중국의 문화대혁명 이후 한때 '마랄두부(麻辣豆腐)'라는 이름으로 불리기도 하였지만, 여전히 '마파두부'라고 불린다. 매콤한 양념에 돼지고기와 두부가 어우러져 누구나 쉽게 즐길 수 있는 맛을 지니고 있는 마파두부는 사천 지방을 대표하는 음식 중 하나이다.

小笼包 xiǎolóngbāo

羊肉串儿 yángròuchuànr

• 샤오룽바오
작은 대나무 찜통인 샤오룽에 쪄낸 중국식 만두로 작은 대나무 찜통인 샤오룽(小笼)에 쪄냈다 하여 '샤오룽바오'라 이름이 붙여졌다.

• 양꼬치
중국의 이북 지역, 지금의 몽고 지방에서 양꼬치의 유래를 찾아볼 수 있는데, 기마민족 및 유목민족들이 양고기를 간편하게 먹기 위해서 쇠꼬챙이에 끼워 구워 먹은 것으로 시작되었다. 생으로 구워먹다가 실크로드를 통해 전해온 향신료를 가미해 구워 먹는 것으로 지금의 양꼬치의 모습이 만들어졌다.

Q 짝꿍과 함께하는 중국 퀴즈
매콤한 양념에 돼지고기와 두부를 넣은 쓰촨 지방 대표 음식은 麻婆豆腐 이다.

4 중국을 대표하는 예술에는 어떤 것이 있나요

1. 중국의 전통 예술은 회화, 서예, 음악, 무용, 조소, 공예, 무술 등 다양한 분야에 걸쳐 수천 년 동안 전해지고 있어요.
2. 중국 정부의 중국 문화 세계화 정책에 의하여 현재는 태극권, 소림 무술 등 다양한 전통 예술이 다른 여러 나라에 알려지고 있어요.

생각 열기

방송이나 책을 통해서 알게 된 중국 예술에는 무엇이 있는지 적어 볼까요?

▲ 剪纸 jiǎnzhǐ
종이 오리기

▲ 太极拳 tàijíquán
태극권

• 剪纸

전지는 다른 말로 刻纸(각지)라고도 하는데 중국 한족의 가장 오래된 민간 예술 공예로 사람, 사물의 형상을 종이로 오려내어 붙이는 것을 말한다. 즉 종이와 가위 하나로 예술작품을 만들어 낼 수 있는 공예라고 볼 수 있다.

▲ 吹糖人 chuītángrén
입으로 바람을 불어서 만든 설탕 꼬치

▲ 中国结 zhōngguójié
매듭 공예

Q 짝꿍과 함께하는 중국 퀴즈
中国结 은/는 하나의 긴 실을 여러 가지 방식으로 매듭을 만드는 중국의 전통 공예이다.

1. 중국의 민간 공연 예술에는 경극, 변검, 相声 xiàngsheng, 皮影戏 píyǐngxì 등이 있어요.
2. 개혁 개방 이후 경제가 발전함에 따라 외국과의 문화 교류를 활발히 하고 있어요.

❤ 相声 xiàngsheng
1~2인 또는 여러 명이 하는 만담

'말'을 이용한 공연예술로 유머러스한 언어를 사용하여 풍자와 과장으로 사람들에게 일종의 메시지를 전달하는 문화장르이다.

❤ 경극(京剧 jīngjù)
노래, 대사, 동작, 무술로 이루어진
베이징 오페라

▲ 변검(变脸 biànliǎn)
눈 깜짝할 사이에 가면이 바뀌는 공연

변검은 변할 변(变)과 얼굴 검(脸)을 합친 단어의 가면술로 눈 깜짝할 사이에 얼굴에 쓴 가면을 바꾸는 공연으로, 손이나 부채 등으로 얼굴을 가리는 찰나에 얼굴의 가면을 다른 가면으로 바꾸는 공연 예술이다.

▲ 皮影戏 píyǐngxì
가죽으로 만든 인형의
그림자를 움직여
이야기를 전달하는 연극

2,000여년 전 서한시대 중국의 섬서성에서 탄생하였고, 청나라 허베이 성에서 크게 성행하였던 민간예술로, 무형 문화재 중 하나이다.

Q 짝꿍과 함께하는 중국 퀴즈
중국을 대표하는 공연 예술인 京剧 은/는 노래, 대사, 동작, 무술로 이루어지며, '베이징 오페라'라고 부른다.

5 중국에는 어떤 멋진 곳이 있나요

'중국' 하면 여러분은 어떤 곳이 떠오르나요? 지도와 사진을 보면서 중국의 멋진 곳을 살펴볼까요?

생각 열기

중국의 명소 중에서 가 보고 싶은 곳을 순서대로 5개만 적어 볼까요?

포탈라궁(布达拉宫)은 7세기 초 송찬간포(松赞干布, SongtsanGampo : 604~650)가 티베트를 하고 라싸(拉萨)에 도읍을 정하며 강대한 토번(吐蕃) 정권을 수립한 이후 641년 송찬간포가 당 혼인을 맺기로 하고 당태종의 조카딸인 문성공주(文成公主, 623?~680)를 두 번째 황후로 맞이 마포일산(玛布日山) 상에 건축한 궁전이다. 송찬간포는 관세음보살을 자기의 본존불(本尊佛)로 불경 중 보살이 머무는 포탈라(布达拉)를 궁전의 명칭으로 정하여 포탈라궁(布达拉宫)으로 칭히

🔻 **布达拉宫 Bùdálā Gōng**
중국 서남부의 시짱 자치구 라싸에 있는 티베트 불교의 최대 사원

Q 짝꿍과 함께하는 중국 퀴즈

兵马俑 은/는 중국 시안(西安)의 진시황릉에서 발굴된 흙으로 만든 병사와 말을 지칭한다.

长城 Chángchéng

베이징 근처의 八达岭 Bādálǐng이 유명하며, 총연장 길이가 만 리가 넘는 인류 최대의 토목 공사 건축물

북쪽 흉노족의 침입을 막기 위해 진나라 시황제가 증축하면서 쌓은 산성으로 명나라 때 몽골의 침입을 막기 위해 대대적으로 확장한 것으로 전체길이는 약 6,350km이다.

중국 산시성 린퉁현에 있는 갱도로, 1974년 중국 서안 외곽의 시골마을에서 우물을 파기 위해 땅을 파던 농부에 의해 발견되었다. 현재까지 모두 3개의 갱이 발굴되었는데 1호갱의 규모가 가장 크고 볼거리도 많다.

상하이를 대표하는 랜드마크로 높은 기둥을 중심으로 구슬 세 개를 꿰어 놓은 듯한 독특한 외형이 인상적인 건물로 세계에서 네 번째, 아시아에서는 두 번째로 높은 건물이라는 기록을 세우게 되었다.

兵马俑 Bīngmǎyǒng

중국 시안에 있으며 진나라 시황제의 호위대를 흙으로 만들어 수장한 지하 갱도

베이징 • 텐진

상하이

동방명주 탑
(东方明珠 Dōngfāngmíngzhū)

1994년에 완공된 높이 467m의 방송 송신탑으로, 중국 도시의 발전을 상징하는 '상하이'의 대표적 건물

충칭

黄山 Huáng Shān

바위, 소나무, 구름의 풍경이 유명한 중국 최고의 명산

● 직할시
▲ 특별행정구

石林 Shílín

중국 서남부 윈난 성 쿤밍 부근의 석회암 지역에 오랜 시간의 침식으로 만들어진 바위 숲

▲ ▲ 홍콩
마카오

홍콩

표준어로 '香港Xiānggǎng'이라고 하며, 다양한 광둥 요리와 야경이 유명한 중국의 특별 행정구

홍콩의 정식 명칭은 중화인민공화국 홍콩특별행정구이다. 중국 광둥성 남동부에 위치해 있으며 면적은 1,104㎢로 서울의 약 1.8배이다.

기후는 아열대성 몬순기후로 연평균 기온은 22℃~ 23℃이고, 연평균 강우량은 2,214mm이다.

Q 짝꿍과 함께하는 중국 퀴즈

| 长城 | 은/는 북방 민족의 침입을 막기 위해 세운 방어용 성벽으로, 세계 문화유산에 등재되어 있다.

1 다음 중 중국의 수도는 어디인가?

① 홍콩　　　　② 톈진　　　　③ 베이징　　　　④ 충칭　　　　⑤ 상하이

2 중국 국기인 '오성홍기'를 한자로 맞게 표기한 것은?

① 五成红旗　　② 五成起　　③ 五星红旗　　④ 五星洪旗　　⑤ 五星红起

3 중국어를 한위(汉语 Hànyǔ)라고 하는데 그 이유는 무엇 때문일까?

① 성조가 있기 때문에

② 한자를 사용하기 때문에

③ 발음이 다양하기 때문에

④ 한나라 때에 만들어진 언어라서

⑤ 대다수를 차지하는 한족의 언어이므로

4 상하이를 대표하는 랜드마크로 중국 도시의 발전을 상징하는 독특한 외형이 인상적인 건물은?

①

②

③

④

⑤

5 중국어는 '음의 높낮이로' 뜻을 구분하는데 이를 무엇이라고 하는가?

① 음절　　　② 성조　　　③ 성모　　　④ 운모　　　⑤ 한어병음

6 1949년 중국공산당이 집권한 뒤 전면적인 문자개혁 작업이 시작되었고, 1956년 이것을 문자개혁위원회에서 채택하여 사용하게 되었다. 이것은 무엇인가?

① 1성   ② 권설음   ③ 표준어   ④ 주음부호   ⑤ 한어병음

7 쓰촨 지방을 대표하는 요리로 매콤한 양념에 돼지고기와 두부가 어우러져 누구나 쉽게 즐길 수 있는 맛을 지니고 있는 이 요리는 중국 문화대혁명 이후 한때 '마랄두부(麻辣豆腐)'라는 이름으로 불리기도 하였다. 이것은 무엇인가?

① 양꼬치   ② 마파두부   ③ 샤오룽바오   ④ 베이징카오야   ⑤ 자장면

8 중국 한족의 가장 오래된 민간 예술 공예로 사람, 사물의 형상을 종이로 오려내어 붙이는 것을 말하는데 종이와 가위 하나로 예술작품을 만들어 낼 수 있는 이 공예는 무엇인가?

① 전지   ② 상성   ③ 경극   ④ 변검   ⑤ 인형극

9 북쪽 흉노족의 침입을 막기 위해 진나라 시황제가 증축하면서 쌓은 산성으로 명나라 때 몽골의 침입을 막기 위해 대대적으로 확장한 이곳의 전체 길이는 약 6,350km이다. 이곳은 어디인가?

①  ② ③

④  ⑤

10 중국 산시성 린퉁현에 있는 갱도로, 1974년 중국 서안 외곽의 시골마을에서 우물을 파기 위해 땅을 파던 농부에 의해 발견되었으며 진시황제의 호위무사라고도 불리는 이것은 무엇인가?

① 태극권   ② 탕후루   ③ 병마용   ④ 만리장성   ⑤ 포탈라궁

단원 종합 평가

1 중국의 4대 직할시를 적어보시오.

2 대표적으로 '진식'과 '양식'으로 나뉘며, 부드러움 속에서 강함을 만들고, 음양오행의 조화를 이루어 낸 중국 전통의 무술은?

3 중국은 2016년 7번째 유인선을 발사하여 성공하였는데, 이 우주선의 이름은 무엇인가?

4 중국 안후이성 남동부에 위치한 명산으로 2개의 호수, 3개의 폭포, 24개의 계류, 해발 1,000m가 넘는 72개의 봉우리가 있는 이 산의 이름은?

5 '광장에서 추는 춤'이라는 의미를 갖고 있는 이것은 새벽이나 저녁, 어디에서든 넓은 공터만 있으면 삼삼오오 모여서 음악을 틀어놓고 춤을 추는데 이것은 무엇인가?

정답과 해설 ▶ 252쪽

6 중국 오성홍기를 그려 보고, 5가지의 별이 상징하는 의미를 적어보시오.

7 최근 이 신조어가 만들어졌는데 이는 관광객을 통칭하는 중국어로, 한 번에 대량으로 물건을 구매하고, 고가의 물품들을 많이 구입하는 특징이 있다. 이 신조어는 무엇일까?

8 중국어는 글자 안에 의미가 있는 (   )문자이며, 한글과 영어는 눈으로 보고 읽을 수 있는 (   )문자에 해당한다.

9 작은 대나무 찜통인 샤오룽에 쪄낸 중국식 만두로 작은 대나무 찜통인 샤오룽(小笼)에 쪄냈다 하여 이름 붙여진 이 요리의 이름은 무엇인가?

10 눈 깜짝할 사이에 얼굴에 쓴 가면을 바꾸는 묘기로, 손이나 부채 등으로 얼굴을 가리는 찰나에 얼굴의 가면을 다른 가면으로 바꾸는 공연 예술은?

11 중국어와 우리말의 가장 큰 차이는 바로 성조가 있다는 것이다. 다음 중 중국어 성조의 역할은?

① 한자 학습   ② 문장 이해   ③ 문화 이해   ④ 발음 연습   ⑤ 의미 구별

2 중국어 발음

단원 소개 노래는 멜로디와 가사로 되어 있습니다. 중국어도 이와 비슷합니다. 노래하듯이 연습하면 자연스러운 발음을 할 수 있습니다. 이번 단원에서는 중국어 발음에 대하여 배웁니다.

tāng
汤 국

táng
糖 사탕

tǎng
躺 눕다

tàng
烫 뜨겁다

hǎo

好

중국 최고의 높이를 자랑하는 타워로 건물의 이름은 '상하이 타워'이다. 건물의 높이는 632m로 세계에서 두 번째로 높은 타워로 1층부터 121층까지 360도 회전하며 돌아가는 모양으로 설계되었다. 중국을 대표하는 상징적인 용을 형상화하여 만든 건물이다.

이 건물은 '상하이 세계금융센터'로 총 101층 빌딩으로 빌딩 꼭대기에 사다리꼴 형태로 뚫려 있는 모양이 인상적이다. 멀리서 보았을 때 '병따개' 모양처럼 생겨서 병따개 건물로도 불린다. 건물 상단에 위치한 사다리꼴 모양은 풍압을 줄이기 위한 건축학적 방법으로 본래는 원형의 모양으로 설계가 되었지만 완성 후의 모습이 마치 일장기를 연상한다고 반대하여 지금의 모습이 되었다고 한다.

학습 목표
• 중국어 발음의 구성 요소를 이해할 수 있다.
• 중국어의 다양한 음절을 발음할 수 있다.

학습 표현
• 성조, 성모, 운모 익히기
• 기본 단어의 발음 연습하기
• 교실 중국어 발음 연습하기

문화
• 손으로 하는 숫자 표현

이 건물은 '상하이 진마오타워'로 진마오타워 88층에 자리한 전망대에서는 짜릿한 스카이워크가 가능하다. 길이 60m, 폭 1.2m의 난간을 걸으며 340.6m의 높이에서 상하이 시내를 내려다볼 수 있다. 68층에서 87층까지는 그랜드 하얏트 호텔 상하이가 입주해 있다.

학생들이 입고 있는 옷은 체육복(운동복)으로 보이지만, 중국 학교의 교복이다. 중국 대부분 학교의 교복은 우리나라와 달리 체육복의 형태로 이루어져 있다. 참고로 교복은 중국어로 校服(xiàofú)라 한다.

무슨 뜻인지 함께 생각해 봅시다. 🎧 01

bānzhǎng

➜ 班长(반장)

túshūguǎn

➜ 图书馆(도서관)

Hánguó

➜ 韩国(한국)

yùndòng

➜ 运动(운동하다)

사람 이름이나, 나라 이름, 지명 등의 한어병음 첫 글자는 대문자로 표기한다.

Jīn Mínhào : 김민호   Zhōngguó : 중국

Rìběn : 일본   Běijīng : 베이징

 내가 들어 본 중국어 발음을 적어 봅시다.

쉐셩(학생)

취(가다)

니츠판러 마(식사하셨어요)

니하오(안녕하세요)

짜이젠(안녕히 계시요)

웨이션머(왜)

쩐머러(왜)

니레이마(피곤하세요)

어쓰러(배고파죽겠다.)

아이요마야(어머나, 세상에)

워더톈나(세상에)

워 아이 니

25

중국어 발음 3요소

중국어는 뜻으로 이루어진 표의문자이기 때문에 표음문자와는 달리 음을 나타낼 수 없어서 각 한자의 음을 표기하는 방법을 만들어 냈다. 이를 '한어병음'이라고 하며 교재에 나와 있는 hǎo 글자로 학습해 보자.

❶ **성조**: 음의 높낮이
❷ **성모**: 음절의 앞부분에 해당하는 자음
❸ **운모**: 성모를 제외한 나머지 부분

성조
hǎo
성모   운모

중국어의 음절을 만들기 위해서는 3가지가 필요하다.
⑴ 음의 높낮이를 나타내는 4개의 성조가 이에 해당한다.
⑵ 우리말의 자음에 해당 : 성모 (초성에 해당)
⑶ 우리말의 모음에 해당 : 운모 (중성과 종성에 해당)

성조 🎧 02

⚙ **중국어에는 기본적으로 4개의 성조가 있다.**

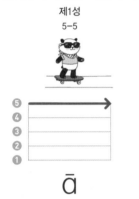

제1성 5-5	제2성 3-5	제3성 2-1-4	제4성 5-1
ā	á	ǎ	à
높고 평평한 음을 유지해서 발음한다.	중간 음에서 높은 음으로 부드럽게 소리를 올리면서 발음한다.	중간보다 낮은 음에서 시작하여 깊숙이 내렸다가 다시 위로 올리면서 발음한다.	가장 높은 음에서 가장 낮은 음으로 강하고 빠르게 내리면서 발음한다.

숫자로 표기된 부분은 음의 높이에 해당하는 부분으로 이해하면 된다. 1부터 5까지 중에서 5를 가장 높은 음으로 보고 성조연습에 임해보도록 하자.

• 1성 : 높고 평탄하게 발음한다. 이때 중요한 것은 중간에서 음이 내려오면 안 된다.
• 2성 : 음을 중간에서 위로 올리며 발음한다. 이때 중요한 것은 시작점에서 낮아졌다가 올라가면 안 된다. 살짝 평탄하게 음을 끌다가 올라가는 것은 괜찮지만, 낮아졌다가 올라가면 뒤에 배우는 3성과 혼란이 생길 수 있기 때문이다.

• 3성 : 3성은 음이 내려갔다가 다시 올라가면서 발음한다. 이때 중요한 것은 시작점을 너무 과도하게 낮게 발음하지 말아야 한다. 너무 낮으면 음을 더 낮게 발음하기가 어려우니 적절히 낮게 시작해서 더 낮게 내려갔다가 올라가도록 연습하자.
• 4성 : 4성은 높은 음에서 급하게 내려오며 발음한다. 이때 주의할 것은 너무 급하게 내린다는 생각 때문에, 정작 음이 내려가지는 않고 소리만 짧게 나오는 경우가 많은데 반드시 음의 변화가 느껴지도록 빠르게 내리며 발음하자.

⑴ 우리말의 자음에 해당하는 중국어의 성모는 모두 21개이다.
⑵ 우리말의 모음에 해당하는 중국어의 운모는 모두 36개인데, 운모는 성격에 따라 크게 6가지로 나눌 수 있다.
   (단운모, 복운모, 비운모, 권설운모, i결합운모, u결합운모)
⑶ 4성 이외에도 음의 높낮이가 없는 특수한 성조가 있는데 이를 경성이라고 한다. 경성은 별도의 성조표기를 하지 않는다.
   중국대륙에서 사용하는 한어병음은 알파벳 로마자를 사용하여 표기한다.
   참고 타이완에서는 한어병음이 아닌 주음부호를 이용하여 음절을 표기한다.

⚙ **같은 발음이라도 성조에 따라 의미가 달라지므로 정확하게 발음해야 한다.**

tāng 汤 국	táng 糖 사탕	tǎng 躺 눕다	tàng 烫 뜨겁다

26

운모 I 03 단운모는 한 개의 운모로 이루어진 것으로 중국어 발음의 가장 기본이 되는 운모이다.

⚙ 중국어 발음의 기본이 되는 단운모는 모두 6개가 있다.

a

ā á ǎ à
입을 넓고 크게 벌려 내는 소리로
우리말의 '아'와 비슷한 소리

아~ 다 그렸다!

bàba   dà   ma
아빠   크다   ~입니까

입을 우리말의 '아'보다 좀 더 크게 벌리고 약간 깊은 곳에서 발음한다.

o

ō ó ǒ ò
우리말의 '오'로 발음하다가 '어'
로 바꾸어 내는 소리

오! 멋진데!

bóbo
큰아버지

처음에는 '오'를 발음하다가 입술에 힘을 빼면서 '어'를 짧게 발음한다.

e

ē é ě è
우리말의 '으'로 약하게 시작하여
'어'로 바꾸어 내는 소리

으ㅓ떠실까?

è   gēge   le
배고프다   형,오빠   ~했다

처음에는 '으'로 짧게 발음하다가 턱을 살짝 내리면서 '어'를 길게 발음한다.

i

ī í ǐ ì
우리말의 '이'처럼 발음하되 입을
좀 더 옆으로 벌려서 내는 소리

이건 만리장성?

nǐ   dìdi
너, 당신   남동생

우리말의 '이'나 영어의 I 발음과 비슷하다. 치아를 나란히 하고 입을 양쪽으로 벌리며 '이'라고 발음한다.

u

ū ú ǔ ù
우리말의 '우' 발음보다 입을 좀
더 오므리며 내는 소리

우와 대단해!

bù   kū
·~아니다   울다

입술을 동그랗게 모아 앞으로 약간 내밀면서 '우'라고 발음한다.

ü

ǖ ǘ ǚ ǜ
치아는 'i' 모양으로, 입술은 'u'
모양으로 하여, 입 모양은 바뀌지
않게 내는 소리

위에 쓰여 있네!

qù
가다

마지막으로 ü는 u와 비슷하나 입술을 앞으로 내밀지 말고 약간 힘을 가운데로 모아진 상태에서 '위'라고 발음한다.
이때 주의할 것은, 우리말의 '위~이'처럼 입술을 움직이면서 발음하면 안 된다. 반드시 입술모양을 동그랗게 원형
으로 다 만든 다음, 입술은 움직이지 않고 공기를 내보내면서 '위'라고 발음해야 한다.

 성모

🔹 **중국어 음절의 앞부분에 해당하는 자음으로서 모두 21개가 있다.**

우리말의 자음에 해당하는 중국어의 성모는 모두 21개로 이루어져 있다. 쉽게 설명
하면 중국어 음절의 가장 첫 글자로 사용될 수 있는 부분이라고 보면 된다.
중국어의 성모는 크게 7가지로 분류할 수 있다.

b p m
bo po mo

> 두 입술을 붙였다가 떼면서 내는 소리 쌍순음

입을 둥글게 오므리고 [오]를 발음하면서 뒤에 약하게 [어]를 붙인다.

f
fo

> 윗니를 아랫입술에 대었다가 떼면서 내는 소리 순치음

영어의 f발음과 비슷하게 입모양을 만들어서 발음한다.

d t n l
de te ne le

> 혀끝을 윗니 뒤쪽 잇몸에 대었다가 떼면서 내는 소리 설첨중음

입을 약간 벌리고 [으]발음을 짧게 내면서 바로 [어]를 발음한다.

g k h
ge ke he

> 혀뿌리를 입천장 뒤쪽에 붙였다가 떼거나(g, k), 가까이 놓고(h)
> 내는 소리 설근음

j q x
ji qi xi

> 혓바닥을 입천장 앞쪽에 붙였다가 떼거나(j, q), 가까이 놓고(x) 내
> 는 소리 설면음

우리말의 [지], [치], [시]

zh ch sh r
zhi chi shi ri

> 혀끝을 딱딱한 입천장 앞부분에 붙였다가 떼거나(zh, ch), 가까이
> 놓고(sh, r) 내는 소리 권설음

한국인들이 가장 어려워하는 발음으로 혀끝을 살짝 올린 상태로 [즈], [츠], [스], [르] 로 발음한다.

z c s
zi ci si

> 혀끝을 윗니 뒤쪽에 붙였다가 떼거나(z, c), 가까이 놓고(s) 내는
> 소리 설첨전음

주의
'zhi chi shi ri zi ci si' 뒤의 'i'는 [이]가 아니라 [으]로 발음한다.

발음 연습 I 05

앞에서 배운 운모와 성모를 이용하여 발음을 연습하고 말해 봅시다.

bàba 아빠 爸爸	qù 가다 去	māma 엄마 妈妈	chī 먹다 吃

dìdi 남동생 弟弟	dú 읽다 读	tā 그녀 她	nǔlì 노력하다 努力

zhè 이, 이것 这	shì ~이다 是	nǐ 너 你	gēge 형, 오빠 哥哥

tā 그 他	bù 아니다 不	hē 마시다 喝	chá 차 茶

운모 Ⅱ 🎧06

⚙ '운모 Ⅰ'의 단운모를 서로 다양하게 결합하여 재미있는 중국어 발음을 만들 수 있다.

a와 결합한 운모			
ai	ao	an	ang
라이 lái 오다	하오 hǎo 좋다	칸 kàn 보다	창 cháng 길다

o와 결합한 운모	
ou 어우	ong 웅
더우 dōu 모두	중 zhòng 무겁다

e와 결합한 운모			
ei 에이	en [언] [엔] 언	eng [엉] [엥] 엉	er 얼
게이 gěi 주다	헌 hěn 매우	덩 děng 기다리다	얼 èr 2

i와 결합한 운모			
ia 야	ie 예	iao 야오	iou (성모+iu) 유
자유 jiāyóu 힘내다	셰 xiě 쓰다	샤오 xiǎo 작다	쥬 jiǔ 9

ian[옌][얜] 얀	iang 양	in 인	ing 잉	iong 융
롄 liàn 연습하다	샹 xiǎng 생각하다	신 xīn 새롭다	팅 tīng 듣다	슝 xióng 곰

U와 결합한 운모

ua 와	uo 워	uai 와이	uei (성모+ui) 웨이
화 huā 꽃	숴 shuō 말하다	솨이 shuài 잘생기다	뚸이 duì 맞다

uan 완	uen (성모+un) 원	uang 왕	ueng (성모+ong) 웡
관 guān 닫다	원 wèn 묻다	황 huáng 노랗다	훙 hóng 빨갛다

Ü와 결합한 운모

üe 웨	üan 위안	ün 윈
쉐 xué 배우다	위안 yuán 중국 화폐 단위	윈둥 yùndòng 운동하다

발음 연습Ⅱ

1 교실 중국어로 발음을 연습한 후, 수업 시간에 활용해 봅시다. 🎧 07

非常	好
fēicháng	hǎo
매우	좋다

Fēicháng hǎo!

非常好! 매우 좋다

真	棒
zhēn	bàng
정말	대단하다

Zhēn bàng!

真棒! 정말 대단하다

跟	我	读	现在	开始
gēn	wǒ	dú	xiànzài	kāishǐ
~를 따라서	나	읽다	지금	시작

Gēn wǒ dú, xiànzài kāishǐ!

跟我读, 现在开始! 나를 따라서 읽어주세요. 지금 시작합니다!

기타 교실 중국어

- 수업 시작하겠습니다.
  现在开始上课.
  Xiànzài kāishǐ shàng kè.
- 이름을 부르겠습니다.
  我点一下名.
  Wǒ diǎn yíxià míng.
- 책을 펴세요.
  请打开书.
  Qǐng dǎ kāi shū.
- 책 10쪽을 보세요.
  请看书 (10) 页.
  Qǐng kàn shū (shí) yè.
- 다시 한 번 읽겠습니다.
  再读一遍.
  Zài dú yí biàn.
- 조용히 하세요.
  安静一下.
  Ānjìng yíxià.
- 질문 있습니까?
  有问题吗?
  Yǒu wèntí ma?
- 오늘은 여기까지 하겠습니다.
  今天就上到这儿.
  Jīntiān jiù shàng dào zhèr.
- 여러분, 수고하셨습니다!
  大家辛苦了!
  Dàjiā xīnkǔ le!

2 손으로 숫자를 표현하는 방법입니다. 잘 듣고 성조를 표기해 봅시다. 🎧 08

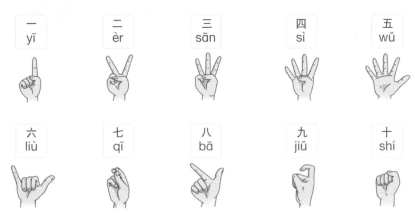

一	二	三	四	五
yī	èr	sān	sì	wǔ

六	七	八	九	十
liù	qī	bā	jiǔ	shí

한어병음 표기 Q&A

Q: 성조 부호는 어디에 표기하나요?

A: 아래 순서에 따라 운모 위에 표기합니다.

❶ 표기 순서: a > o = e > i = u = ü 예 jiào 叫, běi 北

❷ i 위의 점은 생략하고 성조만 표기 예 ī, í, ǐ, ì

❸ i와 u가 나란히 사용될 때는 뒤에 표기 예 liù 六, guì 貴

Q: 성조 표기가 없는 것은 무엇인가요? 🎧 09

A: '경성'이라고 합니다. 본래의 성조대로 발음하지 않고, 짧고 가볍게 발음합니다.

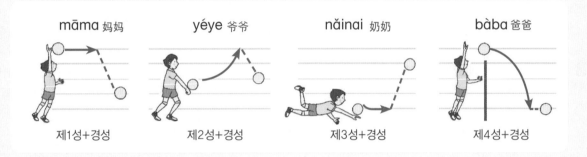

māma 妈妈	yéye 爷爷	nǎinai 奶奶	bàba 爸爸
제1성+경성	제2성+경성	제3성+경성	제4성+경성

Q: y와 w로 시작하는 것은 무엇인가요?

A: 성모 없이 i, u, ü로 시작하는 음절은 아래와 같이 표기합니다.

❶ i ⇨ yi   ia ⇨ ya , in ⇨ yin

❷ u ⇨ wu   uo ⇨ wo

❸ ü ⇨ yu   üe ⇨ yue

주의

❶ j, q, x + ü ⇨ 두 점(··)을 생략 예 x + üe ⇨ xue

❷ 성모 + iou, uei, uen ⇨ 가운데 운모인 o 또는 e를 생략

  예 j + iou ⇨ jiu   d + uei ⇨ dui   ch + uen ⇨ chun

1 다음 괄호 안에 들어갈 알맞은 말은?

> (   )는 중국어 음절의 첫부분으로 우리말의 초성에 해당하며 모두 21개이다.

① 성조   ② 초성   ③ 성모   ④ 운모   ⑤ 한어병음

2 다음 중 성조의 표기법 중에서 4성의 올바른 표기법은?

① ā   ② á   ③ ǎ   ④ à   ⑤ a

3 다음 중 운모에 해당하지 <u>않는</u> 것은?

① a   ② b   ③ i   ④ u   ⑤ o

4 다음 방식으로 발음하는 운모는?

> 처음에는 '오'를 발음하다가 입술에 힘을 빼면서 '어'를 짧게 발음하며 끝나는 운모이다.
> '오~어'처럼 발음한다.

① a   ② b   ③ i   ④ u   ⑤ o

5 주어진 우리말을 중국어로 바르게 말한 것은?

> 아빠는 안 가십니다.

① Bàba qù.   ② Gēge qù.   ③ Bàba bú qù.

④ Gēge qù le.   ⑤ Gēge bú qù.

6 다음 설명에 해당하는 중국어 음절의 구성 요소는?

> 중국어 음의 높낮이의 변화를 나타내어 뜻을 구별하는 기능을 하는 것으로서, 그 종류가 모두 4가지이다.

① 성모　　　　② 운모　　　　③ 성조　　　　④ 단운모　　　　⑤ 경성

7 중국어 성조에서 다음과 같이 발음되는 것은?

① 1성　　　② 2성　　　③ 3성

④ 4성　　　⑤ 경성

8 중국어 성조에서 다음과 같이 발음되는 것은?

① 1성　　　② 2성　　　③ 3성

④ 4성　　　⑤ 경성

9 다음 중 단운모 중에서 입을 가장 크게 벌리며 발음하는 것은?

① a　　　　② o　　　　③ e　　　　④ i　　　　⑤ u

10 다음중 보기의 방법으로 발음하지 <u>않는</u> 성모는?

> 혀끝을 윗니 뒤 잇몸에 붙였다가 떼면서 내는 소리

① d　　　　② t　　　　③ n　　　　④ l　　　　⑤ f

단원 종합 평가

1 다음중 보기의 방법으로 발음하는 성모로만 묶인 것은?

> 윗입술과 아랫입술을 붙였다가 떼면서 내는 소리

① b, p   ② m, f   ③ d, t   ④ n, l   ⑤ g, k

2 단운모를 이용하여 다음의 우리말을 한어병음으로 바르게 옮긴 것은?

> 남동생은 안 갑니다.

① Dìdi qù.   ② Dìdi bú qù.   ③ Dìdi bú qù ma?

④ Bàba bú qù.   ⑤ Bàba bú qù ma?

3 다음 우리말을 중국어로 표기할 때 빈칸에 알맞은 성모는?

> 엄마   ___āma

① b   ② m   ③ d   ④ t   ⑤ k

4 다음 중국어 발음에 해당하는 우리말은?

> hǎo

① 오다   ② 좋다   ③ 아니다   ④ 바쁘다   ⑤ 예쁘다

5 다음 우리말을 한어병음으로 바르게 옮긴 것은?

> 저를 따라 읽어주세요. 지금 시작합니다!

① Fēicháng hǎo!   ② Qǐng dǎ kāi shū.

③ Māma piàoliang ma?   ④ Wǒ diǎn yíxià míng.

⑤ Gēn wǒ dú, xiànzài kāishǐ!

6 주어진 한어병음 중에서 성격이 다른 하나는?

① a   ② o   ③ b   ④ i   ⑤ u

7 보기에서 옳은 설명들끼리 짝지어진 것을 고른 것은?

> **보기**
>
> 가. 성모는 음절의 앞부분에 해당하는 자음이다.
> 나. 중국어에는 기본적으로 8개의 성조가 있다.
> 다. 같은 발음이라도 성조에 따라 의미가 달라지게 된다.
> 라. 두 입술을 붙였다가 떼면서 내는 소리는 b,p,m가 있다.
> 마. 현재 중국에서 사용되는 중국어 발음표기법의 정식명칭은 '주음부호방법'이다.

① 가, 나   ② 가, 다   ③ 가, 다, 라   ④ 나, 다, 마   ⑤ 나, 라, 마

8 주어진 우리말에 해당하는 중국어 단어의 한어병음을 고르시오.

> 노력하다

① nǐ   ② ma   ③ dōu   ④ hěn   ⑤ nǔlì

9 성조 부호 표기는 운모 위에 표기하도록 되어 있는데 가장 우선적으로 표기해야 하는 운모의 위치는?

① i   ② a   ③ u   ④ e   ⑤ o

10 아래 그림에 해당하는 성조의 올바른 발음 방법은?

① 높은 음에서 평탄하게 흐른다.

② 중간 음에서 위로 짧게 올라간다.

③ 가장 높은 음에서 강하게 내려온다.

④ 낮은 음에서 가장 낮은 음으로 내려온다.

⑤ 중간 아래 음에서 가장 낮은 음을 내다가 위로 살짝 올라간다.

단원 소개

민호가 중국 학교에 처음 등교한 날입니다. 선생님과 친구들을 만나 인사를 나누어야겠지요?
이번 단원에서는 인사와 감사 그리고 사과와 관련된 기본적인 중국어 표현을 배웁니다.

쉬는 시간 중국의 고등학교 학생들이 삼삼오오 모여서 이야기를 하고 있는 모습이다. 중국 학생들의 아침 1교시는 대부분 오전 8시에 시작된다. 또한 우리나라의 '1교시 50분' 수업에 비해 중국은 5분이 짧은 '1교시 45분' 수업으로 진행된다.

중국 학교의 정문에는 '保安室(보안실)'이라고 해서 학교 출입을 관리하는 직원들이 근무하고 있다.

学校 xuéxiào 학교
五星红旗 Wǔxīng-Hóngqí 오성홍기
学生 xuésheng 학생
校服 xiàofú 교복

 학습 목표
• 만나고 헤어질 때의 표현을 할 수 있다.
• 고마움과 미안함을 표현할 수 있다.

 학습 표현
• 인사하기
• 감사하기
• 사과하기

 문화
• 중국의 인사 문화

3 你好

Nǐ hǎo

안녕하세요

주로 사용하는 인사의 표현

你好! Nǐ hǎo! 안녕!
老师好! Lǎoshī hǎo! 선생님, 안녕하세요!

再见! Zàijiàn! 안녕히 계세요!
明天见! Míngtiān jiàn! 내일 봐요!

老师好! Lǎoshī hǎo! 선생님, 안녕하세요!
大家好! Dàjiā hǎo! 여러분, 안녕하세요!

미리 보기

1 인사와 관련된 기본 어휘를 듣고 의미를 생각해 봅시다. 🎧 10

기본어휘

- '你 nǐ'는 '너'라는 의미를 갖는 2인칭의 인칭대명사로 높임말로는 '您 nín 당신'이라는 단어를 사용한다.

- '好 hǎo'는 '좋다'라는 형용사의 의미이다. 앞에 2인칭의 인칭대명사 '你'를 사용하여 '你好'로 사용할 때는 '안녕하세요!'라는 인사말로 사용된다.

- '再 zài'는 '다시'라는 의미로 같은 동작·행위의 중복이나 계속을 나타내며, 주로 아직 실현되지 않거나 지속성 동작·행위를 가리킬 때 사용한다.

- '见 jiàn'은 '보다, 만나다'의 단어로 -ian의 발음은 '옌'으로 읽는다.

듣기 대본 및 정답

1. 你好! 안녕하세요!
   再见! 안녕히 계세요!

2. Nǐ hǎo!

2 기본 어휘를 사용하여 짧은 문장을 만들어 봅시다.

안녕하세요! ➡ Nǐ [   ] !

짧은 문장 만들기

안녕히 계세요!
(   )!

정답과 해설 ▶ 254쪽

40

听 듣기

1 잘 듣고, 알맞은 발음을 고른 후 의미를 생각해 봅시다. 🎧11

1 ☐ nǐ
   ☐ nín

2 ☐ jiān
   ☐ jiàn

3 ☐ Zàijiàn!
   ☐ Nǐ hǎo!

발음 TIP

• 1성부터 4성까지의 성조를 정확하게 들어보도록 하자.

• 특히 '─ian'은 '이안'이 아닌 '옌'으로 읽는다는 것에 주목하자.

• 你 nǐ 너

• 您 nín은 '너'의 높임말인 '당신'의 뜻으로 유일하게 중국어에서 높임의 표현으로 사용할 수 있는 단어이다.
참고로 '你'의 복수형은 '你们 nǐmen'이지만 '您'은 '您们'으로 사용하지 않는다는 것을 기억하자.

• 见 jiàn은 '보다, 만나다'로 'ian'은 '이안'이 아닌 '옌'으로 읽는다.

• 再见 zàijiàn은 '안녕히 계세요'의 의미로 'zài'는 권설음으로 읽지 않도록 주의한다.

듣기 대본 및 정답

1. ① nǐ
   ② jiàn
   ③ Nǐ hǎo!

활동

2 잘 듣고, 발음 다트 판에 순서대로 숫자를 기록해 봅시다. 🎧12

활동 대본 및 정답

2. ① nǐ   ② hǎo
   ③ zàijiàn   ④ míngtiān
   ⑤ duìbuqǐ   ⑥ men
   ⑦ bù   ⑧ kèqi
   ⑨ xièxie

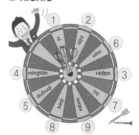

읽기 ①

 "와! 개학이다!" 새 학기 첫날 친구와 선생님을 만나 반갑게 인사를 나누어 봅시다.

(1) 만났을 때 🎧 14

1 리빙빙, 왕강

→ 만났을 때 하는 인사말. 시간과 장소에 관계 없이 가장 많이 사용.

你好!
Nǐ hǎo!
안녕!

2 김민호

인칭을 나타내는 말 뒤에 ~~~~
되어 복수를 나타냄. 사물을 ~~~~
리키는 말에는 쓸 수 없음.

你们好!
Nǐmen hǎo!
얘들아, 안녕!

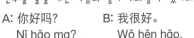
안부를 물을 때는 다음과 같이 대화할 수 있어요.

A: 你好吗?   B: 我很好。
   Nǐ hǎo ma?   Wǒ hěn hǎo.

北京中学

(2) 헤어질 때 🎧 15

1 박나라

→ 보통 헤어질 때 하는 인사이고, 대답도 똑같이 '再见!'으로 함.

再见!
Zàijiàn!
안녕히 계세요!

2 선생님

→ '내일 보자!', '내일 만나자!'라는 의미의 인사말

明天见!
Míngtiān jiàn!
내일 보자!

 헤어질 때 하는 인사말은 무엇인가요?

읽기 TIP

- 인칭대명사의 이해
  1인칭 : 我 wǒ 나
  2인칭 : 你 nǐ 너
  3인칭 : '그'는 他 'tā', '그녀'는 她 'tā'를 사용한다.

- 인칭대명사의 복수형은 뒤에 '们 men'을 사용한다.

- 明天 míngtiān은 '내일'이라는 뜻이다.

{ 삽화설명 }

北京中学
Běijīng Zhōngxué :
베이징 중등학교(중학교·고등학교)

- 중국 교육기관의 단어
  小学 xiǎoxué 초등학교
  初中 chūzhōng 중학교
  高中 gāozhōng 고등학교
  大学 dàxué 대학교

🔊 정답
再见! Zàijiàn! 잘가! 안녕!

📝... 你 nǐ 너   好 hǎo 안녕하다, 좋다   们 men ~들(복수를 나타냄)   吗 ma ~입니까?   我 wǒ 나   很 hěn 매우
再见 zàijiàn 안녕, 잘 가   明天 míngtiān 내일   见 jiàn 만나다

🎧 13

1 你好! 안녕하세요!

가장 일반적인 인사말로 '대상+好' 형식으로 표현한다.

| 老师 Lǎoshī
大家 Dàjiā | + | 好
hǎo | ! | 선생님, 안녕하세요!
여러분, 안녕하세요! |

'사람 명사/인칭 대명사+们'은 복수를 나타낸다.

1인칭(복수)	2인칭(복수)	3인칭(복수)	명사 복수
我 wǒ (我们)	你 nǐ (你们)	他 tā / 她 tā / 它 tā (他们 / 她们 / 它们)	老师们 lǎoshīmen 同学们 tóngxuémen

2 제3성의 변화 🎧17

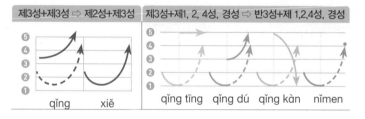

제3성+제3성 ⇨ 제2성+제3성	제3성+제1, 2, 4성, 경성 ⇨ 반3성+제 1,2,4성, 경성
qǐng xiě	qǐng tīng qǐng dú qǐng kàn nǐmen

문제 풀이 TIP

1. 인칭대명사의 복수형은 '们 men'을 사용한다. 하지만 2인칭 인칭대명사의 높임말인 '您 nín'은 '您们'으로 사용하지 않는다는 것을 기억하자.

2. 제3성의 성조 변화에 대해서 제3성+제3성은 앞에 있는 제3성을 제2성으로 바꾸어 발음한다. 하지만 성조 표기 시에는 제2성으로 바꾸지 아니하고, 본래의 성조인 제3성을 그대로 사용하여야 한다.

자연스러운 대화끼리 연결하기

Nǐ hǎo! ✕ Zàijiàn!
Míngtiān jiàn! ✕ Nǐ hǎo!

• 제3성의 변화 연습
2개의 음절 중에서 앞에 있는 3성을 2성으로 발음하여 읽는다. 단 읽을 때는 2성으로 읽지만 성조 표기 시에는 변화시키지 않고 그대로 3성으로 둔다.

사진 속 중국

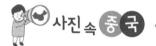 수업 시작 전 기립 인사

중국에서는 학교에서 수업 시작 전 모두 일어나서 선생님께 기립 인사를 하며 예의를 표현한다.

수업 시간 모습

중국 학생들의 1교시 수업 시간은 대부분 45분으로 이루어진다. 우리나라 고등학교의 1교시(50분) 수업보다는 5분 일찍 끝나지만, 1교시가 8시에 시작하는 편이라 우리나라의 학교보다는 등교시간이 이른 편이다.

📝 ... 老师 lǎoshī 선생님 大家 dàjiā 여러분 他 tā 그 她 tā 그녀 它 tā 그것 同学 tóngxué 학우, 급우
请 qǐng 청하다 写 xiě 쓰다 听 tīng 듣다 读 dú 읽다 看 kàn 보다

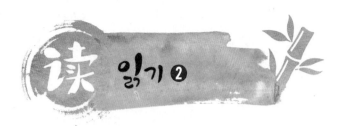

🌿 "고마워!", "괜찮아!" 이 말은 언제 들어도 행복한 말입니다. 이러한 감사와 사과 표현을 배워 봅시다.

(3) 감사할 때 🎧19

1 김민호

谢谢!
Xièxie!
'ie'의 발음에 주의
고마워!

2 왕강

不客气!
Bú kèqi!
천만에.

'천만에요!', '별말씀을요!'라는 뜻으로, '谢谢'라고 말할 때 답변함.

(4) 사과할 때 🎧20

1 박나라

对不起!
Duìbuqǐ!
'ui'의 발음에 주의
미안해!

2 리빙빙

没关系!
Méi guānxi!
괜찮아!

괜찮아!, 상관 없어!

가볍게 미안함을 표현할 때 '不好意思bù hǎoyìsi'라고도 해요.

읽기 TIP

• 'Xièxie'의 'ie'는 i 결합운모로 '예'로 발음하여 앞에 붙은 성모 x와 결합하여 '셰셰'로 발음한다.

• 'iou, uei, uen' 앞에 성모가 있으면 'o, e'를 빼고 'iu, ui, un'으로 표기한다.

• 没关系 Méi guānxi'는 '괜찮아, 상관없다'라는 뜻으로 '没事儿 Méi shìr', '没关系 Méi guānxi', '不要紧 Bú yàojǐn'으로도 바꾸어 사용할 수 있다.

🔵 사과할 때 사용하는 인사말은 무엇인가요?

📗 정답
对不起! 미안해!

✏... 谢谢 xièxie 고맙다 不 bù 아니다, ~하지 않다 客气 kèqi 겸손하다, 예의가 바르다 对不起 duìbuqǐ 미안하다
　　 没关系 méi guānxi 괜찮다 不好意思 bù hǎoyìsi 미안하다

🎧18

44

이해하기 ❷

1 • 谢谢! 감사합니다!

감사함을 표현할 때 '谢谢+대상'의 형식으로 쓰이기도 한다.

| 谢谢 Xièxie | + | 您 nín! | 감사합니다! |
| | | 大家 dàjiā! | 여러분, 고마워요! |

2 • 不客气! 🎧22 천만에요! 별 말씀을요!

감사 표현에 대한 답변이다.
不는 동사나 형용사 앞에 쓰여 부정을 나타내며, 원래는 제4성이지만 뒤에
제4성이 오면 제2성으로 발음한다.

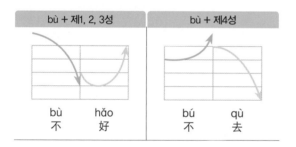

| bù + 제1, 2, 3성 | bù + 제4성 |
| bù 不　hǎo 好 | bú 不　qù 去 |

1. '谢谢 xièxie'보다 더 감사한 표현을 사용할 때는 '多谢 duōxiè'라는 표현을 사용한다.

'不'는 단독으로 쓰이거나 1성, 2성, 3성 앞에 쓰일 때는 원래의 성조인 4성으로 읽어준다. 하지만 4성 단어 앞에 쓰일 때는 2성으로 변환된다.

빈칸 채우기
미안해요!
对 [不] 起!
Duì [bu] qǐ!

단어 읽기
不好。
Bù hǎo. 좋지 않다.
不客气!
Bú kèqi! 천만에

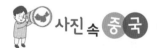
사진 속 중국 ··· 생생톡톡

쇼핑몰 사이트의 감사 카드

'谢谢'라는 단어 대신 '感谢 gǎnxiè'라는 단어를 사용하여 감사의 표현을 말할 수 있다.

사과 메시지 주고받기

'对不起'와 '没关系'를 이용하여 미안하고 괜찮다는 문장을 메신저로 보내고 있는 장면으로, 이외에도 사과의 표현으로 사용할 수 있는 '不好意思'나 괜찮다는 '没事儿'를 응용해서 사용할 수도 있다. 물론 사용하는 시기와 상황에 따라 조금의 차이점은 있다는 것을 기억하자.

 ···· 您 nín 당신(你의 존칭)　去 qù 가다

🎧21

说 말하기

정답과 해설 ▶ 254쪽

1 색칠한 부분을 바꾸어 말해 봅시다. 🎧24

> A: 你好! Nǐ hǎo! 안녕!
> B: 你们好! Nǐmen hǎo! 애들아 안녕!

말하기 TIP

1. 老师 lǎoshī 선생님
   同学们 tóngxuémen 학우들, 급우들
   大家 dàjiā 여러분, 모두

老师
lǎoshī

同学们
tóngxuémen

大家
dàjiā

2 다음 어휘의 확장 연습을 해 봅시다. 🎧25

2. 明天 míngtiān 내일
   见 jiàn 만나다
   明天见 míngtiān jiàn!
   내일 보자!

明天见!
Míngtiān jiàn!　내일 보자!

见

明天　见

듣기 문제 1

두 사람의 대화의 주제는?
① 만남　② 헤어짐
③ 감사하기

46

3 색칠한 부분을 바꾸어 말해 봅시다. 🎧26

말하기 TIP

3. 晚上 wǎnshang 저녁
   下午 xiàwǔ 오후
   一会儿 yíhuìr 잠시,
   잠깐 동안

明天见! 내일 보자!
Míngtiān jiàn!

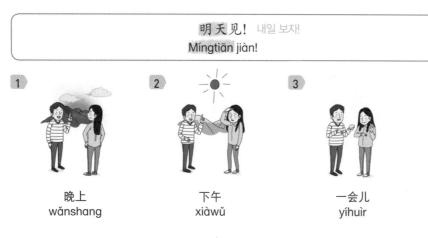

1 晚上
  wǎnshang

2 下午
  xiàwǔ

3 一会儿
  yíhuìr

4 사다리를 따라 빈칸에 적절한 표현을 넣어 짝과 함께 말해 봅시다.

你好!　　再见!　　对不起!　　谢谢!

你们好!

활동 TIP

对不起! Duìbuqǐ! 미안합니다!
谢谢! Xièxie! 고맙습니다!
你们好! Nǐmen hǎo!
여러분 안녕하세요!

활동 정답

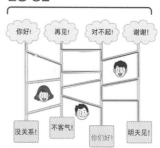

你好!　再见!　对不起!　谢谢!

没关系!　不客气!　你们好!　明天见!

듣기 문제 2

두 사람은 현재 무슨 대화를 나
누고 있나요?

① 아침인사　② 작별인사
③ 저녁인사

晚上 wǎnshang 저녁　下午 xiàwǔ 오후　一会儿 yíhuìr 잠시, 잠깐 동안 🎧23

정답과 해설 ▶ 254쪽

쓰기

1 그림을 보고 대화를 완성해 봅시다.

Duìbuqǐ! guānxi!

2 그림에 해당하는 말을 연결하고 빈칸에 한어병음을 써 봅시다.

你　　　　　我　　　　　他们

3 대화를 완성하고 짝과 함께 말해 봅시다.

Dàjiā hǎo!　　Duìbuqǐ!　　Bú kèqi!　　Méi guānxi!

① Lǎoshī hǎo!

② Xièxie!

1. (1) 对不起! Duìbuqǐ!
미안합니다!
(2) '괜찮아, 상관없어'라는 문장
을 이해해야 풀 수 있는 문장
으로 '没关系! Méi guānxi!'
를 사용해야 한다.

2. 인칭대명사 및 복수형 단어
1인칭 : 我 wǒ 나
2인칭 : 你 nǐ 너
3인칭 : 그는 他 tā,
그녀는 她 tā를 사용한다.
인칭대명사나 사람을 지칭하는
명사 뒤에 쓰여 복수를 나타낼
때는 们 men을 사용한다.

3. Dàjiā hǎo! 大家好!
여러분 안녕하세요!
Duìbuqǐ! 对不起!
미안합니다! 죄송합니다!
Bú kèqi! 不客气!
천만에요! 별말씀을요!
Méi guānxi! 没关系!
괜찮습니다!
Lǎoshī hǎo! 老师好!
선생님, 안녕하세요
Xièxie! 谢谢! 감사합니다!

쓰기 정답

1. Méi

2.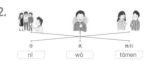
你　　　我　　　他们
nǐ　　　wǒ　　　tāmen

3. ① Dàjiā hǎo!
② Bú kèqi!

일상생활에서 만날 수 있는 사람들과 인사를 나누어 봅시다.

① 단계 〈예시〉를 보고 인사말 연습하기

② 단계 〈적용〉란에 자신이 일상에서 만나는 사람을 직접 그려 보고 대화문 만들기

③ 단계 4가지 대화문으로 다양한 인사말 해 보기

〈예시〉

A: Wáng yīshēng, nín hǎo!
B: Xiǎo Lǐ, nǐ hǎo!

A: Jīn lǎoshī, nín hǎo!
B: Dàjiā hǎo!

어휘 TIP

• 병원에서 사용되는 필수 어휘
X射线 X shèxiàn 엑스레이
听诊器 tīngzhěnqì 청진기
看医生 kàn yīshēng 의사에게 진료를 받다
门诊 ménzhěn 진료, 진찰
挂号 guàhào 등록하다

• 교실에서 사용되는 필수 어휘
黑板 hēibǎn 칠판
讲桌 jiǎngzhuō 교탁
书桌 shūzhuō 책상
椅子 yǐzi 의자

〈적용〉

(1) 아파트 경비 아저씨를 만났을 때
A : Wáng shīfu, nín hǎo! 王师傅, 您好!
(왕 아저씨, 안녕하세요!)
B : Xiǎo Jīn, nǐ hǎo!
小金, 你好!
(김군, 안녕!)

(2) 회사에서 사장님을 만났을 때
A : Piáo zǒng, nín hǎo! Chūchāi zěnmeyàng?
朴总, 您好! 出差怎么样?
(박 사장님, 안녕하세요, 출장은 어떠셨나요?)
B : Lín chǔzhǎng, hǎojiǔ–bújiàn!
林处长, 好久不见! (임 과장, 오랜만이군!)

 医生 yīshēng 의사
小 xiǎo 성, 이름 앞에 붙는 애칭, 나보다 나이 어린 사람을 친근하게 부를 때 사용함.

 阿姨 āyí 아주머니, 이모   **护士 hùshi** 간호사
师傅 shīfu 기사, 아저씨   **警察 jǐngchá** 경찰
先生 xiānsheng 선생, 남편

1. 만나고 헤어질 때의 표현을 할 수 있다.

2. 고마움과 미안함을 표현할 수 있다.

우리는 어른을 만났을 때, 허리를 굽혀 인사하거나 간단히 묵례를 한다. 중국에서도 격식을 갖추어 인사할 때는 머리를 숙여 인사하지만, 일반적으로 허리를 굽히지 않고 가볍게 손 인사를 해도 예의에 어긋나지 않는다고 생각한다.

인사

친한 사이 인사

친한 사이에는 "你好! Nǐ hǎo!" 대신에 "어디 가세요?(你去哪儿? Nǐ qù nǎr?)", "식사하셨어요?(你吃饭了吗? Nǐ chī fàn le ma?)"라는 말을 자주 쓴다.

헤어질 때는 "再见 Zàijiàn!" 대신에 "저 먼저 가겠습니다.(我先走了。 Wǒ xiān zǒu le.)", "잘 가!(拜拜! Báibái!)"라는 말을 자주 쓴다.

过得怎么样? : 어떻게 지냈니?
好久不见! 很久没见! : 오랜만이야!

시간대별 인사

早上好。　　　　　　下午好。　　　　　　晚上好。
Zǎoshang hǎo.　　　Xiàwǔ hǎo.　　　　Wǎnshang hǎo.

凌晨 língchén 새벽녘, 이른 아침(주로 새벽 1시부터 5시까지의 이른 새벽을 말함)
무晨 zǎochen 새벽, 오전(주로 오전 5시에서 8시까지의 시간)

※ 참고로 새벽에 만나는 경우는 흔치 않기 때문에 인사말로는 사용하지 않는다.

*早上 zǎoshang 아침

문화 ○× 퀴즈

중국어에는 시간대별 인사말이 있다. (○)

알아보기

우리나라와 중국의 인사법의 차이에 대해 알아보자.

중국인들은 평소 인사할 때 고개를 숙이지 않는다. 이것이 우리와 다른 가장 큰 차이점이다. 어린 꼬마들도 선생님이나 어른들을 보면 "您好!"라고 인사하며 손을 흔든다. 목례로 인사하는 우리의 문화와는 사뭇 다른 부분이니 중국에 가서 이런 상황에 처해질 때 당황하지 말자.

상대방을 존중하는 의미가 담긴 중국의 전통 인사법인 拱手礼 gǒngshǒulǐ는 가슴 높이에서 한 손으로 다른 한 손을 감싼 채 가볍게 흔든다. 남자는 왼손을, 여자는 오른손을 위에 놓는다.

중국의
전통 인사
拱手礼
gǒngshǒulǐ

• 拱手礼와 관련된 또 다른 지식
일반적으로 사용하는 공서우에는 남자는 왼손으로 오른손 주먹을 가리고, 여자는 오른손으로 왼손의 주먹을 가리어 예의를 표현하는데, 이 때 주먹을 가리는 이유는 내가 상대방을 공격할 의사(주먹)가 없음을 알리며 예의를 나타내는 표현으로 보면 된다. 하지만 중국의 무술인들이 대결을 하기 전에, 혹은 공연을 하기 전에 인사하는 공서우에는 상대방에게 주먹을 보이게 하여 인사하는 것을 볼 수가 있는데 왜 그럴까? 이는 '武'를 통하여 한 수 배움을 갖겠다는 의도로 사용된다는 것으로 해석된다.

주의

장례식장에서 애도를 표할 때는 손 위치가 반대로 바뀐다는 사실! 남자는 오른손이 위로, 여자는 왼손이 위로 가도록 하여, 예의에 어긋나지 않게 조심해야 한다.

1 녹음을 듣고 내용과 일치하면 답안에 O 표시를, 틀리면 X 표시를 하시오.

2 녹음을 듣고 내용과 일치하는 그림을 고르시오.

3 녹음을 듣고 대화 내용에 맞는 그림을 고르시오.

쓰기 평가

1 단어의 뜻을 쓰시오.

1 wǒ → [   ] **2** nǐ → [   ]

3 再见 → [   ] **4** 老师 → [   ]

2 단어의 한어병음을 쓰시오.

1 가다 → [   ] **2** 고맙다 → [   ]

3 很 → [   ] **4** 客气 → [   ]

3 문장의 뜻과 일치하도록 빈칸을 완성하시오.

1 미안해! → Duì [   ] qǐ!

2 내일 보자! → Míngtiān [   ] !

4 다음 문장을 한자로 바르게 쓰시오.

1 Dàjiā hǎo! → [   ]

2 Méi guānxi! → [   ]

기초 평가

1 단어와 뜻을 바르게 연결하시오.

很 ·　　　· xiě ·　　　· 듣다

听 ·　　　· qǐng ·　　　· 쓰다

请 ·　　　· dú ·　　　· 매우

写 ·　　　· hěn ·　　　· 청하다

读 ·　　　· tīng ·　　　· 읽다

2 괄호 안의 두 단어 가운데 알맞은 것을 고르시오.

(1) Bù (hěn, hǎo) yìsi.

(2) Wǒ (hěn, yǒu) hǎo.

3 그림에 해당하는 단어를 한자로 쓰시오.

(1)

(2)

4 다음 중국어를 우리말로 옮기면?

> 再见!

① 또 만나요!　　② 감사합니다!　　③ 미안합니다!　　④ 괜찮습니다!　　⑤ 사양하지 마세요!

5 주어진 중국어의 발음으로 알맞은 것은?

> 对不起!

① Xièxie!　　② Duìbuqǐ!　　③ Bù hǎoyìsi!　　④ Méi guānxi!　　⑤ Hěn bàoqiàn!

6 한어병음을 바르게 배열하시오.

(1) ǎ　wa　sh　g　a　n　　→ (　　　　　　　　　　　　　　　　)
(2) i　x　e　è　x　i　　→ (　　　　　　　　　　　　　　　　)

7 주어진 단어가 들어갈 위치를 표시하시오.

(1) 너희들 안녕! '好'　→　ⓐ 你　ⓑ 们　ⓒ ！
(2) 잠시 후에 보자! '见'　→　ⓐ 一　ⓑ 会　ⓒ 儿　ⓓ ！

8 다음 대화가 이루어지는 시간으로 적절한 것은?

A : 早上好!
B : 早上好!
A : 你身体好吗?
B : 很好. 谢谢.

① A.M. 8시 10분　② A.M. 11시 50분
③ 정오　④ P.M. 2시 30분
⑤ P.M. 6시 50분

9 문장을 바르게 해석하시오.

(1) 谢谢大家!　→
(2) 不好意思。　→

10 다음의 문장을 중국어로 작문하시오.

(1) 미안합니다!　→
(2) 학우들 안녕!　→

단원 종합 평가

1 단어와 뜻의 연결이 바르지 <u>않은</u> 것은?

① 去 – 가다   ② 见 – 만나다

③ 谢谢 – 고맙다   ④ 客气 – 겸손하다, 예의가 바르다

⑤ 晚上 – 아침

2 다음 상황에 가장 어울리는 말은?

① Nǐ hǎo!   ② Zàijiàn!

③ Xiàwǔ hǎo!   ④ Lǎoshī hǎo!

⑤ Tóngxuémen hǎo!

3 빈칸에 들어갈 알맞은 말은?

(A)   (B)

A : 老师好!

B : _____ 好!

① 你   ② 他   ③ 她们   ④ 大家   ⑤ 老师

4 빈칸에 들어갈 대답으로 알맞은 것은?

A : 再见!

B : (   )见!

① 你们   ② 明天   ③ 大家   ④ 不客气   ⑤ 谢谢

5 한어병음을 보고 한자로 써 보시오.

(1) Xièxie nín! →

(2) Bú kèqi! →

6 다음 대화를 읽을 때, 밑줄 친 단어의 성조로 알맞은 것은?

> A : 谢谢!
> B : 不客气!

① 1성　　② 2성　　③ 3성　　④ 4성　　⑤ 경성

7 어린이가 그림과 같이 감사를 표현하고자 할 때 사용할 수 있는 말은?

① Duìbuqǐ.　　② Xièxie nín.
③ Búyòng xiè.　　④ Zhè shì nǐ de shū.
⑤ Zhè shì yīnggāi de.

8 주어진 우리말을 중국어로 바르게 옮긴 것은?

> 당신의 도움에 감사드립니다.

① 不谢。　　② 不客气。
③ 您太客气了。　　④ 非常感谢您。
⑤ 谢谢你的帮助。

9 다음 중 오랜만에 지인을 만났을 때 사용하는 인사말로 적절한 것은?

① Xièxie.　　② Zàijiàn.
③ Duìbuqǐ.　　④ Hǎo jiǔ bú jiàn.
⑤ Duōxiè, duōxiè.

10 다음 한어병음에 해당하는 중국어는?

> xiàwǔ

① 晚上　　② 老师　　③ 很好　　④ 明天　　⑤ 下午

학습 목표
- 국적과 이름을 묻고 답할 수 있다
- 가족을 소개할 수 있다.

학습 표현
- 국적 표현하기
- 이름 묻고 말하기
- 가족 소개하기

문화
- 중국의 가족 문화

만리장성 长城 Chángchéng

세계문화유산으로 등록되어 있는 중국 최대의 건축물로, 총 길이 21, 196km에 이른다. 춘추전국시대 중국을 최초로 통일시킨 진나라 때 연결하여 완성시킨 것이 만리장성의 원형이다. 현재 남아 있는 만리장성의 터로는 베이징 주변의 팔달령 장성(八达岭长城), 명대 장성의 최동쪽에 있는 산해관(山海关), 명대 장성의 최서단쪽인 가욕관(嘉峪关), 둔황 근처에 있는 한대의 장성인 옥문관(玉门关) 등이 있다. 현재 관광객들이 가장 많이 찾는 곳은 팔달령 장성과 관문이었던 거용관(居庸关) 장성이 있다.
만리장성 중 가장 잘 알려진 팔달령 장성은 베이징에서 북서쪽으로 70km 거리에 위치해 있고, 1505년에 축조되었으며 능선을 따라 연결된 장성의 모습이 장관을 이루는 곳이다.

중국 대표 국영방송인 CCTV 사옥

CCTV는 중국의 유일한 국가의 텔레비전 방송국으로서 현재 22개의 채널을 운영하고 있다. 2만 명이 넘는 직원을 보유한 최대 방송국인 국영 CCTV는 채널 전문화와 해외 방송 확장을 통해 중화권에 영향력 큰 채널로서 자리매김하고 있다. CCTV는 공산당과 정부의 대변자로서 당과 정부 정책을 선전하는 역할을 담당한다. 경제 채널(ch2), 종합예술 채널(ch3), 스포츠 채널(ch5), 교육 채널(ch10), 희극 채널(ch11), 사회·법 채널(ch12), 24시간 뉴스 채널(ch13), 아동 채널(ch14), 음악 채널(ch15) 등 서로 다른 편성으로 구성된다.

단원 소개

학급에 온 외국인 친구 만호를 보고 중국인 친구들이 무척 반가워하네요. 서로 소개를 해야겠지요? 이번 단원에서는 이름과 국적 그리고 가족을 소개하는 표현을 배웁니다.

4 我是韩国人

Wǒ shì Hánguórén

저는 한국 사람입니다

다양한 국적의 학생들이 모여서 즐겁게 대화하는 장면의 모습이다. 중국어로 국적을 물어볼 때는 '你是哪国人？' 이라고 물어보고, 이름을 물어볼 때는 '你叫什么名字？'라고 물어보면 된다.

미리 보기

1 국가 명, 가족과 관련된 기본 어휘를 듣고 의미를 생각해 봅시다. 🎧28

세계 청소년 토론 대회

주제: 가족 문화

美国 Měiguó
中国 Zhōngguó
韩国 Hánguó
西班牙 Xībānyá
日本 Rìběn

我 wǒ
爸爸 bàba
妹妹 mèimei
妈妈 māma

기본어휘

- 韩国 Hánguó 한국
  中国 Zhōngguó 중국
  美国 Měiguó 미국
  西班牙 Xībānyá 스페인
  日本 Rìběn 일본
  나라 이름을 나타낼 때 한어병음의 첫 글자는 대문자로 표기한다.

- 我 wǒ 나
  爸爸 bàba 아빠
  妹妹 mèimei 여동생
  妈妈 māma 엄마

보충어휘

- 世界 shìjiè 세계
  青少年 qīngshàonián 청소년
  讨论 tǎolùn 토론하다
  比赛 bǐsài 경기, 시합

- 弟弟 dìdi 남동생
  哥哥 gēge 형, 오빠

듣기 대본 및 정답

1. 美国 – 미국 中国 – 중국
   韩国 – 한국 西班牙 – 스페인
   日本 – 일본 我 – 나
   爸爸 – 아빠 妹妹 – 여동생
   妈妈 – 엄마

2. Wǒ shì Hánguórén.

짧은 문장 만들기

저는 미국인입니다.
Wǒ shì (   ).

정답과 해설 ▶ 256쪽

2 기본 어휘를 사용하여 짧은 문장을 만들어 봅시다.

저는 한국인입니다. ➔ Wǒ shì [　　　　　　　].

听 듣기

1 잘 듣고, 알맞은 발음을 고른 후 의미를 생각해 봅시다. 🎧29

1 ☐ Zōngguó 2 ☐ jǐ 3 ☐ Wǒ shì Rìběnrén.
  ☐ Zhōngguó   ☐ jí   ☐ Wǒ shì Měiguórén.

발음 **TIP**

• Zhōngguó 중국인
  성모 'z'는 혀끝을 윗니 뒤쪽에
  붙였다 떼는 발음이고, 성모 'zh'
  는 혀끝을 딱딱한 입천장 앞부분
  에 붙였다 떼면서 내는 소리이다.

듣기 대본 및 정답

1. ① Zhōngguó
   ② jǐ
   ③ Wǒ shì Měiguórén.

활동

2 몸 좀 풀어 볼까요? 잘 듣고, 성조를 체조로 표현해 봅시다. 🎧30

준비   제1성   제2성   제3성   제4성   경성

활동 **TIP**

성조의 모양을 잘 생각해보고 동
작을 생각해보면 쉽게 이해할 수
있다. 특히 2성과 4성은 손 끝의
방향으로 성조를 구분하면 이해하
기 쉬울 것이다.

활동 대본 및 정답

2. tāng – táng – tǎng –
   tàng – tang

활용 팁

개인: 발음을 듣고 연속되는 성조를 표현하기
모둠: 모둠별로 3명이 나와서 단어나 세 글자로 된 문장의 성조를 동시에 표현하기

读 읽기 ①

"어? 우리 반에 외국인 친구가 왔네요!" 선생님께서 민호의 국적과 이름을 물어보십니다.

32

1 선생님

↗ '어느'라는 뜻의 의문사. 일반적으로 '吗'와 함께 사용하지 않음.

你是哪国人?
Nǐ shì nǎ guó rén?
당신은 어느 나라 사람인가요?

2 김민호

我是韩国人。
Wǒ shì Hánguórén.
저는 한국인입니다.

3 선생님

你叫什么名字?
Nǐ jiào shénme míngzi?
당신의 이름은 무엇인가요?

4 김민호

我叫金民浩。
Wǒ jiào Jīn Mínhào.
제 이름은 김민호입니다.

> 누구인지 물을 때는 谁를 써요.
> 예 他是谁? Tā shì shéi?

읽기 TIP

- '哪'는 '어느, 어떤'이라는 뜻을 갖고 있는 의문사로 문장에 의문조사를 '吗'를 붙이지 않고 의문형의 문장을 만들 수 있다. 즉 '哪国人'이라고 하면 '어느 나라 사람?'이라는 뜻이 된다.

- '叫'는 '~라고 부르다'의 뜻으로 '我叫(나는 ~라 불린다)' '你叫(너는 ~라 불린다)' 등의 표현으로 사용할 수 있다.
'你叫什么名字?'라는 문장 이외에 '您贵姓?'이라는 문장도 이름을 물어볼 때 사용되는데 의미는 '당신의 귀한 성은 무엇입니까?'라는 뜻으로 상대방을 높여서 이름을 묻고자 할 때 사용할 수 있다.

- '我叫金民浩.' 내 이름은 김민호입니다.라는 뜻으로 '你叫什么名字?'라고 물어보면 '我叫+○○○.'라고 답하면 된다.

向 김민호는 어느 나라 사람인가요?

向 정답
한국인

✎ ··· 是 shì ~이다   哪 nǎ 어느   国 guó 나라   人 rén 사람   韩国人 Hánguórén 한국인   叫 jiào ~라고 부르다
什么 shénme 무엇, 무슨   名字 míngzi 이름   谁 shéi 누구

31

① — 你是哪国人? 당신은 어느 나라 사람인가요?

국적을 묻는 표현인 哪는 '어느, 어떤'이라는 뜻이다.

> 他 + 是 + 哪国人 nǎ guó rén?　　그는 어느 나라 사람이에요?
> Tā + shì + 中国人 Zhōngguórén.　　그는 중국인이에요.

是는 '～이다' 라는 뜻이고, 부정형은 不是이다.
문장 끝에 吗를 붙이면 의문문이 된다.

- 她是学生吗? Tā shì xuésheng ma? 그녀는 학생입니까?
- 她是学生。Tā shì xuésheng. 그녀는 학생입니다.
- 她不是学生。Tā bú shì xuésheng. 그녀는 학생이 아닙니다.

② — 你叫什么名字? 당신의 이름은 무엇인가요?

이름을 묻는 표현인 什么는 '무슨, 무엇'을 뜻한다.

> 这 Zhè
> 那 Nà　+ 是 shì + 什么 shénme?　　이것은 무엇입니까?
> 　　　　　　　　　　　　　　　　저것은 무엇입니까?

문제 풀이 TIP

1. 국적을 묻는 표현
   '你是哪国人？'의 문장은 '당신은 어느 나라 사람입니까?'라는 뜻으로 이에 대한 대답으로는 '我是＋나라이름＋人'의 형태로 대답하면 된다.
   예 我是韩国人。

자신의 국적 말하기

Wǒ shì [Hánguó] rén.

2. 你叫什么名字？
   이름을 물어볼 때 사용하는 표현 문장으로 이때 사용된 '什么'의 단어는 의문사로 '무엇', '무슨'을 뜻한다.

자신의 이름을 한자로 쓰기

예 我叫金圣训。

 사진 속 중국 ··

고등학교 학생증

중국에서는 학생증을 이용하여 많은 혜택을 받을 수 있다. 그 중 가장 큰 혜택을 받을 수 있는 것은 바로 입장권을 끊을 때의 상황인데 다양한 문화재와 볼거리가 많은 중국에서는 학생증을 들고 가면 최대 50%의 할인까지 받을 수가 있다.

신분증

중국에는 현재 두 가지의 신분증이 사용되고 있다. 사진에 있는 신분증은 기존부터 지금까지 사용되고 있는 신분증이며, 최근에는 새롭게 IC카드의 형식으로 사용되는 신분증도 생겨났는데 현재까지는 동시에 사용 중이다.
신분증을 보는 법은 다음과 같다.
1~6자리 : 출신지역 　　7~14자리 : 출생 생년월일
15~17자리 : 동일한 지역에서 태어난 사람들을 구분하기 위해 편집된 순서로 남자는 홀수, 여자는 짝수
18자리 : 위조방지의 검역번호

··· 中国人 Zhōngguórén 중국인　学生 xuésheng 학생　这 zhè 이, 이것　那 nà 저, 저것

读 읽기 ❷

🌱 "반가워, 민호야!" 민호와 왕강이 친구들에게 가족을 소개하고 있습니다.

🎧 35

1 왕강

가족의 수를 말할 때 사용하는 양사.

你家有几口人？
Nǐ jiā yǒu jǐ kǒu rén?
너희집 가족은 모두 몇 명이니?

2 김민호

생략의문문을 나타냄.

三口人，你呢？
Sān kǒu rén, nǐ ne?
3명이야, 너는?

3 왕강

我家有四口人。
Wǒ jiā yǒu sì kǒu rén.
우리 가족은 4명이야.

2는 개수를 셀 때 两 liǎng으로 써요.

爸爸、妈妈、妹妹和我。
Bàba、māma、mèimei hé wǒ.
아빠, 엄마, 여동생과 나야.

'또한', '역시'라는 뜻으로 주어 뒤 술어 앞에 위치.

我妈也是韩国人。
Wǒ mā yě shì Hánguórén.
엄마도 한국인이야.

問 왕강의 가족은 몇 명인가요?

읽기 **TIP**

• 你家有几口人?
가족의 수를 물어볼 때 사용하는 문장으로 의문수사 '几'는 '몇'이라는 뜻이다. 가족의 구성원을 물어볼 때는 '都有什么人'이라는 문장으로 표현할 수 있다.

• 呢
생략의문문으로 사용하는 단어로 앞의 문장에서 사용된 표현에 '呢'를 붙여서 상대방에게 간단하게 물어볼 수 있다.
例 我吃饭了。你呢?
나는 밥을 먹었어, 너는?(너는 밥 먹었니?)

• 口
가족의 수를 말할 때 사용하는 양사로 사용된다. 중국어는 양사가 매우 발달된 언어로 사용되는 명사에 따라 이에 해당하는 알맞은 양사를 사용해야 한다.

• 也
'또한', '역시'의 뜻을 나타내는 부사로 부사의 위치는 주어 뒤 술어 앞에 위치한다.

問 **정답**
4명

… 家 jiā 집　有 yǒu 있다　几 jǐ 몇　口 kǒu 식구(양사)　三 sān 3, 셋　呢 ne ~는요　四 sì 4, 넷
爸爸 bàba 아빠　妈妈 māma 엄마　妹妹 mèimei 여동생　和 hé ~와/과　也 yě ~도　两 liǎng 둘, 2　 🎧 34

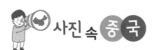

이해하기 ②

① **你家有几口人?** 너희집 가족은 모두 몇 명이니?

有는 '~이 있다'는 소유를 뜻하며, 부정 표현은 没有이다.

· 我有手机。Wǒ yǒu shǒujī.　　　저는 휴대 전화가 있어요.
· 我没有弟弟。Wǒ méiyǒu dìdi.　　저는 남동생이 없어요.

几는 '몇'이라는 뜻으로 대략 10 이하의 수를 물을 때 쓴다.

> 几 Jǐ + 年级 niánjí?　　　　몇 학년이에요?

문제 풀이 **TIP**

1. 과거의 부정을 나타낼 때 사용되는 단어는 '没'인데 '有'의 부정은 과거의 표현이 아니더라도 '不有'가 아닌 '没有'를 사용한다는 것을 기억하자.

알맞은 위치에 넣기

> jǐ

→ Nǐ①jiā②yǒu③kǒu④rén?

② **我家有四口人。** 우리 가족은 4명이야.

口는 가족 수를 말할 때 쓰는 양사이다.
사람이나 사물의 수량은 '수사+양사+명사'의 형식으로 나타낸다.

> 她 + 有 +　一个 yí ge　书包 shūbāo. 그녀는 책가방이 하나 있습니다.
> Tā　yǒu　两个 liǎng ge　妹妹 mèimei. 그녀는 여동생이 두 명 있습니다.

양사 수량이나 횟수를 세는 말

빈칸 채우기

학생 세 명

→ 三 [个] 学生

📷 **사진 속 중국** ●●●●●●●●●●●●●●●●●●●●●●●● 생생 톡톡

주민 등록 등본

주민 등록 등본을 '후커우'라고 하는데 중국인들은 출생지의 후커우를 평생토록 기지게 되는데, 이로 인해 거주 이전의 자유가 제한된다. 중국의 후커우 제도는 경제발전 속에서 도시로의 급속한 인구 집중을 하게 됨으로써 거대한 도시 빈민가를 형성하게 되었다.

백일잔치 초대장

중국은 '满月'라고 아이가 태어나고 한 달이 지나 이를 축하하는 잔치를 하였는데, 태어난 아기가 너무 어려서 지금은 우리나라와 같이 백일잔치를 주로 한다고 한다. 백일잔치에 초대를 받으면 아기가 건강하고 행복하게 잘 살 수 있도록 '红包' 안에 축하금을 넣어 건네 준다.

📝… **手机 shǒujī** 휴대 전화　　**弟弟 dìdi** 남동생　　**没有 méiyǒu** 없다　　**年级 niánjí** 학년　　**个 gè** 명, 개
书包 shūbāo 책가방

🎧 36

说 말하기

1 색칠한 부분을 바꾸어 말해 봅시다. 🎧38

> A: 你是哪国人? Nǐ shì nǎ guó rén? 당신은 어느 나라 사람입니까?
> B: 我是韩国人。 Wǒ shì Hánguórén. 나는 한국 사람입니다.

1

中国人
Zhōngguórén

2
日本人
Rìběnrén

3

美国人
Měiguórén

2 다음 어휘의 확장 연습을 해 봅시다. 🎧39

你叫什么名字?
Nǐ jiào shéme míngzi?

당신의 이름은 무엇입니까?

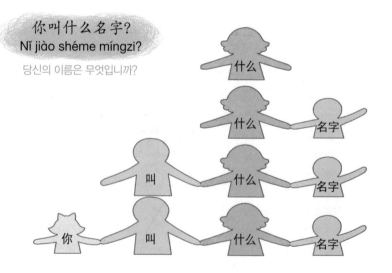

📝··· 日本人 Rìběnrén 일본인   美国人 Měiguórén 미국인

말하기 **TIP**

1. 中国人 Zhōngguórén
   중국인
   日本人 Rìběnrén 일본인
   美国人 Měiguórén 미국인

2. 什么 shénme 무엇, 무슨
   名字 míngzi 이름
   叫 jiào ~라고 부르다
   你 nǐ 너, 당신

듣기 문제 1

여학생의 국적은 무엇인가?
① 韩国人   ② 中国人
③ 日本人

정답과 해설 ▶ 257쪽

3 색칠한 부분을 바꾸어 말해 봅시다. 🎧40

我家有四口人。爸爸、妈妈、*弟弟*和我。
Wǒ jiā yǒu sì kǒu rén. Bàba、māma、dìdi hé wǒ.

우리 집은 4식구입니다. 아빠, 엄마, 동생 그리고 저입니다.

①

妹妹
mèimei

②

哥哥
gēge

③

姐姐
jiějie

말하기 TIP

3. 爸爸 bàba 아빠
   姐姐 jiějie 누나, 언니
   哥哥 gēge 형, 오빠

활동

4 가로, 세로, 대각선 숫자의 합이 15가 되도록 낱말을 채우고 완성된 문장을 말해 봅시다.

보기

①	②	③	④	⑤	⑥	⑦	⑧	⑨
有	金民浩	我爸爸	我	是	韩国人	美国人	你家	叫

→

활동 TIP

我	我爸爸	你家
叫	是	有
金民浩	美国人	韩国人

활동 정답

我叫金民浩。
我爸爸是美国人。
我是韩国人。

姐姐 jiějie 누나, 언니   哥哥 gēge 형, 오빠

듣기 문제 2

남자의 가족은 모두 몇 명인가?

① 3명   ② 4명   ③ 5명

정답과 해설 ▶ 257쪽

4. 我是韩国人 **67**

쓰기

간체자 쓰기 302쪽

1 한어병음에 해당하는 한자를 골라 써 봅시다.

叫　什　名　是　中　字　么　国

1 míngzi → _____   2 shénme → _____

3 jiào → _____   4 shì → _____

2 보기 에서 알맞은 말을 골라 문장을 완성해 봅시다.

보기

jǐ　　shénme　　shéi　　nǎ

1 Tā shì _____ ?   2 Tā shì _____ guó rén?

3 Nǐ jiào _____ míngzi?   4 Nǐ jiā yǒu _____ kǒu rén?

3 한어병음으로 퍼즐을 완성해 봅시다.

가로	세로
① 是	⑤ 무엇
② 사람	⑥ 家
③ 이름	
④ 呢	

쓰기 TIP

1. 중국어 단어의 한자이해
   (1) '이름'의 뜻 이해
       míngzi 名字
   (2) '무엇', '무슨'의 뜻 이해
       shénme 什么
   (3) '~라 부르다'의 뜻 이해
       jiào 叫
   (4) '~이다'의 뜻 이해
       shì 是

2. 한어병음으로 된 문장 이해하기
   (1) Tā shì shéi? 他是谁?
       그는 누구입니까?
   (2) Tā shì nǎ guó rén?
       他是哪国人?
       그는 어느 나라 사람입니까?
   (3) Nǐ jiào shénme míngzi?
       你叫什么名字?
       당신의 이름은 무엇입니
       까?
   (4) Nǐ jiā yǒu jǐ kǒu rén?
       你家有几口人?
       당신의 가족은 몇 명입니까?

3. 퍼즐로 한어병음 단어 이해하기
   ① 是 shì ~이다
   ② 사람 rén 人
   ③ 이름 míngzi 名字
   ④ 呢 ne ~는요?
   ⑤ 무엇 shénme 什么
   ⑥ 家 jiā 집

쓰기 정답

1. ① 名字　　② 什么
   ③ 叫　　　④ 是

2. ① shéi　　② nǎ
   ③ shénme　④ jǐ

3. ① shì　　　② rén
   ③ míngzi　④ ne
   ⑤ shénme　⑥ jiā

자신이 상상하는 '나의 미래 가족사진'을 멋지게 그린 후, 가족 소개문을 작성하여 나의 블로그에 올려 봅시다.

어휘 TIP

사진과 관련된 어휘
相框 xiàngkuàng (사진)액자
姥爷 lǎoye 외할아버지
外婆 wàipó 외할머니
老公 lǎogōng 남편
阿姨 āyí 이모
舅舅 jiùjiu 외삼촌
舅妈 jiùmā 외숙모

① 단계 〈예시〉의 가족사진과 소개문을 보고 가족 소개 연습하기

② 단계 〈적용〉란에 미래의 나의 가족사진을 그린 후, 소개문 작성하기

③ 단계 완성한 미래 가족사진과 소개문을 나의 블로그에 올리기

〈예시〉

〈가족사진〉

Wǒ jiā yǒu sì kǒu rén. Bàba、 māma、 dìdi hé wǒ.

〈적용〉

〈미래의 나의 가족사진〉

我家有四口人。老工
一个儿子一个女儿
和我。

(가족 사진이 4명인 경우, 내가 아내일 경우의 그림을 그린다.)

 ··· 爷爷 yéye 할아버지   奶奶 nǎinai 할머니
叔叔 shūshu 삼촌   儿子 érzi 아들   女儿 nǚ'ér 딸

🎧 41

나의
학습점검

1. 국적과 이름을 묻고 답할 수 있다.

2. 가족을 소개할 수 있다.

 그들의 삶 속으로

중국인의 성명과 가족문화

 생생톡톡

 문화 O× 퀴즈

중국은 두 자녀 정책으로 유아용품, 어린이 만화 등 육아 관련 시장이 확대될 것으로 예상된다. (O)

 알아보기

두 자녀 정책으로 중국인들의 생활에 어떤 변화가 있는지 알아보자.

영유아용품의 성장, 중국 인구의 균형발전 기대, 인구노령화에 대한 정책적인 인구균형의 대비, 농촌경제의 활성화, 사회제도, 교육정책 등의 변화

중국어 이름 만들기

중국에서 가장 많이 통용되고 있는 성은 李Lǐ, 王Wáng, 张Zhāng이고, 한 글자나 같은 음을 반복하는 이름을 많이 사용한다. 예를 들어, 王刚Wáng Gāng은 강한 남자아이로 자라길 바라는 마음에서 '굳세다'라는 뜻의 刚을 사용하였으며, 李冰冰 Lǐ Bīngbīng은 같은 음을 두 번 반복하여 부르기도 좋고 듣기도 좋은 이름이다. 이처럼 우리도 중국어 이름을 만들어 보자.

① 웹 문서에서 중국어 사전으로 들어간다.
② 원하는 뜻을 중국어로 검색한다.
③ 자신의 중국 명함을 직접 꾸며 본다.

한국은 대략 286개의 성씨가 있으며, 그 중에서 김(金)씨는 1069만명으로 21.5%를 차지, 이(李)씨는 730만명으로 14.7%를 차지, 박(朴)씨는 419만명으로 8.4%를 차지, 최(崔)씨는 233만명으로 4.7%를 차지, 정(鄭)씨는 215만명으로 4.3%를 차지한다.

그렇다면 중국인들이 사용하는 성씨를 알아보도록 하자. 현대 중국인들이 사용하는 성씨는 약 3,500개 정도가 되는데 중국 인터넷사이트 장쑤왕(江蘇網)이 발표한 2015년 성씨 통계에 따르면, 중국에서 가장 많은 성씨를 쓰는 글자는 李로 약 9,500만 명이 사용한다고 한다. 그 다음으로 많은 성은 바로 王씨인데 약 9,300만 명이 사용한다고 한다. 3번째로 많이 사용하는 성은 张씨로 이는 약 9,000만 명이 사용한다고 한다. 4번째로는 刘씨인데 약 6,900만 명 정도가 사용한다고 한다. 刘씨는 한나라 왕족의 성씨로 베이징, 톈진 지역에서 많이 사용하는 성씨이다.

변화하는 중국의 가족계획

중국의 인구는 약 13억 8천 2백만 명(중국 국가통계국 발표 자료, 2016년 말 기준)이며 세계에서 인구 수가 가장 많은 나라이다. 중국 정부는 인구 증가를 막기 위해 약 35년 동안 '1가구 1자녀 정책'을 펼쳤지만, 노동 인구 창출, 역피라미드형 가족 구성원 형태와 성비 불균형 해소를 위해 2016년부터 '전면적 두 자녀 정책'을 실시하게 되었다.

'孝'란 함께
추억을
만드는 것

생생톡톡

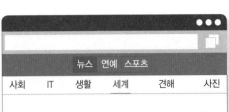

13억 중국인을 감동하게 한 효 실천 여행
'孝란 함께 추억 만드는 것'

멀미가 심해 어떤 교통수단도 타지 못하시는
어머니를 위해 손수레를 직접 끌고 중국 곳곳
을 여행시켜 드리는 딸 謝淑华의 모습

93세 어머니 손수레에 모시고 걸어서 12,000km 여행한 63세 중국 효녀 이야기

2013년 봄, 당시 63세인 딸 谢淑华Xiè Shūhuá와 93세의 어머니 谢许氏Xiè Xǔshì는 개조한 손수레 '感恩号Gǎn'ēn Hào(은혜에 감사하는 수레)' 안에서 먹고 자며 20개의 성과 3개 직할시 등 560여 개의 도시를 여행해 화제가 됐다. 6켤레의 신발이 다 닳도록 손수레를 끈 딸은 몸무게가 13kg이나 빠지는 사이 바싹 야위었던 어머니는 10kg이 불었다.

〈2014년 9월 효 강연을 위해 우리나라에 온 谢淑华〉

"금덩이를 드리기보다는 부모님이 의지할 수 있는 지팡이가 되어 드리는 게 효도랍니다."
교육이 사치같이 여겨지던 시절, 굶어 죽지 않는 한 계속 가르치겠다는 어머니 덕에 선생님의 꿈을 이룬 그녀는 "어린 자신의 손을 잡고 학교를 오가던 어머니의 숨결을 기억하고, 함께 추억을 만들기 위해 여행을 했다."라며, "나는 육십 넘어 효도를 시작해 너무 늦었다. 여러분은 당장 부모님 손을 잡고 은혜에 보답하길 바란다."라고 했다.

시사저널 2014. 10. 02.

댓글 2   댓글쓰기

miso****
와~ 중국은 효도하는 방식도 완전 대륙의 기운이 느껴집니다! 최고!
답글 0   👍 0   👎 0

1san****
힝, ㅠㅠ 난 오늘도 엄마한테 짜증 부렸는데…, 엄마 죄송해요~
답글 0   👍 0   👎 0

효도 여행 코스

중국의 효

중국 고대에는 24가지의 효에 대한 이야기가 있는데 그 중에서 10가지를 소개한다면 다음과 같다.

1. 효는 하늘을 감동시킨다.
2. 직접 약을 먹고 약을 달인다.
3. 손가락을 깨물며 마음 아파한다.
4. 백리까지 쌀을 지고 가서 봉양한다.
5. 갈대 옷을 입을지라도 부모를 모신다.
6. 노루의 젖으로 부모를 봉양한다.
7. 화려한 옷을 입고 부모님을 기쁘게 한다.
8. 몸을 팔아 아버지의 장례를 치른다.
9. 나무를 조각해 부모를 모신다.
10. 업어서 부모를 모신다.

1 녹음을 듣고 내용과 일치하면 답안에 O 표시를, 틀리면 X 표시를 하시오.

2 녹음을 듣고 여자가 말하는 국적을 고르시오.

3 녹음을 듣고 여자가족의 구성원의 표현이 맞는 그림을 고르시오.

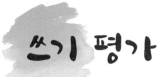

쓰기 평가

1 단어의 뜻을 쓰시오.

1 jiào →

2 shénme →

3 两 →

4 名字 →

2 단어의 한어병음을 쓰시오.

1 ~이다 →

2 누구 →

3 家 →

4 哪 →

3 문장의 뜻과 일치하도록 빈 칸을 완성하시오.

1 당신의 이름은 무엇입니까? → 你 ____ 什么 ____ ?

2 당신의 가족은 몇 명입니까? → 你家 ____ ____ 口人?

4 다음 문장을 한자로 바르게 쓰시오.

1 Nǐ shì nǎ guó rén? →

2 Wǒ jiā yǒu sì kǒu rén. →

기초 평가

1 단어와 뜻을 바르게 연결하시오.

个 •	• yǒu	• 명, 개
有 •	• zhè	• 책가방
呢 •	• gè	• 있다
这 •	• shūbāo	• 이, 이것
书包 •	• ne	• ~는요

2 괄호 안의 두 단어 가운데 알맞은 것을 고르시오.

(1) Nǐ shì (nǎ, nà) guó rén?

(2) Tā de māma (yě, dōu) shì Hánguórén.

3 그림에 해당하는 단어를 한자로 쓰시오.

(1)

(2)

4 한어병음을 바르게 배열하시오.

(1) é sh m e n → (   )

(2) i y é m u ǒ → (   )

5 다음을 한자로 쓰시오.

(1) 당신의 이름은 무엇입니까? → (   )

(2) 우리 엄마도 한국인입니다. → (   )

6 그림을 보고 묻는 문장에 알맞은 정답을 한어병음으로 쓰시오.

(1)

Q : 你家有几口人？

A : _____

(2)

Q : 你是哪国人？

A : _____

7 빈 칸을 채워 문장을 완성하시오.

(1) 她有两 (   ) 妹妹。

(2) 你 (   ) 什么名字？

8 아래 단어를 바르게 배열하여 문장을 완성하시오.

(1) 당신은 어느 나라 사람입니까?

是, 人, 你, 国, 哪？ → [   ]

(2) 저의 가족은 4명입니다.

人, 有, 四, 我, 口, 家。 → [   ]

9 문장을 바르게 해석하시오.

(1) 三口人。 → [   ]

(2) 我是中国人，你呢？ → [   ]

10 주어진 단어가 들어갈 위치를 표시하시오.

(1) 叫 → 제 이름은 김민호입니다.   ⓐ 我 ⓑ 金 ⓒ 民 ⓓ 浩。

(2) 口 → 제 가족은 3명입니다.   我 ⓐ 家 ⓑ 有 ⓒ 三 ⓓ 人。

단원 종합 평가

1 밑줄 친 단어의 성조가 <u>다른</u> 하나는?

① 名<u>字</u>　　　② 年<u>级</u>　　　③ 弟<u>弟</u>　　　④ 学<u>生</u>　　　⑤ 什<u>么</u>

2 다음의 단어 중 성격이 <u>다른</u> 하나의 단어는?

① 姐姐　　　② 爸爸　　　③ 韩国　　　④ 奶奶　　　⑤ 弟弟

[3-4] 대화문을 읽고 물음에 답하시오.

> 보기
>
> **A** : 你家有 ___(a)___ 口人？
> **B** : 我家有五口人。
> **A** : ___(b)___ ？
> **B** : 爷爷、爸爸、妈妈、妹妹和我。
> 　　我妈也是韩国人。

3 빈칸 (a)에 들어갈 알맞은 중국어 단어는?

① 几　　　② 哪　　　③ 多少　　　④ 什么　　　⑤ 没有

4 빈칸 (b)에 들어갈 중국어 문장은?

① 早上好　　　　　　② 不好意思　　　　　　③ 都有什么人

④ 我没有弟弟　　　　⑤ 你家有几口人

5 그림을 보고 빈칸에 알맞은 말을 고르면?

> 我是 _____ 人。

① 韩国　　　② 英国　　　③ 美国

④ 日本　　　⑤ 西班牙

정답과 해설 ▶ 258쪽

6 다음 가계도의 빈칸 (가)에 들어갈 알맞은 말은?

| (가) | | nǎinai |
| bàba | | māma |

① yéye   ② jiějie   ③ jiārén   ④ shūshu   ⑤ mèimei

7 주어진 단어를 우리말에 알맞게 배열한 것은?

ⓐ 有   ⓑ 她   ⓒ 妹妹   ⓓ 两个 (그녀는 여동생이 두 명 있습니다.)

① ⓐ-ⓑ-ⓓ-ⓒ   ② ⓐ-ⓒ-ⓑ-ⓓ   ③ ⓑ-ⓐ-ⓓ-ⓒ

④ ⓑ-ⓓ-ⓐ-ⓒ   ⑤ ⓒ-ⓑ-ⓓ-ⓐ

8 대화의 연결이 <u>어색한</u> 것은?

① A : Nǐ shì nǎ guó rén?   ② A : Nín guì xìng?

    B : Wǒ shì Zhōngguórén.   B : Wǒ xìng Lín, jiào Shēngguī.

③ A : Nǐ jiā yǒu jǐ kǒu rén?   ④ A : Nǐ yǒu mei yǒu dìdi?

    B : Wǒ jiā yǒu sān kǒu rén.   B : Wǒ jiào Jīn Shèngxùn.

⑤ A : Nǐ jiào shénme míngzi?

    B : Wǒ jiào Jīn Mínhào.

9 보기의 중국어를 대화의 순서에 맞게 배열한 것은?

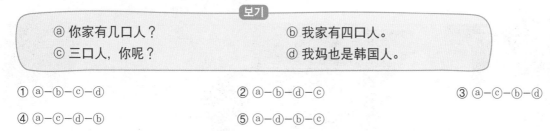

보기

ⓐ 你家有几口人？   ⓑ 我家有四口人。

ⓒ 三口人，你呢？   ⓓ 我妈也是韩国人。

① ⓐ-ⓑ-ⓒ-ⓓ   ② ⓐ-ⓑ-ⓓ-ⓒ   ③ ⓐ-ⓒ-ⓑ-ⓓ

④ ⓐ-ⓒ-ⓓ-ⓑ   ⑤ ⓐ-ⓓ-ⓑ-ⓒ

10 다음 두 가족의 상황과 일치하는 것을 <u>모두</u> 고르면?

← 小王   小李

(小王家)   (小李家)

ⓐ 小王家有五口人。   ⓑ 小李有爸爸和妈妈。   ⓒ 小王没有哥哥。

ⓓ 小李家有三口人。   ⓔ 小王有爷爷。

① ⓐ, ⓑ   ② ⓐ, ⓒ   ③ ⓐ, ⓓ, ⓔ

④ ⓐ, ⓑ, ⓓ, ⓔ   ⑤ ⓐ, ⓑ, ⓒ, ⓓ, ⓔ

단원 소개

오늘은 왕강의 생일입니다. 그리고 학교 체육 대회도 얼마 안 남았구요. 열심히 준비해야겠지요?
이번 단원에서는 날짜 표현과 생일을 축하하는 표현을 배웁니다.

중국에서도 공휴일이 존재한다. 본문에 등장하는 달력은 5월의 달력인데, 중국의 노동절은 5월 1일(양력 5월 1일, 3일 휴무)이다.

왕강의 생일을 맞이하여 가족끼리 식사하는 모습의 장면이다. 중국인들 역시 생일에는 케이크를 나누어 먹으며 생일 파티를 하는데, 생일 케이크의 촛불을 끄기 전 잠깐 동안 자신의 소망을 비는 기도를 하는 것을 '许愿 xǔyuàn'이라고 한다.

5 今天几月几号
Jīntiān jǐ yuè jǐ hào
오늘은 몇 월 며칠입니까

중국의 운동회는 우리나라와 조금 다르다. 우리나라의 운동회는 대부분 팀을 나누어 대결 후 승리하는 형태로 이루어지지만, 중국의 운동회는 체력장의 형태로 진행한다. 운동회 시작 전에는 학급마다 준비한 열병식 같은 행사들을 준비하여 학생들이 군인처럼 보이기도 하는데, 공산주의의 영향을 받은 중국만의 문화인 것으로 보인다.

학습
목표
• 날짜와 요일을 묻고 답할 수 있다.
• 나이를 묻고 답할 수 있다.

학습
표현
• 날짜와 요일 표현하기
• 생일 축하하기
• 나이 표현하기

문화
• 중국의 숫자 문화

• 운동회에 사용되는 단어
运动会 yùndònghuì 운동회
比赛 bǐsài 시합
开模式 kāimùshì 개막식
跑步 pǎobù 달리기

79

미리보기

1 날짜와 관련된 기본 어휘를 듣고 의미를 생각해 봅시다. 🎧42

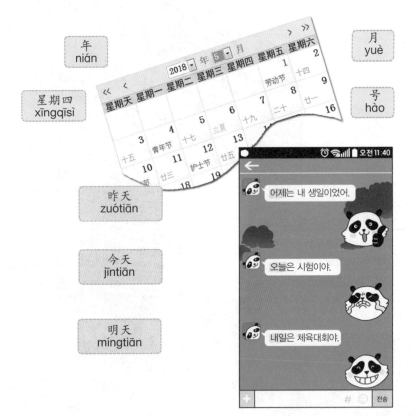

年
nián

星期四
xīngqīsì

昨天
zuótiān

今天
jīntiān

明天
míngtiān

月
yuè

号
hào

기본어휘

• 年 nián 해, 년
[ian] 발음을 [이안]으로 발음하지 않도록 주의하며 [옌]으로 발음한다.

• 月 yuè 월

• 星期四 xīngqīsì 목요일
요일을 나타내는 단어는 '星期'이다. 이 '星期' 단어 뒤에 숫자 1부터 6까지를 사용하면 월요일부터 토요일까지가 되며, 일요일은 '星期七'을 사용하지 않고 '星期日'나 '星期天'을 사용한다.

• 号 hào 호, 일
昨天 zuótiān 어제
今天 jīntiān 오늘
明天 míngtiān 내일

• 위의 세 가지 단어 이외에도 '前天 qiántiān 그저께', '后天 hòutiān 모레' 라는 단어도 함께 학습하도록 하자.

듣기 대본 및 정답

1. 年 – 년
月 – 월
星期四 – 목요일
号 – 일, 호
昨天 – 어제
今天 – 오늘
明天 – 내일

2. Jīntiān xīngqīsì.

짧은 문장 만들기

내일은 화요일이다.
明天 (　　　　).

정답과 해설 ▶ 259쪽

2 기본 어휘를 사용하여 짧은 문장을 만들어 봅시다.

오늘은 목요일이다. ➡ Jīntiān 　　　　　　.

听 듣기

1 잘 듣고, 알맞은 발음을 고른 후 의미를 생각해 봅시다. 43

1. ☐ shēngrì
   ☐ shēnglì

2. ☐ jiāyóu
   ☐ jiàyóu

3. ☐ Wǒ shíbā suì.
   ☐ Wǒ shísān suì.

발음 TIP

• 生日 shēngrì 생일
  'sh'와 'r' 발음은 권설음으로 발음하 여야 한다.

• 加油 jiāyóu 화이팅
  jiā의 성조가 1성으로 발음되는 것을 기억해서 4성과 혼동되지 않도록 한다.

• 我十八岁。Wǒ shíbā suì.
  shí 발음은 권설음으로 읽을 수 있도록 주의하며, 한어병음으로 쓸 때 첫 글자는 대문자로 작성한다는 것을 기억하자.

듣기 대본 및 정답

1. ① shēngrì
   ② jiāyóu
   ③ Wǒ shíbā suì.

2 잘 듣고, 제시되는 숫자를 찾아 'O' 표시를 해 봅시다. 44

활동 TIP

十五 shíwǔ 15
十八 shíbā 18
二十 èrshí 20
十   shí 10
十三 shísān 13

활동 대본 및 정답

2. shíwǔ – shíbā – èrshí –
   shí – shísān

读 읽기 ❶

🌱 신나는 체육 대회가 언제일까요? 선생님과 학생들이 날짜를 확인하고 있습니다.

🎧 46

1 선생님

↗ 10 미만의 수를 나타낼 때 사용

今天几月几号?

Jīntiān jǐ yuè jǐ hào?

오늘은 몇 월 며칠인가요?

2 김민호

↗ 요일을 나타낼 때 쓰임

五月十号, 星期五。

Wǔ yuè shí hào, xīngqīwǔ.

5월 10일, 금요일입니다.

3 왕강

明天是运动会吗?

Míngtiān shì yùndònghuì ma?

내일은 운동회인가요?

4 선생님

↗ 긍정의 대답의 표현

是啊! 大家加油!

Shì a! Dàjiā jiāyóu!

그래요! 모두들 파이팅입니다.

읽기 **TIP**

• 의문수사 '几'는 10 미만의 수를 나타낼 때 사용하는 표현으로 문장의 끝에 의문조사 '吗'를 사용하지 않는다. 10 이상의 수를 나타낼 때는 '多少'를 사용한다.

• '是'라는 대답의 표현에 '啊'의 어기조사를 넣어서 사용하면 좀 더 부드러워짐을 나타낸다.

┤ 삽화설명 ├

중국의 고등학생들도 학업에 대한 스트레스를 받아가며 학교생활을 하고 있다. 이러한 학생들에게 체육대회라는 행사는 사막의 오아시스와 같이 긴장된 학생들의 마음을 풀어주는데 도움을 준다. 사진의 장면은 학생들이 체육대회를 눈앞에 두고 기대하는 장면의 모습이다.

问 체육 대회는 몇 월 며칠인가요?

问 정답
5월 11일

🖊 ··· 今天 jīntiān 오늘   月 yuè 달   号 hào 일(日)   十 shí 10, 열   星期五 xīngqīwǔ 금요일
运动会 yùndònghuì 체육 대회   啊 a (어기 조사)   加油 jiāyóu 힘내다

 45

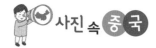

1 今天几月几号? 오늘은 몇 월 며칠인가요?

날짜를 묻는 표현에서 是는 생략할 수 있다. 단 부정일 때는 不是를 사용한다.

· 劳动节(是)五月一号。 노동절은 5월 1일입니다.
  Láodòng Jié (shì) wǔ yuè yī hào.

· 今天不是二号。 오늘은 2일이 아닙니다.
  Jīntiān bú shì èr hào.

2 星期五 금요일입니다.

요일은 '星期+숫자'로 표현한다. 단, 일요일은 숫자 대신 天이나 日을 쓴다.

월요일	화요일	수요일	목요일	금요일	토요일	일요일
星期一	星期二	星期三	星期四	星期五	星期六	星期天(日)
xīngqīyī	xīngqī'èr	xīngqīsān	xīngqīsì	xīngqīwǔ	xīngqīliù	xīngqītiān(rì)

문제 풀이 TIP

1. 今天几月几号?
   이 문장에서 술어로 사용되는 '是'자는 생략이 되었다. 일반 평서문의 문장에서는 술어 동사 '是'를 생략하여 문장을 만들 수 있지만, 부정문에서는 반드시 '是'자를 사용해서 문장을 만들어야 한다.
   예 今天不星期三。(X)
   '不' 단어 뒤에 '是'를 넣어서 '今天不是星期三。'이라고 해야 맞는 문장이다.

   한어병음 쓰기
   오늘 → [jīntiān]

2. '星期'라는 단어 이외에도 중국인들은 '礼拜'라는 단어를 요일로도 사용한다. '礼拜' 뒤에는 '星期'와 마찬가지로 숫자를 넣어서 요일을 나타낸다.

   요일을 묻는 표현 고르기
   ① Shénme xīngqī? ×
   ② Xīngqī jǐ? ○

사진 속 중국

생생 톡톡

중국 교실의 게시판

중국 학교에서는 교실 뒤쪽에도 칠판이 있는데 학생들이 주로 고사성어나, 학교생활에 도움이 되는 글들을 작성하며 꾸미기도 한다.

중국 고등학교의 체육 대회

중국 학교의 체육대회 특징 중 하나는 식후 행사로 중국 전통 문화공연이나 학급별 장기자랑 등을 한다.

... 劳动节 Láodòng Jié 노동절

47

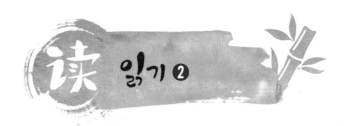

친구들

生日快乐!
Shēngrì kuàilè!
생일 축하해!

왕강

谢谢! 这是我妹妹。
Xièxie! Zhè shì wǒ mèimei.
고마워! 여기는 내 동생이야.

김민호

认识你, 很高兴。
Rènshi nǐ, hěn gāoxìng.
만나서 반가워.

박나라

你今年多大?
Nǐ jīnnián duō dà?
너는 올해 몇 살이니?

왕홍

我今年十三岁。
Wǒ jīnnián shísān suì.
저는 올해 13살입니다.

"왕강, 생일 축하해!" 친구들이 모두 모여서 왕강의 생일을 축하하고 있습니다.

生일 축하 인사

일반적인 나이를 물어볼 때 사용

가족이나 친밀한 관계, 소속을 나타낼 때는
的de를 생략할 수 있어요.
예) 我(的)朋友, 我们(的)学校
wǒ (de) péngyou, wǒmen (de) xuéxiào

問 왕홍은 올해 몇 살인가요?

읽기 TIP

• "生日快乐!"는 생일 축하한다는 뜻의 의미로 "祝你生日快乐!"로도 사용할 수 있다.

• 这, 那, 哪

这	zhè	이것, 이분
那	nà	저것, 저분
哪	nǎ	어느

• 나이를 묻는 표현 방법
几岁 : 주로 10세 미만의 어린아이들에게 나이를 물어볼 때 사용.
多大 : 일반적인 나이를 물어볼 때 사용.
多大年纪 : 할아버지나 할머니 등 연세가 많으신 어르신들에게 사용.

問 정답 ——
13살

✎ ⋯ 生日 shēngrì 생일 快乐 kuàilè 즐겁다 认识 rènshi 알다 高兴 gāoxìng 기쁘다 今年 jīnnián 올해
多 duō 얼마나 大 dà (나이가) 많다 岁 suì 세(양사), 나이

이해하기 ❷

1. 这是我妹妹。 여기는 내 동생이야.

사람을 소개하는 표현이다. 가까이 있는 사람이나 사물을 가리킬 때는 这,
멀리 있을 때는 那를 사용한다.

> A: **这** + 是 + 我的朋友。   이 사람은 내 친구입니다.
>   **Zhè** shì wǒ de péngyou.
>
> B: **那** + 不是 + 我的。   저것은 내 것이 아닙니다.
>   **Nà** bú shì wǒ de.

문제 풀이 TIP

1. 지시대명사로 사용되는 '这'와 '那'에 대해서 이해하자.

   这 zhè : 이것, 이분

   那 nà : 저것, 저분

의미에 맞게 연결하기

저것 ⟍⟋ zhè

이것 ⟋⟍ nà

---

2. 가족의 구성원 이해하기

   姐姐 jiějie : 누나, 언니

   妹妹 mèimei : 여동생

   弟弟 dìdi : 남동생

   哥哥 gēge : 형, 오빠

짝과 나이 말하기

Wǒ jīnnián [shíbā] suì.

참고

去年 qùnián 작년

今年 jīnnián 올해

明年 míngnián 내년

2. 你今年多大? 너는 올해 몇 살이니?

나이를 묻는 표현으로, 상대방의 나이에 따라 표현이 달라진다.

你几岁?
Nǐ jǐ suì?

你多大?
Nǐ duō dà?

您多大年纪?
Nín duō dà niánjì?

🔍사진속 중국 •••••••••••••••••••••••••••••••••••••• 생생톡톡

축하 문구를 적은 생일 케이크

중국도 우리나라와 마찬가지로 생일이면 케이크를 먹는다. 사진에 보이는 글자는 본문에 나와 있는 '生日快乐'(생일축하합니다)의 문구임.

생일에 먹는 장수면

중국어에서 '脸'과 '面'은 얼굴이라는 뜻을 갖고 있다. 얼굴이 긴 것은 곧 면이 길다는 뜻으로 긴 국수를 먹으면 장수한다는 뜻을 담아 전한 시기부터 생일이면 장수면을 먹는 것이 풍속으로 되었다고 한다.

 ... 朋友 péngyou 친구   年纪 niánjì 나이, 연세

 50

说 말하기

1 색칠한 부분을 바꾸어 말해 봅시다. 🎧52

> A: 明天是运动会吗? Míngtiān shì yùndònghuì ma? 내일은 운동회입니까?
> B: 是啊! Shì a! 맞습니다.

말하기 TIP

1. 你的生日 nǐ de shēngrì
   너의 생일

   儿童节 Értóng Jié
   어린이날
   (중국의 어린이날은 5월
   5일이 아닌 6월 1일이다.)

   春节 Chūnjié
   춘제(우리나라의 설날에 해당
   한다.)

1
你的生日
nǐ de shēngrì

2
儿童节
Értóng Jié

3
春节
Chūnjié

2 다음 어휘의 확장 연습을 해 봅시다. 🎧53

2. 高兴 gāoxìng 기쁘다, 반갑다
   很 hěn 매우
   你 nǐ 너, 당신
   认识 rènshi 알다

认识你, 很高兴。
Rènshi nǐ, hěn gāoxìng.

만나서 반갑습니다.

认识 你, 很 高兴

📝 ··· 儿童节 Értóng Jié 어린이날　春节 Chūnjié 춘제

듣기 문제 1

오늘은 몇 월 며칠인가요?

① 5월 3일　② 5월 15일

③ 6월 1일

정답과 해설 ▶ 259쪽

3 색칠한 부분을 바꾸어 말해 봅시다. 🎧54

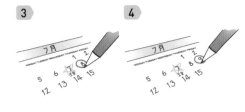

今天几月几号? 오늘은 몇 월 며칠입니까?
Jīntiān jǐ yuè jǐ hào?

1
前天
qiántiān

2
昨天
zuótiān

3
明天
míngtiān

4
后天
hòutiān

말하기 **TIP**

3. 前天 qiántiān 엊그제
昨天 zuótiān 어제
明天 míngtiān 내일
后天 hòutiān 모레

활동

4 문자판에 숨어 있는 문장을 찾아서 말해 봅시다.

明	动	运	会	天	你	十
生	日	快	乐	认	今	识
是	大	识	你	我	年	岁
你	多	家	妹	生	多	妹
快	谢	高	加	兴	大	快
日	几	今	明	油	天	日
今	天	星	期	四	很	你

1 _____
2 _____
3 _____
4 _____

활동 **TIP**

1. 今天星期四。
Jīntiān xīngqīsì
오늘은 목요일입니다.

2. 你今年多大?
Nǐ jīnnián duōdà?
당신은 몇 살입니까?

3. 生日快乐!
Shēngrì kuàilè!
생일 축하합니다!

4. 大家加油!
Dàjiā jiāyóu!
모두들 파이팅입니다!

듣기 문제 2

오늘은 무슨 요일인가요?
① 월요일   ② 수요일
③ 일요일

前天 qiántiān 그저께   昨天 zuótiān 어제   后天 hòutiān 모레   🎧51

 쓰기

간체자 쓰기 305쪽

1 빈칸에 알맞은 한어병음을 써 봅시다.

1 모두들 힘내요! → Dàjiā _____ !

2 올해 몇 살이야? → Nǐ jīnnián _____ dà?

2 빈칸을 채우고 서로 연결해 봅시다.

1 星期天 · · hòutiān · · _____

2 朋友 · · _____ · · 일요일

3 _____ · · xīngqītiān · · 모레

3 한자, 한어병음, 의미를 연결하여 삼각형을 만들어 봅시다.

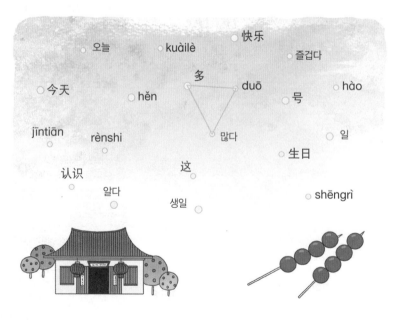

오늘 · · kuàilè · 快乐
즐겁다 ·
多
今天 · hěn · duō · hào
今天 · · 号
jīntiān · rènshi · 많다 · 일
生日
认识 · 这
알다 · 생일 · shēngrì

쓰기 **TIP**

1. ① 모두들 힘내요!
  Dàjiā jiāyóu!
  大家加油!
 ② 올해 몇 살이야?
  Nǐ jīnnián duōdà?
  你今年多大?

2. ① 星期天 xīngqītiān 일요일
 ② 朋友 péngyou 친구
 ③ 后天 hòutiān 모레

3. ① 今天 – jīntiān – 오늘
 ② 快乐 – kuàilè – 유쾌하다
 ③ 认识 – rènshi – 알다
 ④ 生日 – shēngri – 생일
 ⑤ 号 – hào – 일

쓰기 정답

1. ① jiāyóu! ② duō

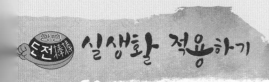

중국 여행을 할 때 필요한 '외국인 입국 신고서'를 작성해 봅시다.

1 단계 '외국인 입국 신고서'의 [견본]을 보고 작성 방법 익히기

2 단계 아래의 '외국인 입국 신고서' (1)~(4)번 칸 작성하기

3 단계 나만의 중국어 서명을 만들어서 (5)번 칸에 기록하기

[견본]
外国人入境卡
ARRIVAL CARD
(외국인 입국 신고서)

(姓) Family name: KIM
(名) Given names: MINHO
(国籍) Nationality: 韩国
护照号码 Passport No.: M12345678
在华住址 Intended Address in China: 北京中学
男 Male
女 Female ✓
出生日期 Date of birth: 2000. 8. 8
签证号码 Visa No.: B1234567
签证签发地 Place of Visa Issuance: 首尔
航班号/船名/车次 Flight No./ship's name/Train No.: AB123
(서명)署名 Signature: 김민호

外 国 人 入 境 卡
ARRIVAL CARD
(외국인 입국 신고서)

姓 Family name: (1) KIM
名 Given names: (2) 韩国
国籍 Nationality: (3) 1980.8.23.
护照号码 Passport No.: M12345678
在华住址 Intended Address in China: 北京中学
男 Male ☐
女 Female ☐
出生日期 Date of birth: (4) SUNGHUN
入境事由(只能填写一项)Purpose of visit(one only)
会议/商务 ☐   访问 ☐   观光/休闲 ✓
签证号码 Visa No.: B1234567
探亲访友 ☐   就业 ☐   学习 ☐
签证签发地 Place of Visa Issuance: 首尔
返回常住地 ☐   定居 ☐   其他 ☐
航班号/航名/车次 Flight No./ship's name/Train No.: AB123
签名 Signature: (5) 金圣训

55

1. 날짜와 요일을 묻고 답할 수 있다.

2. 나이를 묻고 답할 수 있다.

나의 학습 점검

숫자 문화

해음현상으로 인해 중국인들은 좋아하는 숫자와 싫어하는 숫자를 둔다고 한다. 해음현상은 한자에서 음이 같거나 비슷해서 같은 이미지를 연상하게 하는 현상이라고 이해하면 된다.

알아보기

중국인들의 숫자 문화와 관련된 사진을 찾고, 그 의미에 대해 알아보자.

9: 중국 최대의 제약회사 중에 중국인들의 장수를 기원하는 숫자 '9'를 강조하며 '999' 마케팅으로 성공한 케이스가 있다.

4: 보통 건물의 엘리베이터에는 4층이 없다. 죽음을 의미하는 '死'와 발음이 같아서 중국도 숫자 '4'를 기피한다.

1. 중국인들이 좋아하는 숫자

(1) 六 liù

숫자 六의 발음이 민간에서 많이 사용하는 六六大顺 liùliùdàshùn(모든 일이 순조롭게 잘 되다)이라는 말과 일맥상통하여 중국인이 좋아하는 숫자이다.

← 모든 일이 순조롭게 되기를 바라는 이삿짐센터의 전화번호

'六'와 '流'는 발음이 동일하다. 一路顺风(가는 길마다 모두 순조롭다)의 路와 발음이 비슷하여 순조롭다는 의미가 연상된다. 중국에서 자동차 번호를 고를 때 특히 선호 받는 숫자이기도 하다.

(2) 八 bā

숫자 八의 발음이 '돈을 벌다'라는 뜻의 단어 发财 fācái의 发와 발음이 비슷하여 재물운이 따르는 숫자라고 여긴다.

2008년 8월 8일 8시에 개최한 베이징 올림픽

숫자 8로 이루어진 고급 자동차 번호판

VVIP 은행 카드 번호

(3) 九 jiǔ

숫자 九는 예로부터 황제를 상징하는 숫자였다. 또한 九의 발음이 天长地久 tiāncháng-dìjiǔ(하늘과 땅처럼 영원하다)의 久와 발음이 같아서 사람들은 영원토록 사랑하고 행복하길 바라는 마음에서 매년 9월 9일에 결혼식을 많이 하기도 한다.

매년 9월 9일에 결혼하기를 원하는 중국인

2. 중국인들이 기피하는 숫자

(1) 三 sān / 散 sàn
숫자 '3'의 발음이 散(흩어지다)의 발음과 비슷하여 꺼린다.

(2) 四 sì / 死 sǐ
우리나라와 마찬가지로 숫자 '4'의 발음이 死(죽다)의 발음과 비슷하여 꺼린다.

(3) 七十三, 八十四 qīshísān, bāshísì
숫자 '73, 84'는 중국의 성인인 공자와 맹자가 세상을 떠난 나이로, 성인도 세상을 떠난 나이이므로 일반인들 역시 죽음을 넘기기 어려울 것이라고 생각해서 꺼린다.

• 본문 이외에 중국인들이 싫어하는 숫자를 알아보자.

'73'과 '84'

'73'과 '84'의 숫자는 공자와 맹자가 죽은 나이이다. 성현들이 그 나이에 죽었는데 일반인들은 더욱 이 나이를 넘기기 어렵다고 하여 이 두 숫자를 싫어한다고 한다.

'250'

'바보'라는 의미를 가지고 있다. 흔히 물건을 사러갈 때 물건의 가격이 250위안이면 더욱 흥정해서 물건을 사기도 한다.

가볍게 쉬어 가기

중국인에게 선물할 때의 에티켓

생생톡톡

중국인들에게 선물할 때 주의해야 하는 이유는 바로 '해음현상' 때문이다. 이는 발음이 비슷해서 불길함을 불러오거나 행운이 있다고 생각하기 때문이다. 그럼 중국인들이 좋아하는 선물은 무엇이 있을까?

바로 사과이다.

苹果(píngguǒ) = 平安(píng'ān) 사과는 평안의 의미를 갖고 있다. 중국인들이 집을 떠나거나, 여행을 갈 때 주로 사과를 많이 챙겨가는 것을 볼 수가 있는데 평안의 의미로 지닌다는 것을 기억하도록 하자.

또한 선물할 때의 센스 하나!

상대방이 기분 좋게 선물을 받도록 전달하려면 어떻게 해야 할까?

바로 포장할 때 붉은색이나 황금색의 포장지에 정성껏 포장을 하여 주면 된다.

듣기 평가

1 녹음을 듣고 단어와 그림이 일치하면 답안에 O 표시를, 틀리면 X 표시를 하시오.

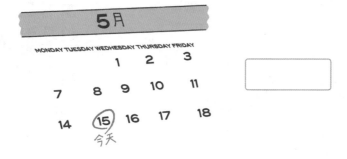

2 녹음을 듣고 대화 내용에 맞는 그림을 고르시오.

3 녹음을 듣고 대화 내용에 맞는 그림을 고르시오.

쓰기 평가

1 단어의 뜻을 쓰시오.

1 jiāyóu → [　　　　　]　　**2** kuàilè → [　　　　　]

3 朋友 → [　　　　　]　　**4** 运动会 → [　　　　　]

2 단어의 한어병음을 쓰시오.

1 올해 → [　　　　　]　　**2** 일(日) → [　　　　　]

3 高兴 → [　　　　　]　　**4** 生日 → [　　　　　]

3 문장의 뜻과 일치하도록 빈 칸을 완성하시오.

1 5월 10일, 금요일입니다. → Wǔ yuè shí hào, [　　　　　].

2 만나게 되어서 반갑습니다. → [　　　　　] nǐ, hěn [　　　　　].

4 다음 문장을 한자로 바르게 쓰시오.

1 Shēngrì kuàilè! → [　　　　　　　　　　]

2 Míngtiān shì yùndònghuì ma? → [　　　　　　　　　　]

기초 평가

1 단어와 뜻을 바르게 연결하시오.

加油 •	• duō	• 오늘
年纪 •	• niánjì	• 얼마나
今天 •	• jiāyóu	• 나이, 연세
劳动节 •	• jīntiān	• 힘내다
多 •	• Láodòng Jié	• 노동절

2 괄호 안의 두 단어 가운데 알맞은 것을 고르시오.

(1) Jīntiān xīngqī (jǐ, duōshao) ?

(2) Nǐ jīnnián duō (shao, dà) ?

3 그림에 해당하는 단어를 한자로 쓰시오.

(1)

(2)

4 한어병음을 바르게 배열하시오.

(1) i   ā   j   ó   y   u   ➔ (   )

(2) ū   j   n   é   i   Ch ➔ (   )

5 빈칸에 들어가는 한자를 쓰시오.

(1) 今天 (   ) 三。

(2) 您今年多大 (   )?

94

6 그림을 보고 묻는 문장에 알맞은 정답을 한어병음으로 쓰시오.

(1)

5月

MONDAY TUESDAY WEDNESDAY THURSDAY FRIDAY
1 2 3
7 8 9 10 11
14 ⑮ 16 17 18
今天

Q : 今天几月几号?

A : _____

(2)

Q : 认识你很高兴!

A : _____

7 주어진 단어가 들어갈 위치를 표시하시오.

(1) 저는 올해 13살입니다. '岁' ➡ 我 ⓐ 今年 ⓑ 十 ⓒ 三 ⓓ 。

(2) 내일은 운동회입니까? '是' ➡ ⓐ 明天 ⓑ 运动会 ⓒ 吗 ⓓ ?

8 아래 단어를 바르게 배열하여 문장을 완성하시오.

(1) 오늘은 몇 월 며칠입니까?

hào jǐ yuè jīntiān jǐ ➡ [_____]

(2) 고마워, 여기는 내 여동생이야.

谢谢 是 我 妹妹 这 ➡ [_____]

9 문장을 바르게 해석하시오.

(1) 是啊! 大家加油! ➡ [_____]

(2) 今天不是星期五。 ➡ [_____]

10 주어진 단어가 들어갈 위치를 표시하시오.

(1) 明天 ➡ 前天 ⓐ 昨天 ⓑ 今天 ⓒ 后天 ⓓ

(2) 祝 ➡ ⓐ 你 ⓑ 生日 ⓒ 快乐 ⓓ 。

단원 종합 평가

1 단어와 뜻의 연결이 바르지 <u>않은</u> 것은?

① 号 – 일 ② 年纪 – 나이, 연세 ③ 朋友 – 친구

④ 啊 – 어기조사 ⑤ 加油 – 상점

2 다음 중국어에 해당하는 우리말은?

> gāoxìng

① 올해 ② 나이 ③ 기쁘다 ④ 얼마나 ⑤ 서명하다

3 다음 중 문법적으로 쓰임이 바르지 <u>않은</u> 것은?

> Hòutiān méi shì xīngqīrì, xīngqīyī.
> ⓐ   ⓑ   ⓒ   ⓓ   ⓔ

① ⓐ ② ⓑ ③ ⓒ ④ ⓓ ⑤ ⓔ

4 빈 칸에 들어갈 말로 알맞은 것은?

> **A** : Nǐ jīnnián duō dà?
> **B** : (　　　　　).

① Xièxie ② Shēngrì kuàile

③ Wǒ jīnnián shísān suì ④ Rènshi nǐ, hěn gāoxìng

⑤ Láodòng Jié wǔ yuè yī hào

5 주어진 문장의 뜻을 완성하면?

> 무슨 요일인가요?
> (　　　　　　　　　　　)?

① Jǐ hào ② Jǐ yuè

③ Jǐ xīngqī ④ Xīngqī jǐ

⑤ Shénme shíhou

[6-7] 빈 칸에 들어갈 알맞은 중국어를 고르시오.

6

일요일이 아니고, 토요일입니다.
_____ 星期天，是星期六。

① 是　　　　② 都是　　　　③ 还是　　　　④ 也是　　　　⑤ 不是

7

A：你奶奶多大 _____ 了？
B：她今年七十三岁了。

① 身体　　　　② 朋友　　　　③ 年纪　　　　④ 先生　　　　⑤ 眼力

8 다음 문장을 읽고 운동회가 열리는 날짜나 요일을 고르시오.

A：今天几月几号？星期几？
B：五月十号，星期三。
A：那我们的运动会是几月几号？
B：就是明天!
A：是吗？我很期待!
B：我们加油吧!

① xīngqīyī　　　　　② 五月十三号　　　　　③ 목요일

④ 后天　　　　　⑤ wǔ yuè shí sì hào

[9-10] 빈 칸에 들어갈 알맞은 중국어를 고르시오.

보기
① 那　　② 认识　　③ 几岁　　④ 年纪　　⑤ 加油

9 爷爷，您今年多大（　　　　　）?

10 （　　　　　）你，很高兴。

왕강과 민호가 늦잠을 자서 학교에 지각하겠어요. 아무래도 오늘 하루의 일과는 엉망이 되겠는데요?
이번 단원에서는 다양한 시간 및 하루 일과를 표현하는 방법을 배웁니다.

자전거 등하교 그림

중국의 학생들은 대부분 자전거를 갖고 있다. 등하교의
교통수단이기도 하고, 기숙사에서 생활하는 경우에도 학
교가 큰 경우는 교실에서 학교까지 자전거를 타고 이동
하기도 한다.

컴퓨터에서 공부하는 그림

화면에 学习汉语라고 적혀 있는데 学习 xuéxí는 '공부한
다', 汉语 Hànyǔ는 '중국어'라는 의미이다.

98

6 现在几点

Xiànzài jǐ diǎn

지금은 몇 시입니까

등교하는 학생들 그림

칭화고등학교(清华中学 Qīnghuá Zhōngxué)로 中学는 중학교가 아니고 중고등학교의 통칭이다. 초등학교는 小学 xiǎoxué, 중학교는 初中 chūzhōng, 고등학교는 高中 gāozhōng이라고 부른다.

清华中学

남녀 학생이 길거리에서 먹고 있는 그림

일명 煎饼 jiānbǐng으로 회전이 되는 불판 위에 반죽을 얇게 펴서 동그랗게 한 다음 달걀을 하나 깨서 반죽 위에 고르게 바른다. 그 위에 다진 파와 고추를 뿌리고 파르페 모양으로 접어서 들고 먹을 수 있게 얇은 종이로 싸서 준다.

 학습 목표
- 시간을 묻고 답할 수 있다.
- 하루 일과를 표현할 수 있다.

 학습 표현
- 시간 표현하기
- 제안하기
- 일과 표현하기

 문화
- 중국의 대학 입학시험

1 시간 표현과 관련된 기본 어휘를 듣고 의미를 생각해 봅시다. 🎧 56

点
diǎn

几
jǐ

分
fēn

现在
xiànzài

早上
zǎoshang

晚上
wǎnshang

开放时间
早 8：00～晚 10：00

기본어휘

• 现在 xiànzài 지금, 현재
[ian] 발음을 [이안]으로 발음하
지 않도록 주의하며 [옌]으로 발
음 연습을 한다.
几 jǐ 몇
点 diǎn 시
分 fēn 분
早上 zǎoshang 아침
晚上 wǎnshang 저녁

듣기 대본 및 정답

1. 几 – 몇
点 – 시
分 – 분
现在 – 지금
早上 – 아침
晚上 – 저녁

2. Xiànzài jǐ diǎn?

2 기본 어휘를 사용하여 짧은 문장을 만들어 봅시다.

지금 몇 시예요? ➡ Xiànzài ⬜⬜⬜ ⬜⬜⬜ ?

짧은 문장 만들기

아침 7시
(　　　) qī diǎn.

정답과 해설 ▶ 262쪽

听 듣기

1 잘 듣고, 알맞은 발음을 고른 후 의미를 생각해 봅시다. 🎧57

1 ☐ xiānzài
  ☐ xiànzài

2 ☐ dǎn
  ☐ diǎn

3 ☐ Zǎoshang qī diǎn.
  ☐ Wǎnshang qī diǎn.

발음 **TIP**

• xiànzài 现在 지금, 현재
  모두 4성으로 아래로 떨어지는
  음이다.

• diǎn 点 시
  −an의 발음은 [안]으로 읽고,
  −ian은 [옌]으로 읽는다.

• zǎoshang qī diǎn
  早上七点 아침 7시
  wǎnshang 晚上은 '저녁'이란
  뜻이다.

듣기 대본 및 정답

1. ① xiànzài
   ② diǎn
   ③ Zǎoshang qī diǎn.

활동

2 잘 듣고, 짝과 함께 시계 그림에서 발음을 찾아 '○'로 표기하고, 자신이 찾은
발음을 빈칸에 써 봅시다. 🎧58

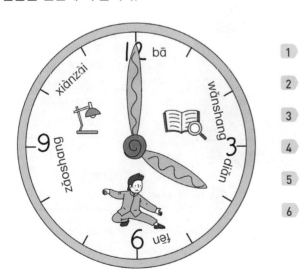

내가 찾은 발음 (   )개

1 ☐
2 ☐
3 ☐
4 ☐
5 ☐
6 ☐

활동 **TIP**

早上 zǎoshang 아침
点 diǎn 시
现在 xiànzài 지금, 현재
分 fēn 분
八 bā 8
晚上 wǎnshang 저녁

활동 대본 및 정답

2. ① zǎoshang ② diǎn
   ③ xiànzài   ④ fēn
   ⑤ bā   ⑥ wǎnshang

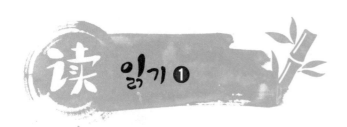

读 읽기 ❶

🌱 왕강과 민호가 오늘 지각할 것 같습니다. 과연 시간이 몇 시나 되었을까요?

🎧 60

1 왕강

↗ 시간을 물을 때 사용

现在几点?
Xiànzài jǐ diǎn?
지금 몇 시지?

2 김민호

现在七点四十分。
Xiànzài qī diǎn sìshí fēn.
지금은 7시 40분이야.

3 왕강

↗ '세상에', '맙소사' 등 놀람을 표현할 때 일상적으로 사용

天啊! 我们迟到了。
Tiān a! Wǒmen chídào le.
세상에! 우리 지각이야.

4 김민호

↗ 명령, 청유 등의 뜻을 나타내는 조사

真的? 快走吧。
Zhēnde? Kuài zǒu ba.
진짜? 빨리 가자.

읽기 TIP

• 시일 때만 两 liǎng을 사용하고 12시, 2분, 22분에 '2'는 모두 二 èr을 쓴다.
 (二 èr 과 两 liǎng의 쓰임을 혼동하지 않도록 주의한다.)

• 11시는 'shíyī diǎn'으로 'yī shí yī diǎn'으로 말하지 않는다.
 12시는 'shí'èr diǎn' 으로 'yī shí'èr diǎn' 또는 'yī shí liǎng diǎn'으로 말하지 않는다.

吗 없이 문장 끝을 올려서 의문문을 만들 수 있어요.
예 真的? 现在七点?
  Zhēnde? Xiànzài qī diǎn?
  진짜야? 지금 7시야?

问 지금 몇 시예요?

{ 삽화설명 }
중국의 고등학생들은 대부분 기숙사에서 6~8인이 한 방에서 생활한다. 기숙사에는 2층 침대와 개인책상이 있다. 8시 전에 1교시가 시작하는데 삽화에 두 남학생은 7시 40분을 가리키는 시계를 보고 깜짝 놀라고 있다.

问 정답
7시 40분

📝… 现在 xiànzài 현재 点 diǎn 시 分 fēn 분 天 tiān 하늘 迟到 chídào 지각하다 了 le (동태조사)
  真的 zhēnde 정말 快 kuài 빨리 走 zǒu 걷다. 가다 吧 ba ~하자(제안 어기조사)

🎧 59

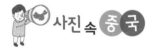

이해하기 ❶

❶ **现在几点?** 지금 몇 시지?

시간을 물을 때는 의문사 几를 사용한다.
대답은 '○시 ○분' = (○点 diǎn ○分 fēn)으로 표현한다.

55分 = 差五分 ○点
wǔshíwǔ fēn = chà wǔ fēn ○ diǎn

45分(= 三刻)
sìshíwǔ fēn(= sān kè)

15分(= 一刻)
shíwǔ fēn(= yí kè)

30分(= 半)
sānshí fēn(= bàn)

※ 2시는 两点 liǎng diǎn이라고 표현해요.

❷ **快走吧。** 빨리 가자.

'~하자'는 권유의 표현은 문장 끝에 吧를 사용한다.

大家休息 Dàjiā xiūxi 　＋　 吧。ba.　다 같이 쉬자.

吃午饭 Chī wǔfàn 　　　　　　　　점심 식사 하자.

문제 풀이 **TIP**

1. 五点三十分 wǔ diǎn sānshí fēn '다섯 시 삼십분' 또는 五点半 wǔdiǎn bàn '다섯 시 반'이라고 표현한다.

빈칸 채우기

🕐 05:30

wǔ [diǎn] [bàn]

2. 加油 jiāyóu는 '기름을 더하다'라는 의미인데 '응원하다' 의미까지 확장되어 사용된다.
吧 ba는 '~하자'는 권유의 표현으로 문장 끝에 사용한다.

한어병음 쓰기
우리 힘내자!
Wǒmen jiāyóu [ba]!

사진 속 중국

학교생활 중 눈 체조

중국에서는 초등학교 때부터 학교에서 눈체조를 실시한다. 중의학에 근거하여 몸의 혈을 눌러주어, 눈의 피로를 풀어주고 시력회복에 도움을 준다고 한다.

학교생활 중 중간 체조

중국은 체력단련을 중시한다. 2교시 후 쉬는 시간이 10분이 아닌 20분 정도로 더 길다. 이 때 전교생이 운동장에 나가 체조를 하고 운동장을 뛰기도 하는데 학생들뿐 아니라 담임교사도 함께 적극 참여하는 모습을 볼 수 있다.

✏️ … 刻 kè 15분　半 bàn 반, 30분　差 chà 부족하다　休息 xiūxi 쉬다　吃 chī 먹다　午饭 wǔfàn 점심 식사　61

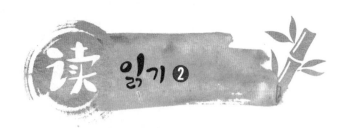
读 읽기 ❷

🎧 63

🌱 "민호야! 너 피곤해 보인다." 빙빙이 민호를 걱정하며 일과를 물어봅니다.

읽기 TIP

리빙빙

你每天几点睡觉?
Nǐ měi tiān jǐ diǎn shuìjiào?
너는 매일 몇 시에 잠자니?

• 격음부호 사용의 예
kě'ài(可爱) 귀엽다
wǎn'ān(晚安) 잘 자
Shǒu'ěr(首尔) 서울

김민호

晚上十二点半。
Wǎnshang shí'èr diǎn bàn.
밤 12시 30분에 잠을 자.

• 의문사

什么	shénme	무엇
为什么	wèi shénme	왜
什么时候	shénme shíhou	언제
几	jǐ	몇
怎么	zěnme	어떻게
怎么样	zěnmeyàng	어때
谁	shéi	누구
哪	nǎ	어느

리빙빙

↗ 이유를 물을 때 사용

为什么那么晚?
Wèi shénme nàme wǎn?
왜 그렇게 늦게 자니?

김민호

↗ 의지의 표현을 나타냄

因为我要学习汉语。
Yīnwèi wǒ yào xuéxí Hànyǔ.
왜냐하면 나는 중국어를 공부해야 하니까.

두 번째 음절이 운모 a, e, o로 시작하면 두 음절 사이에 격음 부호(')를 넣어 음절을 구분해 줘요.
예) Tiān'ān Mén, Xī'ān

🔍 김민호는 왜 늦게 잘까요?

📢 정답
중국어 공부해야 하기 때문에

 ✏ … 每 měi 매 睡觉 shuìjiào 잠자다 为什么 wèi shénme 왜 那么 nàme 그렇게 晚 wǎn 늦다
因为 yīnwèi 왜냐하면 要 yào 해야 한다 学习 xuéxí 공부하다 汉语 Hànyǔ 중국어

1 为什么那么晚? 왜 그렇게 늦게 자니?

이유를 물을 때는 为什么를 사용한다. 대답은 '왜냐하면~ 때문에' 라는 의미의 因为를 사용한다.

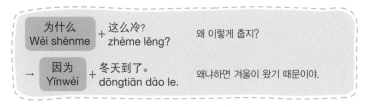

| 为什么 Wèi shénme | + | 这么冷? zhème lěng? | 왜 이렇게 춥지? |
| 因为 Yīnwèi | + | 冬天到了。 dōngtiān dào le. | 왜냐하면 겨울이 왔기 때문이야. |

2 因为我要学习汉语。 왜냐하면 나는 중국어를 공부해야 하니깐.

'~해야 한다'는 의지의 표현은 동사 앞에 要를 사용한다.

| 我 Wǒ | + | 要 yào | + | 做作业。 zuò zuòyè. | 나는 숙제를 해야 한다. |
| 明天 Míngtiān | | | | 考HSK考试. kǎo HSK kǎoshì. | 내일은 HSK시험을 봐야 해. |

문제 풀이 TIP

1. 한 글자 차이지만 의미가 달라짐에 유의 해서 푼다.
   什么 shénme 무엇
   为什么 wèi shénme 왜

의미에 맞게 연결하기
shénme   왜
wèi shénme   무엇

2. 我要睡觉。
   Wǒ yào shuìjiào.
   잠을 자야 한다.

우리말로 해석하기
我要睡觉。
나는 자야 해./잠을 자야 한다.

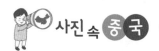 사진 속 중국 ●● 생생툭툭

◯◯고등학교의 시간표

课程表

1교시의 시작이 7시 40분 경이다. 2교시 후 쉬는 시간에는 전교생이 운동장에 나와 체조를 한다. 4교시 후 점심 시간은 약 2시간으로 식사 후 기숙사나 집에 돌아가 낮잠을 자거나, 운동을 하기에 충분한 시간이다. 8교시는 보통 자습을 하고 오후 5시에 학교일과가 끝난다.

◯◯고등학교의 교과서

语文 yǔwén(국어), 数学 shùxué(수학), 英语 yīnyǔ (영어), 化学 huàxué(화학), 物理 wùlǐ(물리), 政治 zhènzhì(정치), 美术 měishù(미술), 阅读 yuèdú (독해), 地理 dìlǐ(지리), 电脑 diànnǎo(컴퓨터) 등이 있다.

 ••• 这么 zhème 이렇게   冷 lěng 춥다   冬天 dōngtiān 겨울   到 dào 도착하다   了 le ~했다(완료·변화의 어기조사)
做 zuò 하다   作业 zuòyè 숙제   考 kǎo 시험 보다   HSK hànyǔ shuǐpíng kǎoshì 중국어 능력 시험
考试 kǎoshì 시험

 64

说 말하기

1 색칠한 부분을 바꾸어 말해 봅시다. 🎧66

> A: 现在几点? Xiànzài jǐ diǎn? 지금 몇 시지?
> B: 现在七点四十分。 Xiànzài qī diǎn sìshí fēn. 지금은 7시 40분이다.

1

六点半
liù diǎn bàn

2

两点一刻
liǎng diǎn yí kè

3

差五分四点
chà wǔ fēn sì diǎn

말하기 **TIP**

1. 六点半
liù diǎn bàn
6시 반

两点一刻
liǎng diǎn yí kè
2시 15분

差五分四点
chà wǔ fēn sì diǎn
4시 5분 전

2 다음 어휘의 확장 연습을 해 봅시다. 🎧67

因为我要学习汉语。
Yīnwèi wǒ yào xuéxí Hànyǔ.

왜냐하면 나는 중국어를
공부해야 하니까.

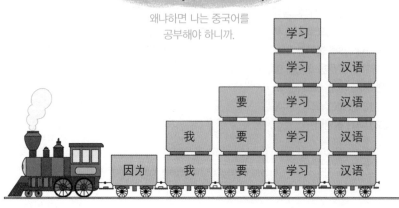

2. 学习 xuéxí 공부하다
汉语 Hànyǔ 중국어
要 yào ～해야 한다
我 wǒ 나
因为 yīnwèi 왜냐하면

듣기 문제 1

지금 몇 시 입니까?

① 六点 ② 八点 ③ 两点

정답과 해설 ▶ 262쪽

3 색칠한 부분을 바꾸어 말해 봅시다. 🎧68

말하기 **TIP**

3. 起床 qǐchuáng 기상하다
回家 huíjiā 집에 가다
上课 shàngkè 수업하다

你每天几点睡觉? 당신은 매일 몇 시에 잡니까?
Nǐ měi tiān jǐ diǎn shuìjiào?

1

起床
qǐchuáng

2

回家
huí jiā

3

上课
shàngkè

4 짝과 함께 가위바위보를 하여 순서를 정하며 시간을 말해 봅시다.

활동 **TIP**

3:30	三点三十分, 三点半
4:15	四点十五分, 四点一刻
5:45	五点四十五分, 五点三刻
2:00	两点
11:55	十一点五十五分, 差五分十二点
12:10	十二点十分
2:15	两点十五分, 两点一刻
10:15	十点十五分, 十点一刻
12:50	十二点五十分
1:30	一点三十分, 一点半

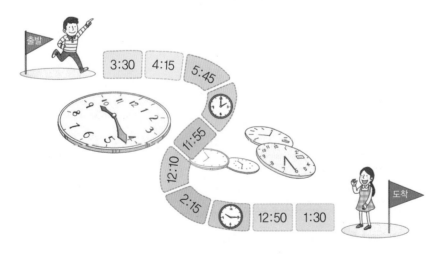

듣기 문제 **2**

남자는 몇 시에 일어납니까?
① 六点半　② 七点一刻
③ 八点

起床 qǐchuáng 일어나다　回 huí 돌아가다　上课 shàngkè 수업하다　65

정답과 해설 ▶ 262쪽

写 쓰기

간체자 쓰기 308쪽

1 빈칸에 알맞은 한어병음을 써 봅시다.

1 现在几点? ➔ Xiànzài jǐ _____ ?

2 为什么那么晚? ➔ _____ nàme wǎn?

2 보기 와 같이 한어병음을 찾아 써 봅시다.

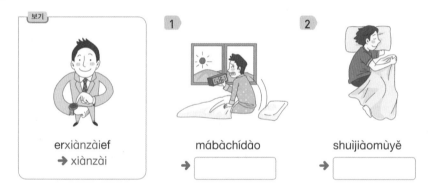

보기
erxiànzàief
➔ xiànzài

1
mábàchídào
➔ [_____]

2
shuìjiàomùyě
➔ [_____]

3 퍼즐 판에서 단어를 찾아 한어병음과 뜻을 써봅시다.

sh	ā	o	h	u	à
h	à	i	á	n	z
y	ī	n	w	è	i
n	s	j	g	h	ā
d	à	y	ǔ	k	q
é	t	q	ā	g	è

1 [_____] [_____]

2 [_____] [_____]

쓰기 TIP

1. 现在几点? 지금 몇 시야?
   为什么那么晚? 왜 그렇게 늦게 자니?

2. 迟到 지각하다
   睡觉 잠자다

3. 上课 수업하다
   因为 왜냐하면 ～때문에

쓰기 정답

1. ① diǎn
   ② Wèi shénme

2. ① chídào
   ② shuìjiào

3. ① shàngkè 수업하다
   ② yīnwèi
      왜냐하면 ～때문에

내가 꿈꾸는 '행복한 나의 일과표'를 만들어 보고, 중국 친구에게 SNS나 이메일로 보내 봅시다.

① 단계   중국어 사전에서 필요한 단어 찾기

② 단계   다음 일과표에 시간별로 줄을 나누고 원하는 활동을 작성하기

③ 단계   작성된 일과표를 중국 친구에게 SNS나 이메일로 보내고 공유하기

행복한 나의 일과표

时间		活动
上午 / 下午	点 / 分	
예~~ 上午	十点二十分	学习汉语。
上午	八点~九点	起床
上午	九点~十点	吃早饭
上午	十点~十二点	看电视
下午	十二点~一点	吃午饭
下午	一点~六点	学习，上网
下午	六点~七点	吃晚饭
晚上	十一点	睡觉

하루 일과를 표현하는 어휘

동사 (玩, 看, 吃) 활용하기

玩手机 wán shǒujī	휴대전화하기
玩电脑 wán diànnǎo	컴퓨터 게임하기
跟朋友玩 gēn péngyou wán	친구와 놀기
看电视 kàn diànshì	TV보기
看电视剧 kàn diànshìjù	드라마 보기
看电影 kàn diànyǐng	영화보기
看演唱会 kàn yǎnchànghuì	콘서트 관람하기
看夜景 kàn yèjǐng	야경보기
吃早饭 chī zǎofàn	아침 식사하기
吃午饭 chī wǔfàn	점심 식사하기
吃晚饭 chī wǎnfàn	저녁 식사하기
吃夜宵 chī yèxiāo	야식 먹기
运动 yùndòng	운동하기
买东西 mǎi dōngxi	쇼핑하기
开车 kāi chē	드라이브하기
散步 sàn bù	산책하기
工作 gōngzuò	일하기
做菜 zuò cài	요리하기

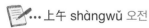

…上午 shàngwǔ 오전

 …洗 xǐ 씻다   脸 liǎn 얼굴   上学 shàngxué 등교하다
放学 fàngxué 하교하다   洗澡 xǐzǎo 목욕하다
聊天儿 liáotiānr 잡담하다   暑假 shǔjià 여름 방학
中午 zhōngwǔ 정오, 낮   上网 shàngwǎng 인터넷을 하다

 69

 나의 학습 점검

1. 시간을 묻고 답할 수 있다.

2. 하루 일과를 표현할 수 있다.

중국의 대학 입학시험 高考 생생 톡톡
gāokǎo

알아보기

高考와 관련된 수험생들의 재미있는 문화를 알아보자.

高考 기간이 다가오면 고사장 주변 호텔방은 구하기 어려워지고 가격도 평균 15% 이상 오른다. 호텔측에서는 '高考房', '状元房(수석합격방)' 등을 만들고 이불에는 합격을 상징하는 색종이 장식을 꾸며놓기도 한다.

학부모들은 아이를 더 좋은 대학에 보내기 위해서 원서 지원에도 많은 돈을 쓰고 있고, 시험이 임박했을 때 수험생의 스트레스를 풀어주기 위한 심리치료사나 高考 보모를 고용하는 경우도 있다. 주로 시험 경험이 있는 대학생들이 이 역할을 하는데 일반 가정교사보다 급여가 30%이상 높고 시험 1~2주 전에는 사람구하기도 힘들다고 한다.

중국의 대학 입학시험 高考는 모두가 합격하길 바라는 마음(录取吧!Lùqǔ ba!)으로 매년 6월 7,8일 (六七八liùqībā)에 시행한다. 각 성(省)의 교육 방침에 따라 과목, 문제, 실시 일 등이 약간 다를 수 있다. 高考는 더운 여름에 치뤄지기 때문에 검은 6월(黑六hēiliù)이라고도 부른다. 응시생이 매년 약 1,000만 명에 이르니 우리나라 수능 응시생 약 60만 명과 비교해 봤을 때 차이를 느낄 수 있다.

高考는 객관식과 논술형 문제로 이루어져 있다.

高考는 6월 7,8일 이틀에 걸쳐 치러진다. 지역에 따라 9일도 시험은 보는 곳도 있다. 첫째 날 오전에 어문 과목을, 오후에는 수학시험을 치른다. 둘째 날의 경우 오전에 자신의 선택(문과 또는 이과)에 따라 종합시험을 치르고, 오후에는 영어 시험을 치른다.

어문은 논술인데 공통 주제와 각 지역에 따른 주제가 하나씩 출제되며, 분량은 800자 이내로, 한글로 따지면 띄어쓰기 포함이므로 2,000자, 원고지 10장 정도의 분량이다.

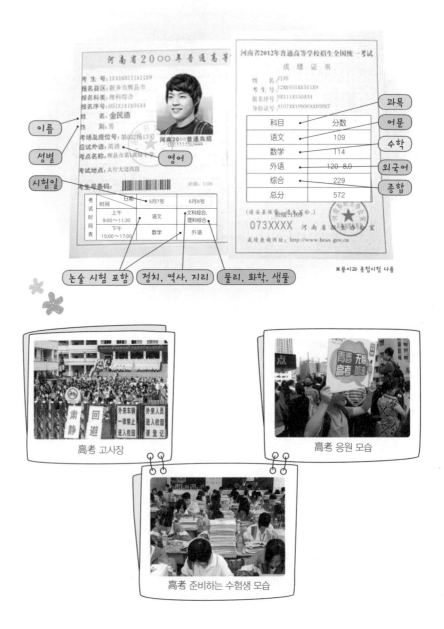

高考 고사장

高考 응원 모습

高考 준비하는 수험생 모습

你好吗?Nǐ hǎo ma?(잘 지냈어?) 대신에 你上网了吗?Nǐ shàngwǎng le ma?(인터넷 했어?)가 인사가 될 정도로 중국에서 인터넷은 빠르게 보급되고 있다. 복잡한 한자 대신에 중국어와 발음이 비슷한 숫자나 알파벳 등을 써서 단어나 문장을 간결하게 말하는 인터넷 언어들이 만들어졌고, 이는 입력이 간편해서 젊은이들 사이에 급속도로 퍼지고 있다.

520 wǔ èr líng	我爱你。 Wǒ ài nǐ.	사랑해.	530 wǔ sān líng	我想你。 Wǒ xiǎng nǐ.	보고 싶어.
555 wǔ wǔ wǔ	呜呜呜。 Wū wū wū.	엉엉엉.	88 bā bā	拜拜。 Báibái.	잘 가.
妹妹 mèimei	MM	여동생	帅哥 shuàigē	SG	미남

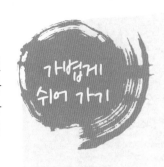

가볍게
쉬어 가기

중국인이
사용하는
인터넷 용어

생생톡톡

'3Q sān Q'는
영어 'Thank you.'와 발음이
비슷하여 "谢谢!" 대신에
사용한다.

Li Bingbing
09-15 21:30 from Phone

0915 北京 #金民浩# 萌萌哒，美美哒，帅帅哒，青年才俊!!

'萌萌哒 méngméngda'는
귀엽고 예쁘게 행동하는
모습을 소리로 표현한 말이다.

'囧 jiǒng(빛나다)'은
우는 듯한 모습 때문에
'우울한. 슬픈'이란 뜻으로 사용한다.

영화 '人在囧途' rénzàijiǒngtú

'사람이 슬픈 길 위에 서 있다.'라는 뜻의 영화로, 성공만을 위해서 달리는 인정없는 완구그룹 사장인 한 남자와 우유농장에서 우유를 짜던 한 남자 직원이 춘제를 맞아 서로 다른 목적으로 길을 떠나게 되고 서로 만나면서 겪게 되는 이야기를 다루고 있다. 비행기, 기차, 버스, 화물차, 심지어 트랙터까지 중국의 다양한 교통수단을 볼 수 있는 영화이다.

중국 영화 '人在囧途' (2010)

 듣기 평가

1 녹음을 듣고 내용이 그림과 일치하면 답안에 O 표시를, 틀리면 X 표시를 하시오.

2 녹음을 듣고 내용과 일치하는 그림을 고르시오.

1

2

3

3 녹음을 듣고 내용과 일치하는 그림을 고르시오.

1

2

3

쓰기 평가

1 단어의 뜻을 쓰시오.

1 xiànzài → ⬜

2 shuìjiào → ⬜

3 汉语 → ⬜

4 真的 → ⬜

2 단어의 헌어병음을 쓰시오.

1 지각하다 → ⬜

2 쉬다 → ⬜

3 为什么 → ⬜

4 作业 → ⬜

3 문장의 뜻과 일치하도록 빈 칸을 완성하시오.

1 저녁 12시 반이야. → Wǎnshang ⬜ diǎn ⬜ .

2 지금 몇 시야? → ⬜ 几 ⬜ .

4 다음 문장을 한자로 바르게 쓰시오.

1 Wǒmen chídào le. → ⬜

2 Yīnwèi wǒ yào xuéxí Hànyǔ. → ⬜

기초 평가

1 단어와 뜻이 바르게 연결하시오.

快 ·	· Hànyǔ ·	· 중국어
走 ·	· zuòyè ·	· 빨리
真的 ·	· zhēnde ·	· 숙제
汉语 ·	· zǒu ·	· 가다
作业 ·	· kuài ·	· 진짜

2 괄호 안의 두 단어 가운데 알맞은 것을 고르시오.

(1) Xiànzài jiǔ diǎn (fēn, bàn).

(2) Wǒ (jī diǎn, qī diǎn) qǐchuáng.

3 시계에 해당하는 시간을 그리시오.

(1)

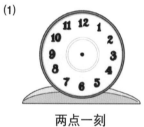

两点一刻

(2)

差五分四点

4 보기에서 알맞은 말을 골라 빈칸을 채우시오.

보기

bàn, fēn, yí kè, diǎn

(1) 10시 15분 ➡ shí diǎn ( )

(2) 3시 반 ➡ sān diǎn ( )

5 빈칸에 공통으로 들어가는 한자를 쓰시오.

즐겁다	( )乐
빨리 가자!	( )走吧!

➡ ( )

114

6 다음 단어의 반대말을 쓰시오.

(1) 起床 ↔ (   )

(2) (   ) ↔ 下课

7 문장의 뜻과 일치하도록 빈칸을 완성하시오.

(1) 너는 매일 몇 시에 자니? → Nǐ (   ) jǐ diǎn shuìjiào?

(2) 우리 늦었어! → Wǒmen (   ) le!

8 문장에서 언급되지 <u>않은</u> 하루 일과를 고르시오.

> Wǒ qī diǎn qǐchuáng. Bā diǎn shàngkè. Wǔ diǎn huí jiā. Shí diǎn shuìjiào.

①
②
③
④

9 문장을 바르게 해석하시오.

(1) 大家休息吧。→
(2) 我要做作业。→

10 주어진 단어가 들어갈 위치를 표시하시오.

(1) 几 → ⓐ 现在 ⓑ 点 ⓒ ?
(지금 몇 시니?)

(2) 要 → ⓐ 明天 ⓑ 考 ⓒ HSK考试 ⓓ 。
(내일은 HSK시험을 봐야 해.)

단원 종합 평가

1 다음 그림에 해당하는 단어는?

① 午饭

② 起床

③ 迟到

④ 睡觉

⑤ 学习

2 단어와 뜻의 연결이 바르지 <u>않은</u> 것은?

① 点 – 시   ② 分 – 분   ③ 走 – 가다   ④ 考试 – 시험   ⑤ 冬天 – 하늘

3 빈칸에 공통으로 들어갈 글자로 알맞은 것은?

- 我晚(   )十二点睡觉。
- 我八点(   )课。

① 上   ② 下   ③ 中   ④ 了   ⑤ 半

4 보기의 단어를 바르게 배열한 것은?

보기

我   汉语   因为   学习   要

① 要我因为学习汉语。   ② 我因为学习要汉语。

③ 汉语我学习要因为。   ④ 因为我要学习汉语。

⑤ 因为要我汉语学习。

5 다음 중 쓰임이 바르지 <u>못한</u> 것은?

Wǒ zǎoshang qī diǎn bàn fēn qǐchuáng.
ⓐ   ⓑ   ⓒ ⓓ   ⓔ

① ⓐ   ② ⓑ   ③ ⓒ   ④ ⓓ   ⑤ ⓔ

116

6 다음 시계를 보고 몇 시인지 바르게 표현한 것은?

① 二点二分
② 二点二十分
③ 两点两分
④ 两点二十分
⑤ 两点两十分

[7-9] 대화문을 읽고 물음에 답하시오.

보기

A : Wáng Gāng, qǐchuáng!

B : Xiànzài _____(a)_____ diǎn?

A : Xiànzài qī diǎn sìshí fēn. Wǒmen chídào le.

B : Kuài zǒu _____(b)_____ .

7 빈칸 (a)에 들어갈 한자로 바른 것은?

① 几
② 那
③ 哪儿
④ 什么
⑤ 怎么样

8 빈칸 (b)에 들어갈 한자와 한어병음이 바른 것은?

① 八 – bā
② 吧 – ba
③ 了 – le
④ 吗 – ma
⑤ 呢 – ne

9 대화의 내용으로 바르지 <u>못한</u> 것은?

① A가 B를 깨우고 있다.
② B의 이름은 왕강이다.
③ A와 B 모두 지각했다.
④ B가 빨리가자고 권하고 있다.
⑤ 현재 시간은 7시 14분이다.

10 하루 일과의 순서대로 문장을 배열한 것은?

ⓐ Wǒ shíyī diǎn shuìjiào.
ⓑ Wǒ shí'èr diǎn chī wǔfàn.
ⓒ Wǒ qī diǎn qǐchuáng.
ⓓ Wǒ wǔ diǎn sìshí fēn huí jiā.

① ⓐ–ⓑ–ⓒ–ⓓ
② ⓑ–ⓐ–ⓒ–ⓓ
③ ⓒ–ⓑ–ⓓ–ⓐ
④ ⓒ–ⓑ–ⓐ–ⓓ
⑤ ⓓ–ⓑ–ⓒ–ⓐ

3, 6, 9 게임

활동 방법

1. 네 개의 모둠으로 나눈다.
2. 모둠의 순서를 정하고 순서대로 한 모둠씩 앞으로 나온다.
3. 한 명씩 중국어로 숫자를 말하다가 3, 6, 9가 들어가는 숫자를 만나면 숫자를 말하지 않고 박수를 친다.
4. 자기 순서에 말하지 못하면 게임이 끝나고 마지막으로 말한 숫자가 그 모둠의 점수가 된다.
5. 점수가 가장 높은 모둠이 우승한다.

활동 삽화

활용 팁

3, 6, 9 이외에 5의 배수에서 숫자를 말하지 않고 두 손을 들며 'wànsuì 만세'라고 외친다.

剪纸 jiǎnzhǐ

활동 자료 327쪽

가위와 칼로 자르기, 오리기, 찢기 등을 통해 인물, 화초, 동물, 산수풍경 등을 완성해 내는 중국 전통 민간 공예를 '剪纸 jiǎnzhǐ'라고 부른다.

双喜 shuāngxǐ는 기쁠 희(喜) 자가 두 개 겹쳐진 것으로, 기쁜 일이 잇따라 일어나거나 그렇게 되기를 바란다는 의미이며, 주로 결혼식 때 많이 사용한다.

준비물 가위(칼), 종이

방법   ─·─·─·─   안으로 접는 선   ------------   밖으로 접는 선

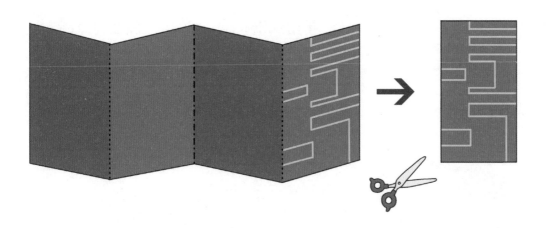

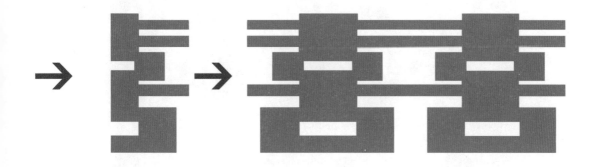

이구동성

활동 방법

1. 네 명씩 모둠을 정해 교실 앞으로 나온다.

2. 네 글자 문장을 선생님의 지시에 따라 한 음절씩 동시에 발음한다.

3. 발음을 듣고, 정답을 맞힌 학생 또는 모둠에게 점수를 준다.

4. 점수를 합산하여 최종 승리 팀을 정한다.

이구동성 예문

我是老师。
저는 선생님입니다.
Wǒ shì lǎoshī.

我很高兴。
저는 매우 기쁩니다.
Wǒ hěn gāoxìng.

生日快乐。
생일 축하합니다.
Shēngrì kuàilè.

今年多大?
올해 몇 살입니까?
Jīnnián duōdà?

学习汉语。
중국어를 공부합니다.
Xuéxí Hànyǔ.

现在几点?
지금 몇 시입니까?
Xiànzài jǐ diǎn?

활동 삽화

脸谱 liǎnpǔ

경극(京劇)에서 다양한 성격의 인물들을 그 특징에 맞게 얼굴에 직접 그리는 화장법을 '脸谱 liǎnpǔ'라고 한다. 다음 脸谱 liǎnpǔ를 참고하여 직접 그려 보며 경극의 매력에 빠져 보자!

베이징(北京)에서 발전하였다 하여, '경극(京劇)'이라고 하며, 노래, 대사, 동작, 춤으로 구성되어 있다.

준비물 색연필 또는 사인펜

붉은색: 충성스러움　　　　　흰색: 간사함　　　　파란색: 호탕함, 다혈질

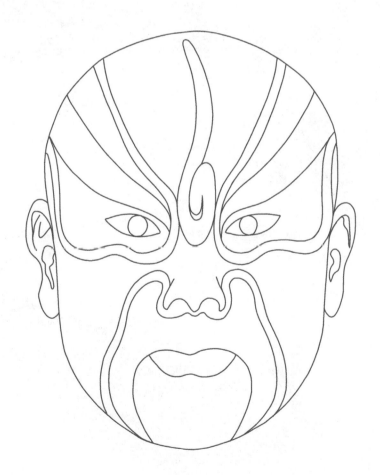

단원 소개 　중국 학생들은 어떤 취미 활동을 하며 여가를 보낼까요? 우리나라와 비슷할까요?
이번 단원에서는 취미와 약속에 관한 중국어 표현을 배웁니다.

太极拳 tàijíquán 태극권

空竹 kōngzhú 콩주

乒乓球 pīngpāngqiú 탁구

122

7 我们在哪儿见
Wǒmen zài nǎr jiàn
우리는 어디에서 만날까요

售票处

**학습
목표**
- 취미를 묻고 답할 수 있다.
- 약속하는 표현을 할 수 있다.

**학습
표현**
- 취미 표현하기
- 약속하기
- 능력과 허락 표현하기

문화
- 중국의 놀이 문화

123

미리보기

1 취미와 관련된 기본 어휘를 듣고 의미를 생각해 봅시다. 🎧70

교내 취미 생활 사진전

높은 곳에 오르면 마음이 활달해진다. 맑은 냇물에 몸을 적시면 속세를 떠난 것 같다. 눈 오는 밤 독서에 잠기면 기쁨과 즐거움에 가득 찬다. 이런 취미가 곧 인생의 참다운 모습이다. –채근담–

听音乐
tīng yīnyuè

看电影
kàn diànyǐng

唱歌
chànggē

打篮球
dǎ lánqiú

打乒乓球
dǎ pīngpāngqiú

기본어휘

- 听音乐 tīng yīnyuè
  음악을 듣다
  yuè는 성모 없이 운모 'üe(위에)'로 이루어진 단어로 발음에 주의한다.

- 看电影 kàn diànyǐng
  영화를 보다

- 唱歌 chànggē 노래를 부르다

- gē는 성모 g+운모 e(으어)로 발음에 주의한다.

- 打篮球 dǎ lánqiú 농구를 하다
  qiú는 성모 q + 운모 iou로 발음에 주의한다.

- 打乒乓球 dǎ pīngpāngqiú
  탁구를 하다

듣기 대본 및 정답

1. 听音乐 – 음악 듣기
   看电影 – 영화 보기
   唱歌 – 노래 부르기
   打篮球 – 농구 하기
   打乒乓球 – 탁구 하기

2. Wǒ kàn diànyǐng.

2 기본 어휘를 사용하여 짧은 문장을 만들어 봅시다.

나는 영화를 본다. → Wǒ [　　　] [　　　] .

짧은 문장 만들기

나는 음악을 듣는다.
Wǒ (　　　) (　　　).

정답과 해설 ▶ 264쪽

124

听 듣기

1 잘 듣고, 알맞은 발음을 고른 후 의미를 생각해 봅시다.

1 ☐ zài nǎr   2 ☐ pīngpāngqiú   3 ☐ Wǒ xǐhuan kàn diànyǐng.
  ☐ zhài nǎr   ☐ píngpāngqiú   ☐ Wǒ xǐhuan tīng Hánguógē.

발음 TIP

• zài nǎr 在哪儿 어디에서

• pīngpāngqiú 乒乓球 탁구,
  pīngpāng은 모두 제1성이다.

• Wǒ xǐhuan kàn diànyǐng.
  我喜欢看电影。
  나는 영화 보는 것을 좋아한다.

• Wǒ xǐhuan tīng Hánguógē.
  我喜欢听韩国歌。
  나는 한국노래 듣는 것을 좋아한
  다.

• '喜欢 xǐhuan'은 '좋아하다'는
  뜻으로 뒤에 명사(구)나 동사(구)
  모두가 올 수 있다.

듣기 대본 및 정답

1. ① zài nǎr
   ② pīngpāngqiú
   ③ Wǒ xǐhuan tīng
      Hánguógē.

 활동

2 잘 듣고, 제시된 단어를 찾아 색칠해 봅시다.

x	ǐ	h	u	a	n	q	ù
m	é	i	j	i	à	n	z
t	i	n	g	k	ǒ	u	à
x	u	é	x	i	à	o	i
d	à	n	sh	i	m	é	n
ǎ	j	i	ā	o	h	ǎ	o
h	u	ì	w	è	n	t	í

만들어지는 한글 자모는? _____

활동 TIP

xǐhuan 喜欢 좋아하다
qù 去 가다
zài 在 ~에, 있다
xuéxiào 学校 학교
dǎ 打 ~하나
huì 会 할 수 있다
wèntí 问题 문제

활동 대본 및 정답

2. ㄹ
   ① xǐhuan ② qù ③ zài
   ④ xuéxiào ⑤ dǎ ⑥ huì
   ⑦ wèntí

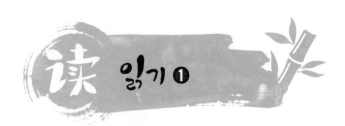

读 읽기 ❶

🎋 "케이팝(K-POP) 공연 소식이 떴네!" 한국 음악 팬인 빙빙이 나라와 관람 약속을 합니다. 🎧 74

읽기 TIP

- 시간명사
  엊그제 – 어제 – 오늘 – 내일– 모레
  前天 – 昨天 – 今天 – 明天 – 后天
  qiántiān – zuótiān – jīntiān – míngtiān – hòutiān

- 동사 喜欢 xǐhuan 좋아하다
  ① 喜欢+명사:
  我喜欢韩国歌。
  Wǒ xǐhuan Hánguógē.
  나는 한국 음악을 좋아한다.
  ② 喜欢+동사+명사:
  我喜欢听韩国歌。
  Wǒ xǐhuan tīng Hánguógē.
  나는 한국음악 듣는 것을 좋아 한다.

1 박나라

(=好不好?) 의견을 물을 때 쓰는 표현

明天去演唱会，好吗？
Míngtiān qù yǎnchànghuì, hǎo ma?
내일 콘서트 가자, 어때?

2 리빙빙

好，我喜欢听韩国歌。
Hǎo, wǒ xǐhuan tīng Hánguógē.
좋아. 나는 한국노래 듣는 것을 좋아해.

3 박나라

'어디' (哪 nǎr는 어느, 那 nà는 저, 저것)

我们在哪儿见？
Wǒmen zài nǎr jiàn?
우리 어디에서 만날까?

4 리빙빙

在学校门口见。
Zài xuéxiào ménkǒu jiàn.
학교 입구에서 만나자.

삽화설명

K-pop 演唱会
yǎnchànghuì
K-pop 콘서트

🗨 두 사람은 어디에서 만나기로 했나요?

🗨 정답
학교 정문에서

📝 ... 演唱会 yǎnchànghuì 콘서트   喜欢 xǐhuan (～하기를) 좋아하다   韩国歌 Hánguógē 한국 노래   在 zài ～에서
哪儿 nǎr 어디   学校 xuéxiào 학교   门口 ménkǒu 입구

🎧 73

이해하기 ❶

❶ 我喜欢听韩国歌。 나는 한국 노래 듣기를 좋아해.

좋아하는 것을 말할 때 喜欢을 사용한다.

- 我喜欢听音乐。 저는 음악 듣는 것을 좋아합니다.
  Wǒ xǐhuan tīng yīnyuè.
- 他不喜欢看电影。 그는 영화 보는 것을 안 좋아합니다.
  Tā bù xǐhuan kàn diànyǐng.

문제 풀이 TIP

1. 喜欢 – xǐhuan 좋아하다

한어병음 쓰기

喜欢 – [xǐhuan]

❷ 我们在哪儿见? 우리 어디에서 만날까?

'~에서 ~을 하다'는 표현은 [在+장소+동사]의 형식으로 나타낸다.
哪儿는 '어디'라는 뜻으로 장소를 물을 때 사용한다.

她 + 在 + 家 + 看 + 电视剧。 그녀는 집에서 드라마를 봅니다.
Tā zài jiā kàn diànshìjù.

2. 我们在哪儿吃?
Wǒmen zài nǎr chī?
우리 어디서 먹지?

틀린 부분 찾아 고치기

우리 어디서 먹지?
我们在什么吃?
① ② ③ ④
我们在哪儿吃?

🇨🇳 사진 속 중국 ●●●●●●●●●●●●●●●●●●●●●●●●●●●●●●●●●●●●●●● 생생톡톡

콘서트 포스터

중국의 유명한 가수
'邓丽君'의 탄생 60주년을
맞이한 콘서트 포스터이다.

콘서트 티켓

콘서트 티켓으로 가격은
약 555元이며 2008년 베
이징올림픽의 주 경기장인
베이징국가체육장(鸟巢
niǎocháo)에서 열린다.

音乐 yīnyuè 음악   电影 diànyǐng 영화   电视剧 diànshìjù 텔레비전 드라마

🎧75

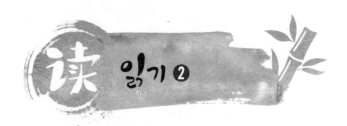

읽기 ②

🌱 체육관에서 만난 민호와 친구들이 탁구 배우기에 관해서 이야기하고 있습니다.

🎧 77

1 왕강

你会打乒乓球吗?
Nǐ huì dǎ pīngpāngqiú ma?
너 탁구 칠 줄 아니?

2 김민호

↗ (= 可是 kěshì) '그러나'라는 뜻의 접속사

会是会，但是打得不好。
Huì shì huì, dànshì dǎ de bù hǎo.
칠 줄은 아는데 잘은 못 쳐.

3 리빙빙

你可以教他吗?
Nǐ kěyǐ jiāo tā ma?
너 그에게 가르쳐 줄 수 있니?

4 왕강

↗ 문제없다, 자신있다

没问题。
Méi wèntí.
문제 없어(당연하지).

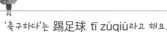
'축구하다'는 踢足球 tī zúqiú라고 해요.

 ❔ 누가 민호에게 탁구를 가르쳐 주기로 했나요?

읽기 TIP

• 조동사 '会' 동사 앞에 사용하여 학습, 경험 등을 통해서 '∼할 수 있다, ∼를 잘한다'는 뜻을 나타낸다.

• 동사 打 dǎ ∼하다, 치다
打乒乓球 dǎ pīngpāngqiú
탁구를 치다
打羽毛球 dǎ yǔmáoqiú
배드민턴을 치다
打篮球 dǎ lánqiú
농구를 하다

• 동사 踢 tī ∼하다, (발로)차다
踢足球 tī zúqiú 축구를 하다

• '没问题 Méi wèntí 문제 없어'
대신에 '当然 dāngrán 당연하다'라는 표현을 사용해도 무방하다.

❔ 정답
왕강

📝 ... 会 huì 할 수 있다(능력)　打 dǎ 치다　乒乓球 pīngpāngqiú 탁구　但是 dànshì 그러나
得 de (술어와 정도 보어를 연결시킴.)　可以 kěyǐ ∼할 수 있다(허락), 해도 된다　教 jiāo 가르치다　没 méi 없다
问题 wèntí 문제　踢 tī 차다　足球 zúqiú 축구

 🎧 76

이해하기 ❷

① 你会打乒乓球吗? 우리 어디서 만날까요?

학습을 통해 '~할 수 있다'의 의미는 '会+동사'를 사용한다.

- 他会打太极拳。　　　그는 태극권을 할 수 있다.
  Tā huì dǎ tàijíquán.
- 我不会打篮球　　　나는 농구를 못 한다.
  Wǒ bú huì dǎ lánqiú.

> **참고**
> 허락, 허가의 '~할 수 있다' 또는 '~해도 된다'는 의미는 '可以+동사'를 사용한다.

② 但是打得不好。 학교 정문에서 만나요.

동작의 상태나 정도를 표현할 때는 '동사/형용사+得+정도 보어'로 나타낸다.

他 Tā	+	跑 pǎo	+	得 de	+	很快。 hěn kuài.	그는 달리기가 매우 빠르다.
						不太快。 bú tài kuài.	그는 달리기가 그다지 빠르지 않다.

문제 풀이 TIP

1. Nǐ huì tī zúqiú ma?
   你会踢足球吗?
   너 축구할 수 있니?

> **우리말 뜻 쓰기**
> Nǐ huì tī zúqiú ma?
> [너 축구할 줄 아니?]

2. 그는 잘 가르쳐 준다.
   他教得很好。
   Tā jiāo de hěn hǎo.

> **빈칸 채우기**
> 그는 잘 가르쳐 준다.
> Tā jiāo [de] hěn hǎo.

 사진 속 중국 ●●●●●●●●●●●●●●●●●●●●●●●●

공원에서 탁구 하는 사람들

중국은 학교나 공원 등에 탁구대가 설치되어 있는 곳이 많다. 특히 중고등학교의 운동장 한 쪽에 콘크리트로 만든 탁구대, 일체형 탁구대 등 고정형으로 설치되어 있어서 많은 학생들과 시민들이 탁구를 즐기는 것을 종종 볼 수 있다.

교내 농구 대회 포스터

중국의 시내 중심지 학교의 경우 공간의 부족으로 인하여 우리나라와 같은 넓은 운동장을 소유하지 못하고 있다. 그래서 농구가 고등학생들의 주된 운동 종목이다. 그래서 종종 농구대회가 열린다.

太极拳 tàijíquán 태극권　篮球 lánqiú 농구　跑 pǎo 달리다　不太 bú tài 그다지, 별로(~하지 않다)　快 kuài 빠르다

1 색칠한 부분을 바꾸어 말해 봅시다. 🎧80

A: 我们在哪儿见? Wǒmen zài nǎr jiàn? 우리 어디서 만날까?
B: 在学校门口见。 Zài xuéxiào ménkǒu jiàn. 학교 정문에서 보자.

1
医院
yīyuàn

2
图书馆
túshūguǎn

3
商店
shāngdiàn

2 다음 어휘의 확장 연습을 해 봅시다. 🎧81

你会打乒乓球吗?
Nǐ huì dǎ pīngpāngqiú ma?
너는 탁구칠 수 있니?

📝 ··· 医院 yīyuàn 병원   图书馆 túshūguǎn 도서관   商店 shāngdiàn 상점

말하기 TIP

1. 医院 yīyuàn 병원
   图书馆 túshūguǎn 도서관
   商店 shāngdiàn 상점

2. 打 dǎ 치다
   乒乓球 pīngpāngqiú 탁구
   会 huì 할 수 있다(능력)
   你 nǐ 너, 당신
   吗 ma ～입니까?

듣기 문제 1

두 사람이 만나는 장소는?
① 학교 앞   ② 도서관
③ 병원

정답과 해설 ▶ 264쪽

3 색칠한 부분을 바꾸어 말해 봅시다. 🎧82

> 我喜欢听韩国歌。 나는 한국 노래 듣기를 좋아합니다.
> Wǒ xǐhuan tīng Hánguógē.

① 玩儿电脑
wánr diànnǎo

② 踢足球
tī zúqiú

③ 跳舞
tiàowǔ

말하기 TIP

3. 玩电脑 wán diànnǎo
   컴퓨터로 놀다
   踢足球 tī zúqiú 축구 하다
   跳舞 tiàowǔ 춤 추다

활동 TIP

① 我不喜欢看电影。
Wǒ bù xǐhuan kàn diànyǐng.
나는 영화 보는 것을 좋아하지 않는다.

② 我不会打篮球。
Wǒ bú huì dǎ lánqiú.
나는 농구를 못 해.

③ 我喜欢听韩国歌。
Wǒ xǐhuan tīng Hánguógē.
나는 한국노래 듣는 것을 좋아한다.

④ 在学校门口见。
Zài xuéxiào ménkǒu jiàn
학교 입구에서 만나자!

⑤ 你可以教他吗?
Nǐ kěyǐ jiào tā ma?
너 그를 가르쳐 줄 수 있니?

⑥ 你会打乒乓球吗?
Nǐ huì dǎ pīngpāngqiú?
너 탁구 칠 수 있니?

⑦ 我们在哪儿见?
Wǒmen zài nǎr jiàn?
우리 어디서 볼까?

⑧ 没问题。Méi wèntí.
문제 없어.

4 짝꿍과 함께 원판 가운데 연필을 놓고 넘어지는 방향에 있는 문장을 중국어로 말해 봅시다.

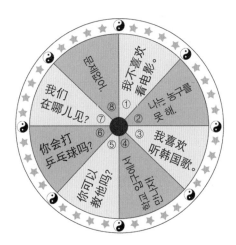

玩儿 wánr 놀다　电脑 diànnǎo 컴퓨터　跳舞 tiàowǔ 춤추다 79

듣기 문제 2

여자가 좋아하는 것은?
① 축구 　② 농구 　③ 춤

정답과 해설 ▶ 264쪽

写 쓰기

간체자 쓰기 311쪽

1 빈칸에 알맞은 한어병음을 써 봅시다.

1 y__ch__h__

2 x__x__

3 p__p__q__

2 빈칸에 알맞은 말을 [보기]에서 골라 써 봅시다.

[보기] 这儿   那儿   哪儿   医院   图书馆   学校

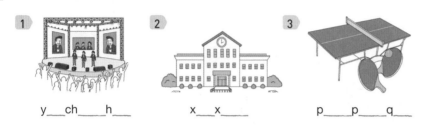

我们在 [　] 见?

在 [　] 见。

3 알맞은 단어 카드를 골라 문장을 완성해 봅시다.

1 네가 그를 가르쳐 줄 수 있니?

他   你   教   吗   可以

_____ ?

2 나는 한국 음악 듣는 것을 좋아해.

韩国   我   听   歌   喜欢

_____ 。

쓰기 **TIP**

1. 演唱会 yǎnchànghuì 콘서트
   学校 xuéxiào 학교
   乒乓球 pīngpāngqiú 탁구

2. 这儿 zhèr 여기
   那儿 nàr 저기
   哪儿 nǎr 어디
   医院 yīyuàn 병원
   图书馆 túshūguǎn 도서관
   学校 xuéxiào 학교

3. 你可以教他吗?
   Nǐ kěyǐ jiāo tā ma?
   我喜欢听韩国歌。
   Wǒ xǐhuan tīng Hánguógē.

쓰기 정답

1. ① yǎnchànghuì
   ② xuéxiào
   ③ pīngpāngqiú

2. ① 哪儿
   ② 图书馆

3. ① 你可以教他吗?
   ② 我喜欢听韩国歌。

베이징에서 개최되는 어느 운동 경기의 홍보 포스터를 보고, 메신저로 친구에게 내용을 알려 주고 함께 보러 가자는 제안을 해 봅시다.

① 단계 왼쪽의 포스터를 보고 필요한 정보를 파악하기
② 단계 휴대 전화 메신저의 (1)번 칸에 경기의 내용을 우리말로 입력하기
③ 단계 휴대 전화 메신저의 (2)번 칸에 함께 보러 가자는 제안을 중국어로 입력하기

배드민턴 대회 포스터

羽毛球比赛: 배드민턴 대회
(yǔmáoqiú bǐsài)
北京健康集团: 베이징 헬스 그룹
(Běijīng Jiànkāng Jítuán)
举办世界羽毛球比赛: 세계 배드민턴 대회를 거행하다
(jǔbàn shìjiè yǔmáoqiú bǐsài)

날짜: 7월 30일 日期 : 7月 31日(星期六) rìqī : qīyuè sānshí rì 　　(xīngqīliù) 시간: 오후 4시부터 6시까지
时间 : 下午4点 ～ 6点 shíjiān : xiàwǔ sì diǎn ～ liù 　　diǎn
장소: 장청 배드민턴 경기장 地点 : 长城羽毛球场 : dìdiǎn : Chángchéng 　　yǔmáoqiúchuáng

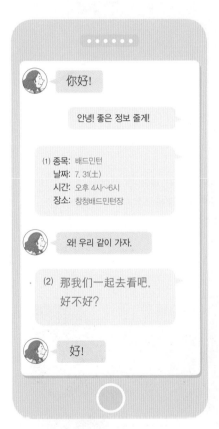

你好!

안녕! 좋은 정보 줄게!

(1) 종목: 배드민턴
　　날짜: 7.31(土)
　　시간: 오후 4시〜6시
　　장소: 창청배드민턴장

와! 우리 같이 가자.

(2) 那我们一起去看吧,
　　好不好?

好!

취미 활동 표현하는 어휘

画画 huà huà 그림 그리기
骑自行车 qí zìxíngchē
　자전거 타기
弹钢琴 tán gāngqín
　피아노 치기
去旅游 qù lǚyóu 여행 가기

 … 羽毛球场 yǔmáoqiúchǎng 배드민턴장
健康 jiànkāng 건강(하다)　日期 rìqī 날짜
时间 shíjiān 시간　地点 dìdiǎn 장소
比赛 bǐsài 시합

 … 爱好 àihào 취미　游泳 yóuyǒng 수영(하다)
书法 shūfǎ 서예　棒球 bàngqiú 야구　排球 páiqiú 배구

🎧 83

나의
학습 점검

1. 취미를 묻고 답할 수 있다.　

2. 약속하는 표현을 할 수 있다.

중국인의 여가 활동

O X 문화 ○×퀴즈

일명 '바닥 서예'라고도 하며, 고도의 집중력과 팔의 힘이 필요한 地书 dìshū는 노인들에게는 건강을 지키는 운동으로 여겨지고 있다. (○)

🔍 알아보기

이 밖에 중국인들이 즐겨하는 여가 활동에는 어떤 것들이 있는지 알아보자.

마작 麻将 májiàng

보통 네 사람이 상아나 골재(骨材)에 대쪽을 붙인 136개의 패를 가지고 여러 모양으로 짝짓기를 하여 승패를 겨루는 실내오락으로 패를 섞을 때의 소리가 마치 대나무 숲에서 참새 떼가 재잘거리는 소리를 닮았다고 하여 붙여진 이름이다.

마작은 패가 화투나 트럼프에 비해 독특한 분위기를 지녔고, 규칙이나 방법이 매우 복잡하며, 놀이의 승패가 우연과 기술의 적절한 조화에 의해서 이루어지고, 부정을 저지르기 어려운 점 등의 매력 때문에 널리 행해지고 있다

중국인의 여가 활동은 여행, 독서, 예술 감상, 운동 등 다채롭고 풍부해지고 있다. 특히 건강에 대한 관심이 높기 때문에 근처 공원에만 가도 연날리기, 제기차기, 광장무, 태극권 등 젊은이부터 노년층까지 다양한 사람들이 여가 활동을 즐기는 모습을 볼 수 있다. '만만디(慢慢地 mànmān de)'의 여유로 지혜롭게 보내는 중국인들의 여가 생활을 살펴보자.

地书 dìshū

스펀지로 만든 큰 붓에 물을 찍어 바닥에 글씨 연습을 한다. 종이도 먹물도 필요 없는 매우 친환경적인 취미 활동이다.

地书; 地 땅, 바닥, 书 쓰다
물통과 연결된 스폰지 붓을 이용하여 땅바닥에 글을 쓰는 일종의 정신 수양 운동

柔力球 róulìqiú

태극권의 원리에 테니스, 배드민턴의 기술을 결합하여 만든 전신 운동으로 공을 가운데 올려놓고 움직이면서 떨어뜨리지 않는 운동이다.

柔力球: 柔 부드럽다, 力 힘, 球 공
말랑말랑한 공을 부드러운 채로 주고 받는 운동이라는 뜻

空竹 kōngzhú

속이 빈 대나무를 뜻하는 말로, '중국 요요'라고 생각하면 된다. 줄을 몸통 가운데에 여러 번 돌려 감은 뒤 왔다 갔다 하면 속이 비어 있는 空竹에서 '윙윙' 소리가 난다.

空竹: 空 비다, 竹 대나무
속이 빈 대나무 통을 줄에 걸어서 강하게 돌리며 공기의 공명현상으로 인한 소리를 즐기는 운동

毽子 jiànzi

술이 달린 우리나라 제기와 달리 중국 제기는 형형색색의 깃털이 달려 있고 탄력이 좋다.

중국 서커스의 역사는 약 2,000년 정도로, 긴 역사 만큼이나 다채로운 공연을 하고 있다. 중국 최초의 서커스 중등학교인 허베이 우챠오 서커스 예술 학교(河北吴桥杂技艺术学校)에서 전문적으로 서커스 단원을 양성하고 있다. 중국 최대 명절인 춘제 때 텔레비전에서 방영되는 가장 큰 규모의 종합 예술 프로그램인 春节晚会Chūnjié wǎnhuì에서 매년 서커스 공연은 빠지지 않는다.

중국의 서커스
杂技
zájì

서커스 전용극장
北京의 朝阳剧场

베이징 시 동부에 위치해 있으며 1984년에 개관 후 '朝阳剧场杂技大世界Cháoyáng Jùchǎng Zájì dàshìjiè(챠오양 극장 서커스 세계)'라고 불리는 이 곳은 최고 수준의 잡기만을 전문적으로 공연하는 잡기 전용 극장이다. 30여 년의 시간 동안 '看杂技, 到朝阳 kàn zájì, dào Cháoyáng(서커스를 보려면 챠오양 극장으로 오세요.)' 이라는 문화브랜드가 형성되었다. 특히 해외 정상, 의장 등 국빈뿐 만 아니라 500여 만 명의 외국인이 이곳을 방문하였다.

춘제 축제(春节晚会)에서의 서커스

허베이 우챠오 서커스 예술 학교 훈련 모습

오토바이 서커스

듣기 평가

1 녹음을 듣고 내용이 그림과 일치하면 답안에 O 표시를, 틀리면 X 표시를 하시오.

2 녹음을 듣고 내용과 일치하는 그림을 고르시오.

3 녹음을 듣고 대화 내용에 맞는 그림을 고르시오.

쓰기 평가

1 단어의 뜻을 쓰시오.

1 xǐhuan →

2 ménkǒu →

3 问题 →

4 但是 →

2 단어의 한어병음을 쓰시오.

1 가르치다 →

2 축구 →

3 踢 →

4 演唱会 →

3 문장의 뜻과 일치하도록 빈칸을 완성하시오.

1 내일 콘서트 가자. → 　　　　　　 qù yǎnchànghuì ba.

2 너 탁구 칠 수 있니? → Nǐ 　　　　　 dǎ pīngpāngqiú ma?

4 다음 문장을 한자로 바르게 쓰시오.

1 Méi wèntí. →

2 Wǒ xǐhuan tīng Hánguógē. →

1 단어와 뜻이 바르게 연결하시오.

篮球　　·　　　　· yǔmáoqiú　　·　　　　· 태극권

足球　　·　　　　· lánqiú　　·　　　　· 농구

乒乓球　·　　　　· zúqiú　　·　　　　· 배드민턴

羽毛球　·　　　　· pīngpāngqiú　·　　　　· 축구

太极拳　·　　　　· tàijíquán　　·　　　　· 탁구

2 괄호 안의 두 단어 가운데 알맞은 것을 고르시오.

(1) Wǒmen zài (nǎ, nǎr) jiàn?

(2) Nǐ huì (tī, dǎ) zúqiú ma?

3 그림에 해당하는 단어를 한자로 쓰시오.

(1)

(2)

4 보기에서 알맞은 말을 골라 빈칸을 채우시오.

보기

kàn　　tīng　　wǎnr　　tī

(1) Wǒ xǐhuan (　　　　　) yīnyuè.

(2) Wǒ bù xǐhuan (　　　　　) diànyǐng.

5 빈칸에 공통으로 들어가는 한자를 쓰시오.

(　　　)乒乓球
(　　　)篮球

→ (　　　　　)

6 한어병음을 바르게 배열하시오.

(1) d à ǐ i y n n g → (   )

(2) è í t n w   → (   )

7 문장의 뜻과 일치하도록 빈칸을 완성하시오.

(1) 네가 그를 가르칠 수 있니? → 你(   )教他吗?

(2) 그런데 잘 못 쳐   → (   ) 打得不好。

8 문장의 뜻과 일치하도록 빈칸을 완성하시오.

(1) 나는 탁구를 칠 수 있어.

huì, wǒ, pīngpāngqiú, dǎ

→

(2) 그는 음악 듣는 것을 좋아하지 않아.

不, 音乐, 喜欢, 他, 听

→

9 문장을 바르게 해석하시오.

(1) 我喜欢听韩国歌。→

(2) 在商店见。 →

10 주어진 단어가 들어갈 위치를 표시하시오.

(1) 得 →
할 수 있어, 그런데 잘은 못 쳐.

会是会, 但是 ⓐ 打 ⓑ 不 ⓒ 好

(2) 在 →
우리 어디에서 만날까?

ⓐ 我们 ⓑ 哪 ⓒ 儿 ⓓ 见?

단원 종합 평가

1 빈 칸에 들어갈 성모를 순서대로 연결한 것은?

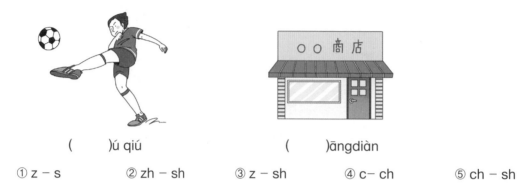

( )ú qiú   ( )āngdiàn

① z – s   ② zh – sh   ③ z – sh   ④ c– ch   ⑤ ch – sh

2 단어와 뜻의 연결이 바르지 <u>않은</u> 것은?

① 玩儿 – 놀다   ② 电脑 – TV   ③ 跳舞 – 춤추다

④ 医院 – 병원   ⑤ 图书馆 – 도서관

3 밑줄 친 단어가 몇 성으로 발음되는지 알맞은 것은?

> • <u>喜</u>欢   • 演<u>唱</u>会   • 我<u>们</u>

① 제1성   ② 제2성   ③ 제3성   ④ 반3성   ⑤ 제4성

4 빈칸에 공통으로 들어갈 글자로 알맞은 것은?

> • 我喜欢( )电影。
> • 你喜欢( )电视剧吗?

① 得   ② 踢   ③ 打   ④ 听   ⑤ 看

5 문장을 바르게 해석한 것은?

> 他跑得不太快。

① 그는 달리기가 매우 느리다.   ② 그는 달리기가 매우 빠르다.

③ 그는 달리기를 좋아하지 않는다.   ④ 그는 달리기가 그다지 느리지 않다.

⑤ 그는 달리기가 그다지 빠르지 않다.

6 빈 칸에 들어갈 대답으로 알맞은 것은?

> A : 你会打乒乓球吗?
> B : (   ), 但是打得不太好。

① 不会   ② 没   ③ 会是会   ④ 喜欢   ⑤ 问题

7 빈 칸에 들어갈 수 <u>없는</u> 단어는?

> A : 我们在哪儿见?
> B : 在 (   )门口见。

① 学校   ② 医院   ③ 篮球   ④ 商店   ⑤ 图书馆

[8-10] 대화문을 읽고 물음에 답하시오.

> 보기
>
> 왕 강: 明天去羽毛球场, 好___(a)___?
> 리빙빙: 好, 你会打羽毛球___(a)___?
> 왕 강: 会, 打得很好。
> 리빙빙: (b)可以　吗　你　教　我?
> 왕 강: 没问题。

8 빈칸 (a)에 공통으로 들어갈 한자로 바른 것은?

① 吗   ② 呢   ③ 了   ④ 的   ⑤ 得

9 빈칸 (b)을 어순에 맞게 고친 것은?

① 你可以教我吗?   ② 你教可以我吗?   ③ 可以你我教吗?

④ 我你教可以吗?   ⑤ 我可以教你吗?

10 대화의 내용으로 바르지 <u>못한</u> 것은?

① 왕강은 배드민턴을 아주 잘 친다.   ② 리빙빙도 배드민턴을 잘 친다.

③ 그들은 내일 배드민턴장을 갈 것이다.   ④ 리빙빙은 왕강에게 배드민턴을 배우고 싶어 한다.

⑤ 왕강이 리빙빙에게 배드민턴을 가르쳐 줄 것이다.

北京烤鸭店 Běijīng Kǎoyā Diàn
베이징 오리 전문점

단원 소개 '중국'하면 떠오르는 것 중의 하나가 바로 다양하고 맛있는 음식입니다. 중국에는 어떤 음식이 있고, 우리나라의 음식 문화와는 어떤 차이가 있는지 궁금하군요. 이번 단원에서는 음식과 관련된 표현을 배웁니다.

炸酱面
zhájiàngmiàn
자장면

好吃餐厅
Hǎochī Cāntīng
맛있는 식당

粥 zhōu 죽
豆浆 dòujiàng 두유 (콩으로 만든 음료)
油条 yóutiáo 중국식 추러스, 꽈배기
包子 bāozi 만두

학습
목표
• 진행과 경험을 표현할 수 있다.
• 음식을 주문할 수 있다.

학습
표현
• 식사 표현하기
• 경험 표현하기
• 진행 표현하기

문화
• 한·중의 식사 문화

8 你吃饭了吗

Nǐ chī fàn le ma

당신은 식사하셨나요

中国火锅店

中国火锅店 Zhōngguó Huǒguǒ Diàn
중국 샤브샤브 가게

珍珠奶茶店

珍珠奶茶店 Zhēnzhū Nǎichá Diàn
버블 티 가게

珍珠奶茶
¥15

143

1 음식과 관련된 기본 어휘를 듣고 의미를 생각해 봅시다. 🎧84

기본어휘

• 吃米饭 chī mǐfàn 쌀밥을 먹다
 喝汤 hē tāng 탕을 마시다
 喝茶 hē chá 차를 마시다

• 吃烤鸭 chī kǎoyā 오리구이를 먹다
 吃包子 chī bāozi 만두를 먹다
 喝粥 hē zhōu 죽을 먹다

듣기 대본 및 정답

1. 吃米饭 – 쌀밥을 먹다
 喝汤 – 국을 먹다
 喝茶 – 차를 마시다
 吃烤鸭 – 오리 구이를 먹다
 吃包子 – 만두를 먹다
 喝粥 – 죽을 먹다

2. Wǒ chī kǎoyā.

2 기본 어휘를 사용하여 짧은 문장을 만들어 봅시다.

나는 오리 구이를 먹는다. ➔ Wǒ ⬜ ⬜ .

짧은 문장 만들기

나는 차를 마시다.
Wǒ (　　　) (　　　).

정답과 해설 ▶ 267쪽

听 듣기

1 잘 듣고, 알맞은 발음을 고른 후 의미를 생각해 봅시다. 85

1 ☐ chī fàn   2 ☐ hē zōu   3 ☐ Wǒ chī mǐfàn.
  ☐ chī pàn   ☐ hē zhōu   ☐ Wǒ hái méi chī.

발음 TIP

- 吃饭 chī fàn 밥을 먹다

- fàn / pàn
  성모 'f': 윗니를 아랫입술에 자연
  스럽게 닿게 하여 내는 소리
  성모 'p': 두 입술을 닫아서 공기
  가 나오는 것을 막았다가 입을
  버리며 내는 소리

- 喝粥 hē zhōu 죽을 마시다

- zhōu / zōu
  성모 'zh': 혀끝을 치켜 세워 경
  구개에 바짝 대고 내는 소리
  성모 'z': 혀끝을 윗니 뒤쪽에 바
  짝 대고 내는 소리

- 我还没吃。 Wǒ hái méi chī.
  나는 아직 먹지 않았다.
- 我吃米饭。 Wǒ chī mǐfàn.
  나는 쌀밥을 먹는다.

듣기 대본 및 정답

1. ① chī fàn
   ② hē zhōu
   ③ Wǒ hái méi chī.

2 잘 듣고, 包子 그림에서 알맞은 발음을 찾아 '○' 표시를 해 봅시다. 86

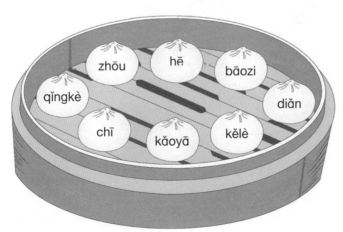

활동 TIP

hē 喝 마시다
bāozi 包子 만두
diǎn 点 주문하다
kělè 可乐 콜라
kǎoyā 烤鸭 오리구이
chī 吃 먹다
qǐngkè 请客 한턱내다
zhōu 粥 죽

활동 대본 및 정답

2. ① hē   ② kělè
   ③ chī   ④ bāozi
   ⑤ qǐngkè

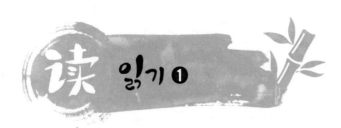

读 읽기 ❶

🎋 한국과 중국의 음식에 관하여 나라와 빙빙이 전화하고 있습니다.

🎧 88

1 박나라

→ 동작이나 상황이 지속됨을 나타냄

喂，你做什么呢？
Wèi, nǐ zuò shénme ne?
여보세요, 너 지금 뭐하고 있니?

2 리빙빙

我在吃饭呢。
Wǒ zài chī fàn ne.
지금 밥 먹고 있는 중이야.

3 박나라

你家早饭一般吃什么？
Nǐ jiā zǎofàn yìbān chī shénme?
너희 집에서는 아침에 주로 무엇을 먹니?

4 리빙빙

→ 등등 이란 의미

喝粥、吃包子什么的，你们呢？
Hē zhōu、chī bāozi shénmede, nǐmen ne?
죽이랑 찐빵 같은 것을 먹어, 너희는?

5 박나라

我们一般喝汤、吃米饭。
Wǒmen yìbān hē tāng、chī mǐfàn.
우리는 주로 국이랑 쌀밥을 먹어.

〔삽화 설명〕
만두와 죽을 먹고 있는 그림

〔삽화 설명〕
쌀밥과 국을 먹는 그림

📖 리빙빙의 아침 식사는 무엇인가요?

읽기 **TIP**

• 早饭 zǎofàn 아침식사
  午饭 wǔfàn 점심식사
  晚饭 wǎnfàn 저녁식사

• 첫 번째 줄, 두 번째 줄의 '~呢'는 동작의 진행을 나타내는 의미이다.
  4번째 줄 '~呢'는 앞에서 이미 질문한 내용을 중복해서 묻는 문장으로 생략하여 말한 것이다.
  你们呢? Nǐmen ne?
  = 你们早饭一般吃什么?
  Nǐmen zǎofàn yìbān chī shénme? 의미이다.

📖 정답
죽과 찐빵 등을 먹는다.

📝 … 喂 wèi 여보세요 饭 fàn 밥 早饭 zǎofàn 아침밥 一般 yìbān 일반적으로 喝 hē 마시다 粥 zhōu 죽
包子 bāozi (소가 든) 찐빵 什么的 shénmede 등등 汤 tāng 탕, 국 米饭 mǐfàn 쌀밥

 🎧 87

이해하기 ❶

1 ▸ **喂，你做什么呢?** 여보세요, 너 지금 뭐 하고 있니?

喂는 '여보세요'라는 뜻으로, 원래 제4성이나 전화할 때는 보통 제2성으로 발음한다.

A: 喂, 好吃餐厅的电话号码是多少?
　 Wèi, Hǎochī Cāntīng de diànhuà hàomǎ shì duōshao?

여보세요, 하오츠 식당의 전화번호가 몇 번입니까?

B: 15829881084。
　 Yāo wǔ bā èr jiǔ bā bā yāo líng bā sì.

158-2988-1084입니다.

2 ▸ **我在吃饭呢。** 지금 밥 먹고 있는 중이야.

동작의 진행은 [在+동사+呢]의 형식으로 나타내며, 在나 呢 중 하나만 써도 된다.

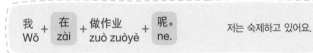

我 + 在 + 做作业 + 呢。
Wǒ + zài + zuò zuòyè + ne.

저는 숙제하고 있어요.

문제 풀이 **TIP**

1. 전화번호를 읽을 때 숫자 '1'은 'yi'로 읽지 않고 'īāo'로 읽는다.

나의 휴대 전화 번호를 쓰고 중국어로 말해 보기

예시) 010-1234-5678
líng yāo líng yāo èr
sān sì wǔ liù qī bā

2. 동작의 진행은 '在 + 동사' 순으로 작문한다.

어순에 맞게 배열하기

kàn, zài, diànshì
나는 텔레비전을 보는 중이야.
→ Wǒ zài kàn diànshì .

🗺 사진 속 중국 ●●●●●●●●●●●●●●●●●●●●●●●●●●●●●●●●●●●●● 생생툭툭

길거리에서 아침 식사를 파는 곳

중국 사람들은 일반적으로 아침을 간단하게 먹는다. 특히 출근 또는 등교하면서 거리에서 간단한 먹거리를 파는 노점식당에서 사먹는 것이 매우 일상적이다. 사진속 노점은 汉堡, 鸡翅, 酸奶, 萝卜糕 등을 판매하고 있다.

생활에 필요한 전화번호

중국에서 유용하게 사용할 수 있는 생활 전화 번호이다. 이 중에서 꼭 기억할 것이 '110'이다. 이 번호는 우리 나라의 119와 비슷하여 갑자기 어려운 일이 발생하였을 때 중국 경찰 즉, 公安의 도움을 받을 수 있는 번호이다.

📝 ··· **好吃** hǎochī 맛있다　**餐厅** cāntīng 식당　**电话** diànhuà 전화　**号码** hàomǎ 번호　**多少** duōshao 얼마

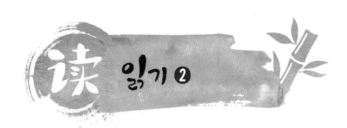

读 읽기 ❷

🌱 "여기 오리 구이 한 마리 주세요!" 왕강이 민호에게 한턱내고 있습니다. 부럽죠?

읽기 **TIP**

1 왕강

你吃饭了吗?
Nǐ chī fàn le ma?
점심 먹었니?

2 김민호

→ 주어 +(조동사 想 + 본동사 吃)+ 목적어

还没吃。我想吃北京烤鸭。
Hái méi chī. Wǒ xiǎng chī Běijīng kǎoyā.
아직이야. 나는 베이징 오리구이를 먹고 싶어.

3 왕강

你没吃过? 那我请客。
Nǐ méi chīguo? Nà wǒ qǐngkè.
너 아직도 안 먹어 봤어? 그럼 내가 사줄게.

4 김민호

(식당에 들어간다.)

服务员，我们点菜。
Fúwùyuán, wǒmen diǎn cài.
종업원, 우리 주문할게요.

5 왕강

→ ~마리 (동물을 세는 양사)   → ~병(병을 세는 양사)

来一只烤鸭和一瓶可乐。
Lái yì zhī kǎoyā hé yì píng kělè.
오리 구이 한 마리랑 콜라 한 병 주세요.

- '还'는 '아직'이라는 의미의 부사로서 부정부사 '没'를 수식하여 동작이 아직 발생하지 않았음을 표시한다.

- '想'은 동사 앞에 위치하여 어떠한 동작을 하고자 하는 바람, 희망사항 등을 표현한다.

- 点菜 diǎn cài 음식을 주문하다. '点'은 시간을 표현할 때 '시'라는 의미도 있지만 동사로 '주문하다'라는 의미도 있다.

- 수사 + 양사 + 명사
一只烤鸭 yì zhī kǎoyā
오리구이 한 마리
两瓶可乐 liǎng píng kělè
콜라 두 병
(숫자 '둘'은 '两 liǎng'으로 사용한다.)

- '来'는 구체적인 의미의 동사를 대신하여 '~(동작)을 하다'는 의미로 사용된다.

🗨 왕강이 주문한 음식은 무엇인가요?

정답
베이징 오리 구이와 콜라 한 병

📝··· 还 hái 아직   想 xiǎng ~하고 싶다   北京烤鸭 Běijīng kǎoyā 베이징 오리 구이   过 guo ~한 적이 있다   🎧 90
请客 qǐngkè 한턱내다   服务员 fúwùyuán 종업원   点 diǎn 주문하다   菜 cài 요리   来 lái (어떤 동작·행동을) 하다
只 zhī 마리(양사)   瓶 píng 병(양사)   可乐 kělè 콜라

이해 하기 ❷

① **你没吃过?** 너 아직도 안 먹어 봤어?

过는 '~한 적이 있다'는 경험을 나타내며, 부정은 '没+동사+过'의 형식으로 표현한다.

A: 你 + 吃过 + 韩国菜 + 吗?
Nǐ + chīguo + Hánguó cài + ma? 너는 한국 요리를 먹어 봤어?

B: 吃过, + 可是很辣。(긍정)
Chīguo, + kěshì hěn là. 먹어 봤어. 그런데 아주 매워.

没吃过。(부정)
Méi chīguo. 안 먹어 봤어.

문제 풀이 **TIP**

1. 아직 못 봤어요.
Hái méi kànguo.
还没看过.

경험을 나타내는 过(guo)의 부정형은 '没+동사+过'이다.

빈칸 채우기
아직 못 봤어요.
Hái [méi] kànguo.

② **来一只烤鸭和一瓶可乐。** 오리 구이 한 마리랑 콜라 한 병 주세요.

来는 구체적인 동사를 대신하는 말로, 음식을 주문할 때는 '~주세요'라는 의미로 쓰인다.

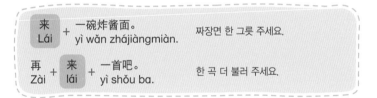

来 + 一碗炸酱面。
Lái + yì wǎn zhájiàngmiàn. 짜장면 한 그릇 주세요.

再 + 来 + 一首吧。
Zài + lái + yì shǒu ba. 한 곡 더 불러 주세요.

2. 我来吧, 你快休息。
Wǒ lái ba, nǐ kuài xiūxi.
내가 할게, 넌 빨리 쉬어.

우리말 뜻 쓰기
我来吧, 你快休息。
[내가 할게, 넌 빨리 쉬어.]

 사진 속 중 국 •••••••••••••••••••••••••••••••••••• 생생톡톡

패스트푸드점의 차림표

중국에서도 패스트푸드가 매우 인기가 높다. 6월 1일 어린이날을 맞이하여 치킨 버거를 선전하고 있다.

한국 식당의 차림표

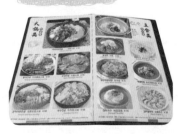

한류의 영향으로 중국 특히 대도시에 한국 식당을 쉽게 찾을 수 있다. 우리 음식의 중국어 표현을 보자.

年糕汤 niángāotāng 떡국
大酱汤 dàjiāngtāng 된장국
石锅拌饭 shíguō bànfàn 돌솥비빔밥
紫菜包饭 zǐcàibāofàn 김밥
冷面 lěngmiàn 냉면
泡菜拉面火锅 pàocài lāmiàn huǒguō 김치라면전골

✐ ••• 可是 kěshì 그런데 辣 là 맵다 碗 wǎn 그릇(양사) 炸酱面 zhájiàngmiàn 짜장면 首 shǒu 곡(양사) 92

1 색칠한 부분을 바꾸어 말해 봅시다. 🎧94

A: 你做什么呢? Nǐ zuò shénme ne? 너는 뭐 하고 있니?
B: 我在吃饭呢。Wǒ zài chī fàn ne. 밥을 먹고 있어.

1. 看书 kàn shū 책을 보다
喝茶 hē chá 차를 마시다
写信 xiě xìn 편지를 쓰다

1
看书
kàn shū

2
喝茶
hē chá

3
写信
xiě xìn

2 다음 어휘의 확장 연습을 해 봅시다. 🎧95

我想吃北京烤鸭。
Wǒ xiǎng chī Běijīng kǎoyā.
나는 베이징 오리구이를 먹고 싶어.

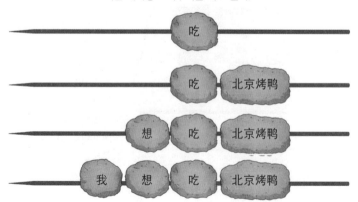

📝 ••• 书 shū 책 茶 chá 차 信 xìn 편지

정답과 해설 ▶ 267쪽

3 색칠한 부분을 바꾸어 말해 봅시다. 🎧96

말하기 TIP

3. 火锅 huǒguō 샤브샤브
   宫保鸡丁 gōngbǎojīdīng
   궁바오지딩
   汉堡包 hànbǎobāo 햄버거

> 我想吃北京烤鸭。 나는 베이징 오리구이를 먹고 싶다.
> Wǒ xiǎng chī Běijīng kǎoyā.

1
火锅
huǒguō

2
宫保鸡丁
gōngbǎojīdīng

3
汉堡包
hànbǎobāo

활동

4 미로를 따라가며 완성되는 문장을 말해 봅시다.

활동 TIP

没	méi	없다
什么	shénme	무엇
一般	yìbān	일반
服务员	fúwùyuán	종업원
吃	chī	마시다
喝	hē	한턱내다
请客	qǐngkè	아침식사
早饭	zǎofàn	집
家	jiā	당신
你	nǐ	아직
还	hái	

활동 정답

你家早饭一般吃什么

듣기 문제 2

남자가 먹고 싶은 것은?
① 베이징 오리구이
② 햄버거
③ 샤브샤브

火锅 huǒguō 훠궈(중국요리 이름)   宫保鸡丁 gōngbǎojīdīng 궁바오지딩(중국요리 이름)
汉堡包 hànbǎobāo 햄버거

🎧93

정답과 해설 ▶ 267쪽

1 빈칸에 들어갈 알맞은 한어병음을 골라 써 봅시다.

> zài   píng   zhī   hē

1 Wǒ _____ chī fàn ne.

2 Wǒmen yìbān _____ tāng.

3 Lái yì _____ kǎoyā hé yì _____ kělè.

2 한어병음에 해당하는 글자를 골라 써 봅시다.

> 请   点   客   般   菜   吃   一   饭

1 chī fàn _____

2 qǐngkè _____

3 diǎn cài _____

4 yìbān _____

3 빈칸에 알맞은 단어를 중국어로 써 봅시다.

你吃过北京烤鸭吗?

我还_____。

쓰기 **TIP**

1. Wǒ zài chī fàn ne.
   我在吃饭呢。
   나는 밥 먹는 중이야.
   Wǒmen yìbān hē tāng.
   我们一般喝汤。
   우리는 일반적으로 탕을 먹어.
   Lái yì zhī kǎoyā hé yì píng kělè.
   来一只烤鸭和一瓶可乐。
   오리구이 한 마리와 콜라 한 병이요.

2. 吃饭 chī fàn 밥을 먹다
   请客 qǐngkè 한턱내다
   点菜 diǎn cài 주문하다
   一般 yìbān 일반적으로

3. 你吃过北京烤鸭吗?
   Nǐ chīguo Běijīng kǎoyā ma?
   너 베이징 오리구이 먹어 봤니?
   我还没吃过。
   wǒ hái méi chīguo.
   나는 아직 안 먹어 봤어.

쓰기 정답

1. ① zài   ② hē
   ③ zhī, píng

2. ① 吃饭   ② 请客
   ③ 点菜   ④ 一般

3. 没吃过。

152

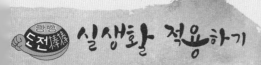

'한국 사람의 입맛에 잘 맞는다'는 '쓰촨 가정식 요리'의 차림표이다.
마음에 드는 요리를 골라서 오른쪽 주문서에 적고, 친구와 함께 읽어 봅시다.

1 단계   왼쪽의 차림표를 보고 정보를 파악하기

2 단계   마음에 드는 요리를 골라 보기

3 단계   우측의 주문서에 선택한 요리 이름과 수량을 써 보기

어휘 **TIP**

중국 식당에서 요리를 주문
할 때 사용하는 필수 어휘

菜名 càimíng 요리 이름
数量 shùliàng 수량
菜单 càidān 차림표, 메뉴판
买单 mǎidān 계산하다, 지불하
다

*买单은 중국 식당에서 매우 유용
하게 사용된다. 우리나라는 식사
를 마치고 식당을 나갈 때 계산대
에서 계산하지만, 중국의 대부분
의 식당은 자신의 자리에서 종업
원에게 "服务员，买单！"라고
외치면 종업원이 계산서를 가지
고 온다. 알면 매우 편리한 중국
여행의 Tip이다.

宫堡鸡丁 gōngbǎojīdīng
공바오지딩
鱼香肉丝 yúxiāngròusī
돼지살코기 볶음
麻婆豆腐 mápó dòufu
마파두부
炒饭 chǎofàn 볶음밥
金银馒头 jīnyín mántou
노란색과 흰색의 찐빵
小笼包 xiǎolóngbāo
찜통에 찐 중국식 만두
饺子 jiǎozi 만두
饮料 yǐnliào 음료

〈차림표〉

菜 单

宫保鸡丁	20元
鱼香肉丝	25元
麻婆豆腐	20元
炒饭	15元
包子	7元
饺子	12元

〈주문서〉

美味餐厅   NO:00000099

桌号: 88   20 年 月 日

菜 名	数量

… 鱼香肉丝 yúxiāngròusī 위상러우쓰(중국요리 이름)
炒饭 chǎofàn 볶음밥   饺子 jiǎozi 만두
菜名 càimíng 요리 이름   数量 shùliàng 수량
买单 mǎidān 계산서

… 菜单 càidān 메뉴, 차림표   咖啡 kāfēi 커피

1. 진행과 경험을 표현할 수 있다.

2. 요리를 주문할 수 있다.

한국과 중국의 식사 예절

문화 ○× 퀴즈

중국에도 짜장면이 있다.

(○)

알아보기

한·중 식사 예절의 또 다른 차이점은 무엇이 있는지 알아보자.

우리나라 음식을 먹을 때는 남김없이 깨끗이 다 먹어야 복스럽게 먹었다고 한다. 그러나 중국인들은 음식을 조금이라도 남겨야 예의라고 생각한다. 왜냐하면 음식을 남겼다는 것은 먹을 것이 아주 많았다는 것을 의미하기 때문이다. 그래서 보통 음식을 주문할 때는 사람 수보다 더 많은 요리를 시킨다.

한국과 중국의 식사 예절

한국

한식은 모든 음식을 한 상에 다 차리고 먹어요.

한국은 숟가락과 젓가락을 중요시 여겨 은이나 금속 소재로 만들어 혼수로도 가져 가요.
숟가락은 자루가 길고 머리 부분이 완만하게 파여 있어 밥과 국을 먹기에 편리해요.

중국

중식은 요리가 순차적으로 나오며, 식탁 가운데 둥근 원형을 돌려 가며 각자 그릇에 덜어서 먹어요.

중국은 기름에 볶는 요리가 많아 나무나 상아 소재의 젓가락을 많이 사용하며 멀리 있는 음식을 쉽게 집기 위해 젓가락의 길이가 길고 가벼워요.
숟가락은 자루가 짧고 머리 부분이 움푹 파여 있어서 밥보다는 주로 국을 먹을 때 사용해요.

饭店 fàndiàn

우리나라에서는 '중국식당', 중국에서는 '호텔'로 서로 다르게 사용되는 것으로 알려진 '饭店 fàndiàn'의 사전적 의미는 다음과 같다.
① 비교적 크고 시설이 좋은 여관
② 식당
즉, 중국어 사전에도 '호텔, 식당' 두 가지 의미가 있다.
그렇다면 의미를 구별하는 기준은 무엇일까? 그 기준은 바로 그 건물의 기능의 차이이다.
① 호텔: 숙박, 식사, 비즈니스, 휴가, 회의 등 다기능 건물
② 식당: 단지 식사만 하는 건물

한·중 '북경반점'이 어떻게 다른가?

한국 북경반점 외관
한국의 북경반점은 대체로 중국 음식점이다.

중국 북경반점 외관
중국의 北京饭店 Běijīng Fàndiàn은 베이징 왕푸징에 있는 고급 호텔이다.

중국의 馒头 mántou는 속이 없는 밀가루 빵이에요. 다른 음식에 곁들여 먹거나 연유를 찍어 먹는데 아주 맛있어요. 오늘은 馒头의 유래를 알아볼까요?

제갈량의 꾀
馒头
mántou

삼국 시대, 제갈량(诸葛亮)이 남쪽 오랑캐(南蛮)를 정벌하고 루쉐이 泸水에 이르렀다.

갑자기 비가 내리고 강물이 불어 도저히 강을 건널 수 없게 되었다.

아~도저히 건널 수가 없어!

전란으로 많은 사람들이 죽어 하늘이 노하셨으니, 사람의 머리를 강물에 던지고 제사를 지내면 강을 건널 수 있습니다.

남쪽 오랑캐(南蛮) 사람들의 목을 베어 강에 던지자.

밀가루로 사람머리 모양을 여러 개 만들어 강물에 던지자, 희한하게도 비가 그쳐 무사히 강을 건널 수 있었다.

와~ 비가 그쳤다.

馒头 mántou는 남쪽 오랑캐(南蛮 nánmán) 사람의 머리(蛮头 mántou)에서 유래된 것이다.

馒头는 본래 속이 있는 지금의 包子와 같은 형태였으나, 후에 속이 없는 것은 馒头로, 속이 있는 것은 包子라고 함.

듣기 평가

1 녹음을 듣고 단어와 그림이 일치하면 답안에 O 표시를, 틀리면 X 표시를 하시오.

2 녹음을 듣고 여자가 주문한 음식이 <u>아닌</u> 것을 고르시오.

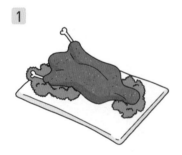

3 녹음을 듣고 대화 내용에 맞는 그림을 고르시오.

쓰기 평가

1 단어의 뜻을 쓰시오.

| 1 | hē | → | |
| 2 | chī | → | |

| 3 | 什么 | → | |
| 4 | 什么的 | → | |

2 단어의 헌어병음을 쓰시오.

| 1 | 전화 | → | |
| 2 | 종업원 | → | |

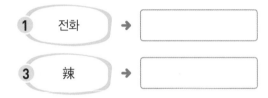

| 3 | 辣 | → | |
| 4 | 可是 | → | |

3 문장의 뜻과 일치하도록 빈 칸을 완성하시오.

1 너 밥 먹었니? → Nǐ chī [   ] le ma?

2 우리 주문 할게요. → Wǒmen [   ] [   ].

4 다음 문장을 한자로 바르게 쓰시오.

1 Nà wǒ qǐngkè. → [   ]

2 Nǐ zuò shénme ne? → [   ]

1 단어와 뜻이 바르게 연결하시오.

包子 ·   · bāozi ·   · 주문하다

餐厅 ·   · diǎn ·   · 만두

可乐 ·   · kělè ·   · 아직

还 ·   · hái ·   · 콜라

点 ·   · cāntīng ·   · 식당

2 괄호 안의 두 단어 가운데 알맞은 것을 고르시오.

(1) Wǒmen yìbān (hē, chī) tāng.

(2) Nǐ (bù, méi) chīguo?

3 그림에 해당하는 단어를 한자로 쓰시오.

(1)

(2)

4 아래 전화번호를 한어병음으로 쓰시오.

158-2988-1084

5 빈칸에 들어가는 한자를 쓰시오.

(1) 一 (   ) 北京烤鸭

(2) 两 (   ) 炸酱面

6 한어병음을 바르게 배열하시오.

(1) sh k ì ě → (   )

(2) à n z o ǎ f → (   )

7 주어진 단어가 들어갈 위치를 표시하시오.

(1) 마파두부 하나 주세요. '来' → ⓐ 一 ⓑ 个 ⓒ 麻婆豆腐 ⓓ。

(2) 나는 아직 안 먹었어. '没' → ⓐ 我 ⓑ 还 ⓒ 吃 ⓓ。

8 아래 단어를 바르게 배열하여 문장을 완성하시오.

(1) 너희 집에서는 아침에 주로 무엇을 먹니?

jiā, shénme, nǐ, chī, yìbān, zǎofàn →

(2) 지금 밥 먹고 있는 중이야.

呢, 吃, 我, 饭, 在 →

9 문장을 바르게 해석하시오.

(1) 服务员, 我们点菜。 →

(2) 我吃过韩过菜。 →

10 주어진 단어가 들어갈 위치를 표시하시오.

(1) 想 → 나는 중국음식을 먹고 싶어.

我 ⓐ 吃 ⓑ 中国菜 ⓒ。

(2) 在 → 저는 숙제하고 있어요.

我 ⓐ 做 ⓑ 作业 ⓒ 呢 ⓓ。

단원 종합 평가

1 단어와 뜻의 연결이 바르지 <u>않은</u> 것은?

① 喝 – 그리고   ② 还 – 아직   ③ 菜 – 요리

④ 米饭 – 쌀밥   ⑤ 多少 – 얼마

2 밑줄 친 'i'의 발음이 나머지 넷과 <u>다른</u> 것은?

① yìbān   ② cāntīng   ③ hǎochī   ④ mǐfàn   ⑤ píng

3 다음 중 쓰임이 바르지 <u>않은</u> 것은?

> Tā hái bù chīguo gōngbǎojīdīng.
> ⓐ ⓑ ⓒ ⓓ ⓔ

① ⓐ   ② ⓑ   ③ ⓒ   ④ ⓓ   ⑤ ⓔ

4 빈칸에 들어갈 말로 알맞은 것은?

> **A** : Nǐ chī fàn le ma?
> **B** : (　　　　　　　　　).

① Wǒ qǐngkè   ② Hěn hǎo chī

③ Wǒ hái méi chī   ④ Chī guo, kěshì hěn là

⑤ Wǒ chīguo Zhōngguócài

5 빈칸에 들어갈 대답으로 알맞은 것은?

> **A** : 你想吃什么?
> **B** : 我想吃(　　　)。

① 韩国菜   ② 中国菜   ③ 日本菜   ④ 美国菜   ⑤ 意大利菜

6 메뉴판의 내용으로 보아 주문한 음식의 총 금액은?

| 60元 | 5元 | 20元 | 5元 |

来一只北京烤鸭和两瓶可乐。

① 七十元　　② 八十元　　③ 三十五元　　④ 二十元　　⑤ 二十五元

7 밑줄 친 '来'의 쓰임이 <u>다른</u> 것은?

① 老师来了。　　② 来一杯茶。　　③ 再来一首吧。

④ 你也来一个吧。　　⑤ 你休息休息, 我来吧。

[8-10] 대화문을 읽고 물음에 답하시오.

> 보기
>
> 박나라 : 你做什么呢?
> 리빙빙 : 我 (a) 吃饭呢。
> 박나라 : 你家早饭一般吃什么?
> 리빙빙 : (b) 粥、(c) 包子什么的, 你们呢?
> 박나라 : 我们一般 (b) 汤、(c) 米饭。

8 빈칸 (a)에 들어갈 한자로 바른 것은?

① 的　　② 在　　③ 了　　④ 喂　　⑤ 是

9 빈칸 (b), (c)에 들어갈 동사는?

① (b) 吃, (c) 吃　　② (b) 喝, (c) 喝　　③ (b) 喝, (c) 吃

④ (b) 吃, (c) 喝　　⑤ (b) 喝, (c) 想

10 대화의 내용으로 바른 것은?

① 박나라는 밥을 먹고 있다.　　② 리빙빙은 숙제를 하고 있다.

③ 리빙빙은 아침에 죽을 먹는다.　　④ 박나라는 저녁에 국과 밥을 먹는다.

⑤ 박나라와 리빙빙은 같이 밥을 먹고 있다.

민호와 왕강이 중국 윈난 성 여행을 떠나서 중국 명차 '푸얼차'를 사려고
합니다. 나라도 예쁜 치파오를 구입하려고 합니다.
이 단원에서는 물건 구입에 관한 표현을 배웁니다.

好喝名茶 hǎohē míngchá 맛있는 명차

中国书店 Zhōngguó shūdiàn 중국서점

营业中 yíngyèzhōng
영업중

全场5折 quánchǎng wǔ zhé
50% 세일

학습 목표
• 제안을 할 수 있다.
• 가격을 묻고 답할 수 있다.

학습 표현
• 가격 묻기
• 흥정하기
• 의견 말하기

문화
• 중국의 차(茶) 문화

9
多少钱
Duōshao qián
얼마예요

上海百货
Shànghǎi Bǎihuò
상하이 백화

旗袍 qípáo
치파오(중국 전통 의상)

163

미리보기

1 물건 사기와 관련된 기본 어휘를 듣고 의미를 생각해 봅시다. 🎧98

2 기본 어휘를 사용하여 짧은 문장을 만들어 봅시다.

한 개에 얼마예요? ➜ Yí ge [   ] [   ]?

1 잘 듣고, 알맞은 발음을 고른 후 의미를 생각해 봅시다.

1 ☐ wǔsí kuài
  ☐ wǔshí kuài

2 ☐ tài guī
  ☐ tài guì

3 ☐ Yí ge yìbǎi kuài.
  ☐ Yí ge duōshao qián?

발음 **TIP**

• wǔshí kuài 五十块 50콰이
• tài guì 太贵 매우 비싸다
• Yí ge duōshao qián?
  一个多少钱?
  한 개에 얼마예요?

yī(一)의 성조변화
yī + 제1,2,3성 → yì(제4성)
예 yì zhāng(一张 한 장),
   yì píng(一瓶 한 병),
   yì qǐ(一起 함께)
yī + 제4성, 경성 → yí(제2성)
예 yí jiàn(一件 한 벌),
   yí ge(一个 한 개)

듣기 대본 및 정답

1. ① wǔshí kuài ② tài guì
   ③ Yí ge duōshao qián?

2 잘 듣고, 푸얼차 그림에서 알맞은 발음을 찾아 써 봅시다.

1 _____

2 _____

3 _____

4 _____

활동 **TIP**

pǔ'ěr chá 普洱茶 보이차
mài 卖 팔다
guì 贵 비싸다
piányi 便宜 싸다
mǎi 买 시다
qípáo 旗袍 치파오
zěnmeyàng 怎么样 어때
duōshao 多少 얼마
kuài 块 콰이

활동 대본 및 정답

2. ① duōshao ② piányi
   ③ mǎi   ④ guì

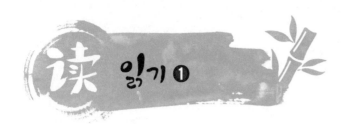
读 읽기 ❶

🌱 '중국 옷' 하면 치파오가 떠오르지요? 나라와 빙빙이 인터넷에서 치파오를 사려고 합니다.

🎧 102

1 박나라

我要买一件旗袍。
Wǒ yào mǎi yí jiàn qípáo.
나는 치파오 한 벌을 사려고 해.

2 리빙빙

这件红色的怎么样?
Zhè jiàn hóngsè de zěnmeyàng?
이 빨간색 옷은 어때?

↗ '~어때'라는 의미로 상대방의 의견을 물을 때 사용

最近很流行。
Zuìjìn hěn liúxíng.
최근에 매우 유행하는 거야.

↗ '좋다'라는 의미가 아니고 '꽤, 몹시'라는 의미

3 박나라

好漂亮。 多少钱?
Hǎo piàoliang. Duōshao qián?
너무 예쁘다. 얼마야?

4 리빙빙

现在打8折,120块。
Xiànzài dǎ bā zhé, yìbǎi èrshí kuài.
20% 할인해서 120원이야.

打8折 dǎ bā zhé는 20% 할인의 뜻으로,
가운데 숫자는 판매되는 가격의 비율을 의미해요.

 할인 전 치파오의 가격은 얼마인가요?

🗂️ 정답
150块

읽기 TIP

- 이 문장에서 '要'는 조동사로 쓰였다.
  ① 조동사 : '~하고 싶다, ~하려고 한다'는 뜻으로 동사 앞에 위치한다.
  ② 동사 : 바라다, 원하다

- '的'는 '~한 것'이라는 의미로, '的' 뒤에 생략된 명사는 앞에서 이미 언급이 되었거나 따로 언급하지 않아도 의미를 알 수 있는 것으로 이 문장에서는 '旗袍'를 의미한다.

- 很流行 hěn liúxíng
  hěn 뒤에 오는 단어 (liú)의 성조가 제2성이기 때문에 hěn은 반3성으로 읽는다.

- 이 문장에서 '好'는 '좋다'라는 형용사가 아닌, '꽤, 몹시'라는 뜻의 부사로 사용되었다.

- 색깔 관련 어휘
  白色 báisè 흰색
  绿色 lǜsè 초록색
  紫色 zǐsè 보라색
  灰色 huīsè 회색
  深 shēn 진하다
  浅 qiǎn 옅다
  颜色 yánsè 색깔

📝··· 买 mǎi 사다   件 jiàn 벌(양사)   旗袍 qípáo 치파오(옷)   红色 hóngsè 빨간색   怎么样 zěnmeyàng 어떠하다
最近 zuìjìn 최근   流行 liúxíng 유행하다   好 hǎo 꽤, 몹시   漂亮 piàoliang 예쁘다   钱 qián 돈
打折 dǎzhé 할인하다   块 kuài 콰이(중국 화폐 단위)

🎧 101

166

1 这件红色的怎么样?

의복과 관련된 양사는 다음과 같다.

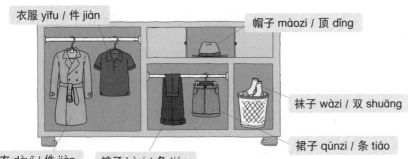

衣服 yīfu / 件 jiàn
帽子 màozi / 顶 dǐng
袜子 wàzi / 双 shuāng
裙子 qúnzi / 条 tiáo
大衣 dàyī / 件 jiàn
裤子 kùzi / 条 tiáo

※ 문장 전후의 의미가 분명할 경우, 的 뒤의 명사를 생략할 수 있으며, '~한 것'이라고 해석한다.

2 现在打8折，120块。

'런민비(人民币 rénmínbì)'는 중국 화폐 단위로 아래와 같다.

기본 단위	보조 단위	
块 kuài (元 yuán)	毛 máo (角 jiǎo)	分 fēn

화폐와 상품의 가격을 표시할 때는 괄호 안의 元, 角를 사용한다.
- ￥100 yìbǎi (kuài) · ￥105.3 yìbǎi líng wǔ kuài sān (máo)

문제 풀이 TIP

1. 의복 관련 양사
① 件 jiàn 벌, 건 : 옷(상의), 짐, 일 (사건), 물건 등에 사용한다.
一件衣服 옷 한 벌,
一件大衣 코트 한 벌
② 条 tiáo 벌, 줄기 : 바지, 길, 강 처럼 가늘고 긴 것에 사용한다.
一条裤子 바지 한 벌,
一条裙子 치마 한 벌
③ 顶 dǐng 개 : 모자 세는 양사
一顶帽子 모자 한 개
④ 双 shuāng 쌍, 짝 : 짝을 이루 는 신체의 일부나 신체 부착물 에 사용한다.
一双袜子 양말 한 켤레

알맞은 양사 연결하기

裤子 ——— 双
衣服 ——— 件
袜子 ——— 条

가격 읽기

￥35 [sānshíwǔ kuài]
￥20.8 [èrshí kuài bā (máo)]
￥6.79 [liù kuài qī máo jiǔ (fēn)]

 사진 속 중국 ··· 중국의 화폐(人民币 rénmínbì) ··········· 생생톡톡

중국 화폐 人民币의 지폐 도안 배경지는 명승 고적 지가 대부분이다. 1元 뒷면의 배경지는 杭州의 三 潭印月이다. 三潭印月은 서호에 떠 있는 섬으로, 섬의 남쪽에 3개의 석등이 있어 불을 켜면 마치 호 숫가에 달을 박아 놓은 듯이 보인다 하여 붙여진 이 름이다. 5元 뒷면의 배경지는 泰山이다. 10元 뒷면 의 배경지는 长江三峡이다. 이 곳은 삼협 중 가장 웅장하며 지형이 험준하다. 20元 뒷면의 배경지는 桂林이다. 50元 뒷면의 배경지는 西藏의 布达拉宫이다. 布达拉宫은 티벳의 대표적인 상징이자 건축물로 라마교 사원이다. 100元 뒷면의 배경지는 톈안먼광장 서쪽에 위치한 北京人民大会堂이다.

 ··· 衣服 yīfu 옷　裤子 kùzi 바지　裙子 qúnzi 치마　条 tiáo 벌(양사)　袜子 wàzi 양말　双 shuāng 켤레(양사)
大衣 dàyī 외투　帽子 màozi 모자　顶 dǐng 개(양사)　元 yuán 위안(중국 화폐 단위)　角 jiǎo 块(元)의 1/10
毛 máo 角의 구어체　分 fēn 毛(角)의 1/10

 103

읽기 ②

여행을 떠난 왕강과 민호가 그윽한 맛과 향의 중국 명차 '普洱茶 pǔ'ěrchá'를 구입하려 합니다.

105

왕강

어떻게

普洱茶怎么卖?

Pǔ'ěrchá zěnme mài?

푸얼차 얼마예요?

주인

七十块一个。

Qīshí kuài yí ge.

하나에 70원입니다.

너무 ~하다   문장 끝에 쓰여 상의, 청유, 제의
등의 어기를 나타냄.

김민호

太贵了。便宜一点儿吧。

Tài guì le. Piányi yìdiǎnr ba.

너무 비싸네요. 좀 깎아 주세요.

주인

六十块，行不行?

Liùshí kuài, xíng bu xíng?

60원이면 어떤가요?

김민호

行。给你一百块。

Xíng. Gěi nǐ yìbǎi kuài.

좋아요, 여기 100원 드릴게요.

주인

找您四十块。

Zhǎo nín sìshí kuài.

잔돈 40원 거슬러 드릴게요.

行不行? Xíng bu xíng?과 같이 동사
나 형용사의 긍정과 부정을 병렬하면 의문
문이 되고, 중간에 不는 경성으로 읽어요.

읽기 TIP

- '卖 mài 팔다', '买 mǎi 사다' 한 자와 발음이 유사하기 때문에 유의한다.

- 太~了 tài ~ le : 너무 ~하다.

- xíng bu xíng 긍정형과 부정형이 연속될 때 不(bù)는 경성으로 읽는다.

- 세 자리 숫자 세는 법

100	一百 yì bǎi
101	一百零一 yì bǎi líng yī
111	一百一十一 yì bǎi yì shí yī
120	一百二十 yì bǎi èr shí 一百二 yì bǎi èr
121	一百二十一 yì bǎi èr shí yī
200	两百 liǎngbǎi

김민호는 普洱茶의 값을 얼마나 깎았나요?

정답
十块

... 普洱茶 pǔ'ěrchá 푸얼차   怎么 zěnme 어떻게   卖 mài 팔다   贵 guì 비싸다   便宜 piányi 싸다
一点儿 yìdiǎnr 조금   行 xíng 좋다, 괜찮다   给 gěi 주다   一 yī 1, 하나   百 bǎi 100, 백   找 zhǎo 거슬러 주다

104

1 便宜一点儿吧。 이 빨간색은 어떻습니까?

'형용사+(一)点儿'은 '조금(약간)~하다'라는 뜻이고, '有(一)点儿+형용사'의
형태도 같은 뜻이지만 부정적인 느낌을 포함한다.

> 慢 Màn + 一点儿 yìdiǎnr.   조금 천천히 하세요.
>
> 有点儿 Yǒudiǎnr + 累 lèi.   약간 피곤해요.

※ 一(yī)의 성조 변화: 一(yì)+제1, 2, 3성/ 一(yí)+제4성

문제 풀이 **TIP**

1. 조금 작아요.
   有点儿小。
   Yǒu diǎnr xiǎo.
   너에게 이 바지를 줄게
   给你这条裤子。
   Gěi nǐ zhè tiáo kùzi.

빈칸에 들어갈 표현 고르기

(有点儿 / 一点心)
조금 작아요.

> 有点儿 |小。

2 给你一百块。 정말 예쁩니다.

给는 '~에게 ~을 주다'라는 뜻으로 목적어를 두 개 가질 수 있는 동사이다.
이와 같은 동사에는 找, 教 등이 있다.

> 找   你   二十块。   당신에게 20위안을 거슬러 줄게요.
> Zhǎo   nǐ   èrshí kuài.
>
> 教   他   英语。   그에게 영어를 가르쳐 준다.
> Jiāo   tā   Yīngyǔ.

어순 맞게 배열하기

nǐ, gěi, kùzi, tiáo, zhè
너에게 이 바지를 줄게.

→ Gěi nǐ zhè tiáo
  kùzi.

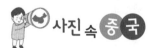 사진 속 중국 ••

대형 마트 전단지

买一送一는 '하나 사면 하
나 더 드립니다(1+1)'를 의
미한다.

'1+1' 할인 행사

3~5折는 50~70% 할인 행
사를 의미한다.

  •• 慢 màn 느리다   有点儿 yǒudiǎnr 조금, 약간   累 lèi 피곤하다   英语 Yīngyǔ 영어   106

1 색칠한 부분을 바꾸어 말해 봅시다. 🎧108

> A: 这件红色的怎么样? Zhè jiàn hóngsè de zěnmeyàng?
> B: 好漂亮。 Hǎo piàoliang.

말하기 ⓣⓘⓟ

1. 黄色 huángsè 노란색
蓝色 lánsè 남색
黑色 hēisè 검은색

①

黄色
huángsè

②

蓝色
lánsè

③

黑色
hēisè

2 다음 어휘의 확장 연습을 해 봅시다. 🎧109

2. 一点儿吧 yìdiǎnr ba 좀 하자
便宜 piányi 싸다
贵 guì 비싸다
太 tài 너무

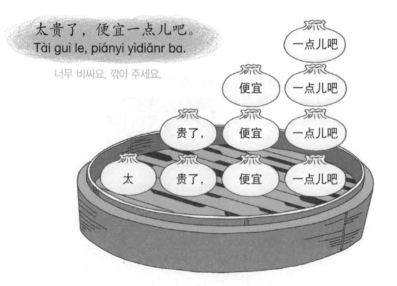

太贵了，便宜一点儿吧。
Tài guì le, piányi yìdiǎnr ba.

너무 비싸요, 깎아 주세요.

📝… 黄色 huángsè 노란색　蓝色 lánsè 파란색　黑色 hēisè 검은색

듣기 문제 1

여자가 예쁘다고 한 옷의 색깔은?

① 검정색　② 빨간색
③ 노란색

정답과 해설 ▶ 269쪽

3 색칠한 부분을 바꾸어 말해 봅시다. 110

> 我要买一件旗袍。 나는 치파오 한 벌을 사고 싶습니다.
> Wǒ yào mǎi yí jiàn qípáo.

1

一双鞋
yì shuāng xié

2

两本汉语书
liǎng běn Hànyǔ shū

3

三张火车票
sān zhāng huǒchēpiào

활동

4 카드의 합이 10이 되도록 짝을 맞추고 말해 봅시다.

③ 普洱茶怎么卖?

⑧ 找您四十块。

⑤ 多少钱?

④ 我要买一件旗袍。

② 给你一百块。

⑤ 现在打八折，120块。

⑥ 这件红色的怎么样?

⑦ 七十块一个。

→ _____

鞋 xié 신발　本 běn 권(양사)　张 zhāng 장(양사)　火车票 huǒchēpiào 기차표　107

말하기 **TIP**

3. ① 신발 한 켤레
② 중국어 책 두 권
③ 기차표 세 장

활동 TIP

③ Pǔ'ěr chá zěnme mài?
보이차 어떻게 팔아요?
⑧ Zhǎo nín sìshí kuài.
잔돈 40원 거슬러 드릴게요.
⑤ Duōshao qián? 얼마에요?
④ Wǒ yào mǎi yí jiàn qípáo.
나는 치파오 한 벌을 사려고 해.
② Gěi nǐ yì bǎi kuài.
여기 100원 드릴게요.
⑤ Xiànzài dǎ bā zhé, yì bǎi èr shí kuài.
지금 20%할인해서 120원이야.
⑥ Zhè jiàn hóngsè de zěnmeyàng?
이 빨간색 옷은 어때?
⑦ Qī shí kuài yí ge.
하나에 70원입니다.

활동 정답

③ 普洱茶怎么卖? + ⑦ 七十块一个。
④ 我要买一件旗袍。+ ⑥ 这件红色的怎么样?
⑤ 多少钱? + ⑤ 现在打八折, 120块。
② 给你一百块。+ ⑧ 找您四十块。

듣기 문제 2

여자가 사려고 하는 물건은?
① 신발　② 교과서
③ 치파오

정답과 해설 ▶ 269쪽

写 쓰기

간체자 쓰기 317쪽

1 주어진 단어가 들어갈 위치에 ∨표를 한 후, 완성된 문장을 써 봅시다.

1 怎么　□ 普洱 □ 茶 □ 卖?

→ ＿＿＿＿＿＿＿＿＿＿＿＿＿＿

2 一点儿　太 □ 贵 □ 了, □ 便宜 □ 吧。

→ ＿＿＿＿＿＿＿＿＿＿＿＿＿＿

2 중국 화폐의 총 금액을 중국어로 써 봅시다.

1 金액: ＿＿＿＿＿＿＿＿＿

2 金額: ＿＿＿＿＿＿＿＿＿

3 그림을 보고 대화를 완성해 봅시다.

A: 我要买一 □ 裙子。
B: 这条怎么样?
A: 好漂亮。多少钱?
B: □ 块。
A: 给你150块。
B: 找您 □ 块。

쓰기 TIP

1. ① 普洱茶怎么卖?
　　Pǔ]ěr chá zěnme mài?
　　보이차 어떻게 팔아요?

　② 太贵了，便宜一点儿吧。
　　Tài guì le, piányi yì diǎnr ba.
　　너무 비싸요. 조금 싸게 깎아주세요.

2. ① 一百二十五块 125元
　　Yì bǎi èr shí wǔ kuài

　② 十六块 16元
　　Shí liù kuài

3. A : 我要买一条裙子。
　　Wǒ yào mǎi yì tiáo qúnzi.
　　저는 치마 한 벌을 사려고 해요.

　B : 这件怎么样?
　　Zhè jiàn zěnmeyàng?
　　이 옷 어때요?

　A : 好漂亮。多少钱?
　　Hǎo piàoliang. Duōshao qián?
　　너무 예쁘네요. 얼마예요?

　B : 120块。
　　Yì bǎi èr shí kuài.
　　120원입니다.

　A : 给你150块。
　　Gěi nǐ yì bǎi wǔ shí kuài.
　　150원 드릴게요.

쓰기 정답

1. ① 普洱茶怎么卖?
　② 太贵了, 便宜一点儿吧。

2. ① 一百二十五块(元)
　② 十六块(元)

3. 条, 120, 30

172

중국의 인터넷 쇼핑몰에서 普洱茶 pǔ'ěrchá를 소개하는 화면을 보고, 인터넷 중국어 사전을 활용하여 아래의 단계에 따라 주어진 적용 과제를 완성해 봅시다.

① 단계 중국 인터넷 쇼핑몰 화면에서 재미있는 중국어 정보 파악하기

② 단계 왼쪽의 '내가 찾은 정보' 칸에 새롭게 알게 된 재미있는 정보 기록하기

③ 단계 오른쪽의 '활동 후 나의 느낌' 칸에 느낀 점을 우리말로 적어 보기

(중국 인터넷 쇼핑몰)

吉順号普洱茶熟茶叶2011年正宗云南七子饼熟茶包邮357g买一送一
口感佳一 份得357g 2个大饼

购物券	全场实物商品通用		去刮券 ❯
价格	￥65.00		
促销价	**￥29.80** 国庆特惠		
本店活动	满99元,包邮		更多优惠∨
运费	云南昆明 至 杭州∨ EMS: 0.00		

月销量 127　　　累计评价 263　　　送天猫积分 14

🈶 联系卖家

数量　1　　 件　库存9654件

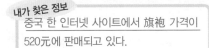

立即购买　　　🛒 加入购物车

내가 찾은 정보
중국 한 인터넷 사이트에서 旗袍 가격이 520元에 판매되고 있다.

활동 후 나의 느낌
중국어로 검색하니 느낌이 색달랐다.

어휘 TIP

普洱茶

중국 윈난 성 지역에서 티벳에 이르는 차마고도 지역의 소수민족들이 먹던 차의 일종. 효모균을 이용한 후발효차에 속한다. 普洱茶라는 명칭은 차마고도 지역의 교역 거점 중 하나인 普洱县이라는 마을에서 주로 거래되었다고 해서 붙은 이름이다. 그 곳에 거주하던 소수민족 유목민들의 고기 위주의 식생활에 있어 비타민 및 무기질 결핍은 필연적인 결과였는데, 차는 티벳 유목민들의 영양 결핍을 보완해 줄 수 있는 훌륭한 대안재였다.

买一送一 mǎi yī sòng yī
하나 사면 하나 더 드립니다.

￥29.80
二十九块 八毛
èr shí jiǔ kuài bā máo

중국 인터넷 쇼핑몰

淘宝 https://world.taobao.com/
天猫 https://www.tmall.com/
京东 http://www.jd.com/
亚马逊 https://www.amazon.cn
一号店 http://www.yhd.com/
唯品会 http://www.vip.com/(예시)

 ...购买 gòumǎi 구매하다
送 sòng 주다, 증정하다　价格 jiàgé 가격

 111

1. 제안을 할 수 있다.

2. 가격을 묻고 답할 수 있다.

나의 학습 점검

차茶

그들의 삶 속으로

생생톡톡

중국인들은 차(茶)를 즐겨 마신다. '茶'는 풀(艹), 사람(人), 나무(木)가 합한 글자로, 인간과 자연의 조화라는 의미가 담겨 있다.

문화 ○× 퀴즈

차마고도는 실크로드와 함께 인류 최고(最古)의 교역로로 꼽힌다. (○)

알아보기

중국의 다도(茶道)에 대해서 알아보자.

중국 사람들이 차를 즐겨 마시는 만큼 다도 또한 구체적으로 발달해 있다. 다도에는 색, 향, 맛, 형, 수, 다기, 시, 온도, 우려내기, 예절 등 10가지 요령이 있어 다도를 한마디로 차를 마시는 예술이라 일컫는다.

차를 마시는 예의를 영국의 엘리자베스 여왕이 상하이에 와서 중국차를 마셨던 일을 예로 들면, 찻집의 주인은 자줏빛 다기에 용정 명차를 따라서 여왕에게 차를 맛보도록 했다. 주인은 연속 세 번 권했는데 이것을 '헌다(献茶)'라고 한다. 헌다는 손님에 대한 존경을 표시하는 것인데 중국 다도의 핵심이기도 하다.

중국 차(茶)의 무역로 차마고도(茶马古道)

'차마고도'는 윈난 성(云南省), 쓰촨 성(四川省)의 차(茶)와 티베트의 말을 교역하던 중국의 높고 험준한 옛길로 네팔, 인도까지 이어지는 육상 무역로이다.

茶马古道 chámǎgǔdào

실크로드와 함께 인류 최고(最古)의 교역로로 꼽힌다. 중국 운남성, 사천성에서 티베트를 넘어 네팔·인도까지 이어지는 육상 무역로이다. 차와 티베트의 말을 교환했다고 하여 차마고도(茶馬古道)라는 이름이 붙었다.

길이가 약 5000km에 이르며 평균 해발고도가 4,000m 이상인 높고 험준한 길이지만 수천km의 아찔한 협곡을 이루어 세계에서 가장 아름다운 길로 꼽힌다.

이 길을 따라 물건을 교역하던 상인 조직을 마방이라고 하는데, 수십 마리의 말과 말잡이인 간마런으로 이루어지며 교역 물품은 차와 말 외에 소금, 약재, 금은, 버섯류 등 다양했다.

실크로드

비단길(Silk Road)이라고 일컫는 실크로드는 고대 중국과 서역 각국 간에 비단을 비롯한 여러 가지 무역을 하면서 정치·경제·문화를 이어 준 교통로의 총칭이다. 총길이 6,400㎞에 달하는 실크로드라는 이름은 독일인 지리학자 리히트호펜(Richthofen, 1833~ 1905)이 처음 사용했다. 중국 중원지방에서 시작하여 타클라마칸 사막의 남북 가장자리를 따라 파미르(Pamir) 고원, 중앙아시아 초원, 이란 고원을 지나 지중해 동안과 북안에 이르는 길이다.

명차(名茶)의 향기

① 녹차

강남 지방의 문인처럼 운치 있는 녹차

0% 발효도

龙井茶 lóngjǐngchá

② 청차

수행자처럼 열정이 넘치는 우롱차

30~60% 발효도

铁观音 tiěguānyīn

③ 홍차

수줍은 규수처럼 온화하고 다소곳한 홍차

80~90% 발효도

祁门工夫 qíméngōngfu

④ 흑차

연륜 있는 어르신처럼 향기와 진한 뒷맛이 오래가는 흑차

100% 발효도

普洱茶 pǔ'ěrchá

방송 매체, 인터넷 쇼핑이 발전하면서 새로운 쇼핑 문화가 많이 생겨나고 있다.

다양한
중국의
쇼핑 문화
생생톡톡

전통 시장(市场 shìchǎng)
식자재를 구입할 수 있어서 菜市场
càishìcháng이라고도 한다.

대형 마트(超市 chāoshì)
예전에는 타국 브랜드의 대형 마트가 많았다면
현재는 중국 자국 브랜드의 대형 마트가
늘어나고 있다.

홈 쇼핑(电视购物 diànshì gòuwù)
집에서 텔레비전을 보면서 전화로 간단하게
물건을 구매할 수 있다.

인터넷 쇼핑(网上购物 wǎngshàng gòuwù)
젊은 층이 많이 사용하는 인터넷 쇼핑은 클릭 하나로 쉽고 저렴하게 물건을 구매할 수 있다.
11월 11일은 '중국판 블랙 프라이데이' (光棍节 Guānggùnjié)이다. 숫자 '1'이 사람이 외롭게 서 있는
모습과 비슷하다고 하여 이 날에는 솔로를 챙겨 주는 다양한 활동들이 진행된다. 2009년 중국 최대
전자상거래 기업의 대대적인 할인 행사를 시작으로 중국 최대 인터넷 쇼핑일로 자리매김하였다.

光棍节 guānggùnjié

중국 젊은이들 사이에 유행하고
있으며, 독신임을 자랑스러워하고
경축하는 날이다. 11월 11일이 光
棍节가 된 유래는 1이 4번 겹쳐 있
는데 그 형상이 빛이 나는 몽둥이
(光棍)를 닮았고, 중국어로 光棍
은 독신이라는 의미이기 때문에
光棍节가 되었다. 요즘은 이 날
결혼하는 사람들이 많아지면서, 판
매상들이 할인판촉을 대대적으로
벌이는 시기가 되었다.

1 녹음을 듣고 그림이 일치하면 답안에 O 표시를, 틀리면 X 표시를 하시오.

2 녹음을 듣고 남자가 사려는 물건을 고르시오.

1

2

3

3 녹음을 듣고 대화가 이루어지는 장소를 고르시오.

1

2

3

쓰기 평가

1 단어의 뜻을 쓰시오.

1 mǎi → [　　　　　]   **2** mài → [　　　　　]

3 怎么 → [　　　　　]   **4** 怎么样 → [　　　　　]

2 단어의 한어병음을 쓰시오.

1 예쁘다 → [　　　　　]   **2** 할인하다 → [　　　　　]

3 流行 → [　　　　　]   **4** 便宜 → [　　　　　]

3 문장의 뜻과 일치하도록 빈 칸을 완성하시오.

1 얼마에요? → [　　　　　] qián?

2 조금 싸게 깎아 주세요. → 便宜 [　　　　　] 吧。

4 다음 문장을 한자로 바르게 쓰시오.

1 Tài guì le. → [　　　　　　　　　　]

2 Liù shí kuài, xíng bu xíng? → [　　　　　　　　　　]

기초 평가

1 단어와 뜻이 바르게 연결하시오.

慢 •	• zhǎo	• 돈
找 •	• màn	• 찾다
给 •	• hǎo	• 주다
钱 •	• qián	• 느리다
钱 •	• gěi	• 꽤, 몹시

2 괄호 안의 두 단어 가운데 알맞은 것을 고르시오.

(1) Zhè jiàn hóngsè de (zěnme , zěnmeyàng)?

(2) Wǒ yào mǎi yī (jiàn, tiáo) kùzi.

3 그림에 해당하는 단어를 한자로 쓰시오.

(1)

(2)

4 다음 금액을 한어병음으로 쓰시오.

(1) ￥200 → ( )

(2) ￥105.3 → ( )

5 한어병음을 바르게 배열하시오.

(1) á u h s è n g → ( )

(2) i ē s è h → ( )

178

6 그림의 사물에 알맞은 수량과 단위를 쓰시오.

(1)

(   ) (   ) dàyī

(2)

(   ) (   ) qúnzi

7 빈칸을 채워 문장을 완성하시오.

(1) 这条裤子(   )钱?

(2) 太(   )了。 便宜(   )吧。

8 아래 단어를 바르게 배열하여 문장을 완성하시오.

(1) 최근에 매우 유행하는 거야.

流行, 最近, 很 ➜

(2) 100원 드릴게요.

你, 给, 一, 块, 百 ➜

9 문장을 바르게 해석하시오.

(1) 找您四十块。 ➜

(2) 现在打八折。 ➜

10 주어진 단어가 들어갈 위치를 표시하시오.

(1) 要 ➜

나는 치파오 한 벌을 사려고 해.

我 ⓐ 买 ⓑ 一 ⓒ 件 ⓓ 旗袍。

(2) 有点儿 ➜

저는 약간 피곤해요.

ⓐ 我 ⓑ 累 ⓒ。

단원 종합 평가

1 한자와 뜻의 연결이 바른 것은?

① 钱 – 돈의 단위   ② 贵 – 비싸다   ③ 件 – 장

④ 红色 – 노란색   ⑤ 最近 – 유행하다

2 한자를 <u>잘못</u> 쓴 것은?

① 累   ② 篮色   ③ 火车票   ④ 怎么样   ⑤ 有点儿

3 실제 발음 할 때 —(yī)의 성조가 <u>다른</u> 하나는?

① yī zhāng   ② yī máo   ③ yī diǎn   ④ yī kuài   ⑤ yī tiáo

4 다음 문장을 중국어로 바르게 쓴 것은?

> 나는 옷 두 벌을 사고 싶습니다.

① Wǒ yào èr jiàn yīfu mǎi.   ② Wǒ yào liǎng jiàn yīfu mǎi.

③ Wǒ yào mǎi èr shuāng yīfu.   ④ Wǒ mǎi yào liǎng jiàn yīfu.

⑤ Wǒ yào mǎi liǎng jiàn yīfu.

5 아래 그림 중 양사 '双'를 사용하는 것끼리 바르게 짝지은 것은?

ⓐ

ⓑ

ⓒ

ⓓ

ⓔ

① ⓐ, ⓒ   ② ⓑ, ⓒ   ③ ⓒ, ⓔ

④ ⓐ, ⓓ, ⓔ   ⑤ ⓒ, ⓓ, ⓔ

6 자연스러운 대화가 되도록 문장을 바르게 배열한 것은?

> ⓐ Liǎng bǎi kuài.　　ⓑ Hǎo piàoliang.
> ⓒ Zhè jiàn huángsè de zěnmeyàng?　　ⓓ Duōshao qián?
> ⓔ Wǒ yào mǎi yí jiàn qípáo.

① ⓐ-ⓑ-ⓒ-ⓓ-ⓔ　　　② ⓑ-ⓓ-ⓒ-ⓔ-ⓐ　　　③ ⓒ-ⓑ-ⓓ-ⓔ-ⓐ

④ ⓔ-ⓑ-ⓒ-ⓓ-ⓐ　　　⑤ ⓔ-ⓒ-ⓐ-ⓓ-ⓐ

7 사진에 맞게 총 금액을 중국어로 바르게 표현 한 것은?

① 二百二块

② 二百二十块

③ 两百零二块

④ 两百二块

⑤ 两百二零块

[8-10] 대화문을 읽고 물음에 답하시오.

> 보기
>
> 왕　강 : 这个多少钱?
> 판매원 : 一百块一个。
> 왕　강 : (a)贵了。便宜一(b)儿吧。
> 판매원 : 现在打八折。
> 왕　강 : 好。给你(c)块。

8 빈칸 (a), (b)에 들어갈 한자로 바른 것은?

① (a) 大, (b) 点　　　② (a) 太, (b) 点　　　③ (a) 犬, (b) 店

④ (a) 太, (b) 店　　　⑤ (a) 大, (b) 电

9 빈칸 (c)에 들어갈 금액은?

① 20元　　　② 50元　　　③ 80元　　　④ 92元　　　⑤ 100元

10 대화의 내용으로 바른 것은?

① 왕강이 물건을 팔고 있다.　　　　② 물건의 원래 가격은 100元이다.

③ 지금은 80% 빅세일을 하고 있다.　　　④ 판매원이 거스름돈으로 20원을 주었다.

⑤ 왕강은 노트북을 사고 있다.

단원 소개 민호가 홀로 시내 구경을 나섰어요. 지하철을 타고 톈안먼에 가려고 합니다. 반면 나라는 감기에 걸려 병원에 가려고 합니다. 이번 단원에서는 교통과 건강에 관한 표현을 배웁니다.

베이징 역은 전통적인 건축양식에 50년대 양식을 가미하여 건축되었으며 1950년대에 개업하였다. 베이징 서역이 1996년에 개업함에 따라 베이징 역의 승하차 여객수는 어느 정도 감소하였으나, 여전히 이용객수 기준 최대의 역이다.

第一医院 Dì-yī Yīyuàn 제일 병원

120救援中心 120 jiùyuán zhōngxīn 120 응급구조센터

학습 목표
· 길을 묻고 답할 수 있다.
· 건강 상태를 표현할 수 있다.

학습 표현
· 길 묻고 답하기
· 건강 상태 표현하기
· 교통수단 이용하기

문화
· 중국의 교통수단

10 天安门怎么走
Tiān'ān Mén zěnme zǒu
톈안먼은 어떻게 가나요

地铁天安门西站

地铁天安门西站 dìtiě Tiān'ān Mén xīzhàn 지하철 톈안먼 서역

出 chū 나가는 곳

미리보기

1 교통과 관련된 기본 어휘를 듣고 의미를 생각해 봅시다. 🎧112

飞机
fēijī

火车站
huǒchēzhàn

地铁站
dìtiězhàn

出租车
chūzūchē

自行车
zìxíngchē

车站
chēzhàn

기본어휘

- 飞机 fēijī 비행기
- 火车站 huǒchēzhàn 기차역
- 地铁站 dìtiězhàn 전철역
- 车站 chēzhàn 정류장
- 出租车 chūzūchē 택시
- 自行车 zìxíngchē 자전거
- 坐 zuò 타다

보충어휘

- 교통 관련 어휘
  摩托车 mótuōchē 오토바이
  双层公共汽车 shuāngcéng
  gōnggòngqìchē 2층버스
  无轨电车 wúguǐ diànchē 무궤
  도 열차
  火车 huǒchē 기차
  船 chuán 배
  红绿灯 hónglǜdēng 신호등
  斑马线 bānmǎxiàn 횡단보도
  十字路口 shízì lùkǒu 사거리
  停车场 tíngchēchǎng 주차장

듣기 대본 및 정답

1. 飞机-비행기
   火车站-기차역
   地铁站-지하철역
   车站-정류장
   出租车-택시
   自行车-자전거

2. Wǒ zuò chūzūchē.

2 기본 어휘를 사용하여 짧은 문장을 만들어 봅시다.

나는 택시를 탑니다. → Wǒ zuò [   ].

짧은 문장 만들기

나는 비행기를 탑니다.
Wǒ zuò (   ).

정답과 해설 ▶ 272쪽

* 坐 zuò 타다

184

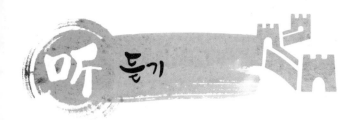

听 듣기

1 잘 듣고, 알맞은 발음을 고른 후 의미를 생각해 봅시다. 🎧113

1 ☐ zuò chē
☐ zhuò chē

2 ☐ bù yuán
☐ bù yuǎn

3 ☐ Dìtiězhàn zěnme zǒu?
☐ Tiān'ān Mén zěnme zǒu?

2 잘 듣고, 푸얼차 그림에서 알맞은 발음을 찾아 써 봅시다. 🎧114

1 _____ 2 _____

발음 **TIP**

- zuò chē 坐车 차를 타다
  성모 z는 혀끝을 윗니 뒤쪽에 붙
  였다 떼는 발음이고, 성모 zh는
  혀 끝을 딱딱한 입천장 앞부분에
  붙였다 떼면서 내는 소리이다.
- bù yuǎn 不远 멀지 않다

不(bù)의 성조 변화
① bù + 제1, 2, 3성 → bú + 제 1, 2, 3성
② bù + 제4성 → bù + 제4성

- Tiān'ān Mén zěnme zǒu?
  天安门怎么走?
  천안문 어떻게 가요?
- 장소 + 怎么走 : ~는 어떻게 갑
  니까?
  길을 물을 때는 '怎么走'를 사용
  하며 일반적으로 비교적 가까운
  거리를 물을 때 사용한다.

듣기 대본 및 정답

1. ① zuò chē ② bù yuǎn
③ Tiān'ān Mén zěnme
zǒu?

활동 **TIP**

① chēzhàn 车站 버스 정류장
  guǎi 拐 돌다
  huǒchē 火车 기차
  zǒu 走 가다
  zěnme 怎么 어떻게
② dìtiě 地铁 지하철
  fēijī 飞机 비행기
  yuǎn 远 멀다

활동 대본 및 정답

2. ① chēzhàn
    guǎi
    huǒchē
    zǒu
    zěnme
    북두칠성
② dìtiě fēijī yuǎn
    카시오페이아

读 읽기 ❶

🌱 "어! 어디지?" 톈안먼 구경을 온 민호가 지하철역에서 출구를 못 찾아 헤매고 있습니다.

🎧 116

1 김민호

请问，天安门怎么走？

Qǐngwèn, Tiān'ān Mén zěnme zǒu?

실례합니다. 톈안먼은 어떻게 가나요?

2 행인

从A口出去就是了。

Cóng A kǒu chūqù jiù shì le.

A출구로 가시면 바로 됩니다.

3 김민호

↗ '~에 있다' 동사로 쓰임

A口在哪儿？

A kǒu zài nǎr?

A출구는 어디에 있나요？

4 행인

从这里一直走，然后往右拐。

Cóng zhèli yìzhí zǒu, ránhòu wǎng yòu guǎi.

여기에서 쭉 가서, 그 다음 오른쪽으로 돌아가세요.

5 김민호

好的，谢谢。

Hǎo de, xièxie.

알겠습니다, 고맙습니다.

🔵 톈안먼은 어떻게 가나요？

📝 **⋯** 请问 qǐngwèn 말씀 좀 묻겠습니다　天安门 Tiān'ān Mén 톈안먼　从 cóng ~로부터　出 chū 나가다
就 jiù 바로, 곧　这里 zhèli 이곳, 여기　一直 yìzhí 곧장, 곧바로　然后 ránhòu 그리고 나서　往 wǎng ~쪽으로
右 yòu 오른쪽　拐 guǎi (방향을) 바꾸다

🎧 115

읽기 🗨TIP

• 请问 qǐngwèn '말씀 좀 묻겠습니다.'의 의미로 모르는 사람에게 말을 걸 때 사용하는 관용적인 표현이다.

• 从은 동작의 공간적, 시간적 시작점을 모두 표현할 수 있다.
从这儿到学校不远。
Cóng zhèr dào xuéxiào bù yuǎn. 여기에서 학교까지는 멀지 않다.
我们从周一到周五工作。
Wǒmen cóng zhōu yí dào zhōu wǔ gōngzuò.
우리는 월요일부터 금요일까지 일을 한다.

• 往과 向의 차이점
往+방위 / 向+방위,대상
往前走(○) 앞쪽으로 가세요.
wǎng qián zǒu,
向前走(○) 앞쪽으로 가세요.
xiàng qián zǒu
我应该往你学习(×),
我应该向你学习。(○)
Wǒ yīnggāi xiàng nǐ xuéxí.
나는 반드시 너를 보고 배워야 한다.

• 谢谢 Xièxie 감사합니다.
대답은 不客气。Bú kèqi. 별말씀요. 비슷한 의미로는
别客气。Bié kèqi.
不要客气。Bú yào kèqi.
不谢。Bú xiè.
不用谢。Bú yòng xiè.

🔵 정답 ——
A출구로 나가면 바로 된다.

186

이해하기 ❶

문제 풀이 **TIP**

❶ 从A口出去就是了。　A출구로 가시면 바로 됩니다.

从은 동작의 공간적·시간적 시작점을 나타내며, 주로 도착점을 나타내는 到와 함께 쓰인다.

我们　 + 从　 + 动物园　 + 出发。　　우리는 동물원에서
Wǒmen　　 cóng　　 dòngwùyuán　 chūfā.　　출발합니다.

从　 + 9点　 + 到　 + 6点　 + 工作。　　9시부터 6시까지
Cóng　 jiǔ diǎn　 dào　 liù diǎn　 gōngzuò.　　일합니다.

❷ 然后往右拐。　그 다음 오른쪽으로 돌아가세요.

往은 '~쪽으로' 라는 뜻으로, 동작의 방향을 나타낸다.

往前走
wǎng qián zǒu

往左拐　　　　　　　　　　　　　　　　往右拐
wǎng zuǒ guǎi　　　　　　　　　　　wǎng yòu guǎi

十字路口
shízì lùkǒu

1. 从星期一到星期五有课。
   Cóng xīngqīyī dào xīng-
   xīwǔ yǒu kè. 월요일부터 금
   요일까지 수업이 있다.

从~到~ : ~부터 ~까지
星期一 xīngqīyī (월)
星期二 xīngqī'èr (화)
星期三 xīngqīsān (수)
星期四 xīngqīsì (목)
星期五 xīngqīwǔ (금)
星期六 xīngqīliù (토)
星期天 xīngqītiān (일)

우리말로 해석하기
从星期一到星期五有课。

월요일부터 금요일까지 수업이 있다.

2. wǎng zuǒ guǎi
   往左拐 왼쪽으로 돌다.
   • 제3성이 연이어 나올 때는 제2
   성+제2성+제3성으로 읽는다.

알맞은 단어 고르기
[qù, dào, wǎng]

Wǎng zuǒ guǎi.

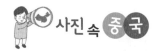 사진 속 🇨🇳 종 국 ●●●●●●●●●●●●●●●●●●●●●●●●● 생생톡톡

무인 자전거 대여 시설

자전거는 여전히 서민들의 중요한 교통수단이다. 또한 최근에는 환경과 건강을 고려하여 자전거 타기를 독려하는 추세이기도 하다. 자전거 이용자가 많다보니 대부분의 도시에서는 차도 하나 넓이의 자전거 전용 도로를 만들어 놓았으며, 자전거 주차장, 무인 자전거 대여 시설 등 각종 편의시설이 점차 늘어가고 있다.

베이징의 택시

콜택시 번호
96106
96103
96109

●●● 动物园 dòngwùyuán 동물원　出发 chūfā 출발하다　工作 gōngzuò 일하다　到 dào ~까지　左 zuǒ 왼쪽
前 qián 앞　十字路口 shízì lùkǒu 사거리

117

읽기 **TIP**

빙빙이 감기에 걸려 힘들어 하는 나라를 데리고 병원에 가려고 합니다. 어떻게 갔을까요?

119

1 박나라

医院离这儿远吗?
Yīyuàn lí zhèr yuǎn ma?
병원은 여기에서 멀어?

'감기 (걸리다)'는 感冒 gǎnmào,
'머리 아프다'는 头疼 tóuténg이
라고 해요.

2 리빙빙

不远。你哪儿不舒服?
Bù yuǎn. Nǐ nǎr bù shūfu?
멀지 않아, 어디가 아프니?

3 박나라

'조금, 약간' 부사로, 형용사나 동사 앞에 쓰여서 원치 않는 일이 발생하거나 상황이 마음에 들지 않을 때 주로 사용함.

有点儿发烧。
Yǒudiǎnr fāshāo.
열이 조금 나서 그래.

4 리빙빙

5 박나라

去医院坐出租车的话, 十分钟就到。
Qù yīyuàn zuò chūzūchē dehuà, shí fēnzhōng jiù dào.
병원에 택시 타고 가면, 10분이면 도착해.

6 리빙빙

你能陪我去吗?
Nǐ néng péi wǒ qù ma?
나 좀 데리고 가 줄 수 있니?

当然可以。咱们谁跟谁呀!
Dāngrán kěyǐ. Zánmen shéi gēn shéi ya!
당연하지. 우리 사이에!

• 건강 관련 표현
咳嗽 késou 기침하다
打喷嚏 dǎ pēntì 재채기하다
流鼻涕 liú bítì 콧물 흘리다
鼻塞 bísè 코막히다

• 관용어
别提了! Bié tí le!
말도 꺼내지도 마!
那还用说! Nà hái yòng shuō!
말할 필요가 있을까요!
可不是 kěbúshì 그러게요
谁说不是 shéi shuō bú shì
누가 아니래요
那怎么行啊 Nà zěnme xíng a
어떻게 그래요
说的也是 shuō de yě shì
그건 또 그러네
怪不得 guài bu dé 어쩐지
好主意 hǎo zhǔyi
좋은 생각이네

• 坐와 骑 차이점
坐 zuò (교통수단을) 타다
+ 车 chē 차를 타다
公共汽车 gōnggòng qìchē
버스를 타다
火车 huǒchē 기차를 타다
出租车 chūzūchē 택시를 타다
飞机 fēijī 비행기
船 chuán 배

骑 qí (자전거 등을) 타다
+ 自行车 zìxíngchē 자전거를 타다
马 mǎ 말을 타다
摩托车 mótuōchē
오토바이를 타다

정답
나라는 어디가 아픈가요?
열이 좀 난다.

... 离 lí ~로부터 这儿 zhèr 여기 远 yuǎn 멀다 舒服 shūfu 편안하다 发烧 fāshāo 열이 나다
坐 zuò 앉다, 타다 出租车 chūzūchē 택시 的话 dehuà ~한다면 分钟 fēnzhōng 분
能 néng ~할 수 있다 陪 péi 동반하다, 수행하다 当然 dāngrán 당연하다 咱们 zánmen (상대를 포함한)우리
呀 ya (어기조사) 感冒 gǎnmào 감기 (걸리다) 头疼 tóuténg 머리가 아프다

118

① 医院离这儿远吗? 병원은 여기서 멀어?

'离+장소, 때'의 형식은 기준점으로부터의 거리 또는 남은 시간 등을 표현할 때 사용한다.

| 公园 Gōngyuán | + | 离 lí | + | 宿舍 sùshè | + | 很近。 hěn jìn. | 공원은 기숙사에서 아주 가까워요. |
| 离 Lí | + | 寒假 hánjià | + | 还有 hái yǒu | + | 两个月。 liǎng ge yuè. | 겨울 방학은 아직 두 달이나 남았습니다. |

② 坐出租车的话, 十分钟就到。 병원에 택시타고 가면, 10분이면 도착해.

'～的话'는 '만약 ～한다면'이라는 가정의 뜻을 나타내며, '要是/如果 ～ (的话)'의 형식으로 사용되기도 한다.

| 要是 Yàoshi | + | 打的 dǎdī | + | 的话 dehuà | + | 要半个小时。 yào bàn ge xiǎoshí. | 만약 택시를 탄다면 30분 걸립니다. |

문제 풀이 **TIP**

1. 우리집은 여기서 별로 안 멀어요
Wǒ jiā lí zhèr bú tài yuǎn.
我家离这儿不太远。
만약 열이 난다면 병원에 가봐.
要是发烧, 去医院吧。
Yàoshi fāshāo, qù yīyuàn ba.
= 发烧的话, 去医院吧。
Fāshāo dehua, qù yīyuàn ba.
要是 yàoshi(如果 rǔguǒ)
만약 ～ 한다면
= ～的话 dehuà
发烧 fāshāo 열이 나다

빈칸 채우기
우리 집은 여기서 별로 안 멀어요.
Wō jiā [lí] zhèr
bú tài yuǎn.

같은 의미의 문장 만들기
要是发烧, 就去医院吧。
=发烧 [的话], 就去医院吧。

 사진속 중국

약국 외부 전경

중국어로 약국은 药房, 药店이라고 한다. 중국은 처방전없이도 약을 구입할 수 있다.

병원 외부 전경

중국의 병원 진료 절차
1. 병원방문 후 진료접수(挂号 guàhào)를 한다.
2. 해당하는 진료실로 이동 후 진료대기(侯诊 hòuzhěn)을 한다.
3. 진찰을 받은 후 약처방 받아 (开药 kàiyào) 약국으로 간다.

... 公园 gōngyuán 공원　宿舍 sùshè 기숙사　近 jìn 가깝다　寒假 hánjià 겨울 방학　要是 yàoshi 만약
打的 dǎdī 택시를 타다　要 yào 소요되다, 걸리다　小时 xiǎoshí 시간

말하기

1 색칠한 부분을 바꾸어 말해 봅시다.

말씀 좀 묻겠습니다, 톈안먼은 어떻게 가나요?

A: 请问，天安门怎么走? Qǐngwèn, Tiān'ān Mén zěnme zǒu?
B: 一直往前走就是了。 Yìzhí wǎng qián zǒu jiù shì le. 곧장 앞으로 가면 됩니다.

1

银行
yínháng

2

邮局
yóujú

3

车站
chēzhàn

2 다음 어휘의 확장 연습을 해 봅시다.

医院离这儿远吗?
Yīyuàn lí zhèr yuǎn ma?

병원은 여기에서 먼가요?

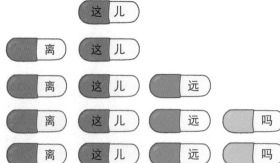

✎··· 银行 yínháng 은행　邮局 yóujú 우체국　车站 chēzhàn 정류장

말하기 TIP

1. 银行 yínháng 은행
　邮局 yóujú 우체국
　车站 chēzhàn 버스 정류장

2. 这儿 zhèr 여기
　离 lí ~로부터
　远 yuǎn 멀다
　吗 ma (의문조사)
　医院 yīyuàn 병원

듣기 문제 1

남자가 가고자 하는 곳은?
① 우체국　② 병원
③ 도서관

정답과 해설 ▶ 272쪽

3 색칠한 부분을 바꾸어 말해 봅시다. 124

택시를 타고 병원에 간다면 10분이면 도착합니다.

> 去医院坐出租车的话，十分钟就到。
> Qù yīyuàn zuò chūzūchē dehuà, shí fēnzhōng jiù dào.

1 坐火车
zuò huǒchē

半个小时
bàn ge xiǎoshí

2 坐飞机
zuò fēijī

一个小时
yí ge xiǎoshí

3 骑自行车
qí zìxíngchē

二十分钟
èrshí fēnzhōng

말하기 TIP

3. 坐火车 zuò huǒchē
기차를 타다
半个小时 bàn ge xiǎoshí
30분
坐飞机 zuò fēijī
비행기를 타다
一个小时 yí ge xiǎoshí
1시간
骑自行车 qí zìxíngchē
자전거를 타다
二十分钟 èrshí fēn zhōng
20분

활동

4 다음 낱말을 활용하여 피라미드를 완성하고 말해 봅시다.

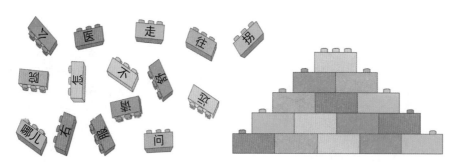

활동 TIP

远 yuǎn 멀다
请问 qǐngwèn
말씀 좀 여쭙겠습니다.
往右拐 wǎng yòu guǎi
오른쪽으로 돌다
哪儿不舒服 nǎr bù shūfu
어디가 아프니?
医院怎么走 yīyuàn zěnme zǒu
병원 어떻게 가?

활동 정답

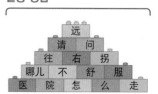

듣기 문제 2

은행까지 걸리는 시간은?

① 20분　　② 30분

③ 1시간

骑 qí 타다　自行车 zìxíngchē 자전거　飞机 fēijī 비행기　121

정답과 해설 ▶ 272쪽

写 쓰기

간체자 쓰기 320쪽

1 두 단어에 공통으로 들어갈 중국어를 써 봅시다.

①
自
行

出 租 ▢

②
衣
▢ 务 员

2 그림을 보고, 민호가 가려고 하는 장소가 어디인지 중국어로 써 봅시다.

A : Qǐngwèn, ＿＿＿＿＿＿ zěnme zǒu?

B : Yìzhí zǒu, dào shízì lùkǒu wǎng zuǒ guǎi, jiù shì le.

3 빈칸에 들어갈 알맞은 단어 카드를 골라 대화를 완성해 봅시다.

哪儿

有点儿

离

A: 医院 ▢ 这儿远吗?

B: 不远。你 ▢ 不舒服?

A: ▢ 发烧。

B: 我陪你去医院。

쓰기 **TIP**

1. ① 自行车 zìxíngchē
      出租车 chūzūchè
   ② 衣服 yīfu
      服务员 fúwùyuán

2. A : 请问, 医院怎么走?
      Qǐngwèn, yīyuàn
      zěnme zǒu?
      말씀 좀 묻겠습니다, 병원
      은 어떻게 가야하나요?
   B : 一直走, 到十字路口往
      左拐就是了。
      Yìzhí zǒu, dào shízìlùkǒu
      wǎng zuǒ guǎi jiùshì le.
      앞 쪽으로 가시다가, 사거
      리에서 왼쪽으로 돌면 바로
      있습니다.

3. A : 医院离这儿远吗?
      Yīyuàn lí zhèr yuǎn ma?
      병원은 여기에서 멀어?
   B : 不远。哪儿不舒服?
      Bù yuǎn. Nǎr bù shū-
      fu?
      멀지 않아. 어디가 아프니?
   A : 有点儿发烧。
      Yǒudiǎnr fāshāo.
      열이 조금 나서 그래.
   B : 我陪你去医院。
      Wǒ péi nǐ qù yīyuàn.
      내가 너 데리고 병원 갈게.

쓰기 정답

1. ①
自
行
出 租 车

   ②
衣
服 务 员

2. 医院

3. 离, 哪儿, 有点儿

192

실생활 적용하기

숙소가 있는 '前门 QIANMEN' 지하철역에서부터 베이징 여행을 하려고 합니다. '베이징 지하철 노선도'와 '오늘의 여행지' 목록을 보고, 가장 빠른 이동 경로를 알아봅시다.

① 단계 베이징 지하철 노선도에서 숙소와 오늘의 여행지가 가까운 역 찾기

② 단계 베이징 지하철 노선도 위에 가장 빠른 여행 경로를 표시하기

③ 단계 승차역과 하차역 그리고 환승역의 이름을 '지하철 승차 및 환승 계획'에 완성하기

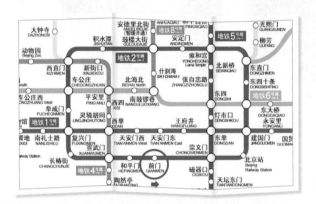

오늘의 여행지

王府井
Wángfǔjǐng

动物园
dòngwùyuán

天坛公园
Tiāntán Gōngyuán

어휘 TIP

지하철에서 볼 수 있는 어휘
地铁路线图 dìtiě lùxiàntú 지하철 노선도
安全线 ānquánxiàn 안전선
月台空隙 yuètái kòngxì 승강장과 열차 간격
入口 rùkǒu 입구
出口 chūkǒu 출구
站名 zhànmíng 정차역명
站台 zhàntái 승강장

베이징 지하철

北京地铁 Běijīng dìtiě는 1953년에 계획하여 1965년에 시공되었다. 1969년 첫 노선이 준공되고 1971년에 운행되기 시작하였는데, 이것이 중국의 첫 지하철 시스템이었다. 2016년 12월31일 현재 베이징 지하철은 19호선(18호선과 공항철도 포함)이 운행되고 있다. 345개의 정차역(환승역은 중복 계산, 중복계산하지 않으면 288개)을 가지고 베이징 시내 전역을 운행하며 베이징 시민의 발이 되어 주고 있다.

지하철 승차 및 환승 계획

순서	목적지	이동 방법 (숫자: 호선)	정거장 수
1	예 天坛公园	2前门-崇文门-5天坛东门	3개
2	王府井	5天坛公园-东单-1王府井	4개
3	动物园	1王府井-复兴门-2西直门-4动物园	8개

... 前门 Qiánmén 쳰먼
王府井 Wángfǔjǐng 왕푸징
号线 hàoxiàn 호선
天坛公园 Tiāntán Gōngyuán 톈탄 공원

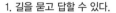... 公交车 gōngjiāochē 시내버스

나의 학습 점검

1. 길을 묻고 답할 수 있다.

2. 건강 상태를 표현할 수 있다.

125

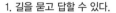

기차

문화 ○× 퀴즈

일반 침대칸(硬卧 yìngwò)의 上铺 shàngpù가 제일 비싸다. (×)

알아보기

베이징에서 상하이까지 갈 수 있는 교통수단과 시간을 알아보자.

베이징과 상하이를 이동하는 가장 대표적인 방법은 비행기와 기차가 있다. 먼저 비행기는 거의 매시간 간격으로 있다. 가격은 날자별, 시간별, 항공사별, 비행기편 별로 다르지만 가장 싸게 500위안 전후부터 몇천 위안까지 다양하다. 비행시간은 2시간 ~ 2시간 반이다.

기차도 일반열차부터 특급열차까지 다양하게 편성되어 있고, 가장 싼 일반열차는 이동시간만 약 22시간 걸리고, 특급열차는 약 5시간 정도 걸린다. 기차나 비행기 표 모두 온라인이나 휴대전화로도 예약할 수 있다.

중국의 기차

중국의 기차는 기차의 종류나 좌석의 종류에 따라 요금이 다르다. 일반 좌석(硬座 yìngzuò), 우등 좌석(软座 ruǎnzuò), 일반 침대 (硬卧 yìngwò), 우등 침대 (软卧 ruǎnwò)로 나뉜다. 기차의 종류에는 초고속 열차 G(高铁 gāotiě), 고속 열차 D(动车组 dòngchēzǔ), C(城际 chéngjì), 직행 열차 Z(直达列车 zhídá lièchē), 특급 열차 T(特快列车 tèkuài lièchē), 쾌속 열차 K(快速列车 kuàisù lièchē) 등이 있다. 기차의 속도를 비교하면 베이징에서 상하이까지 고속 열차(D)를 타면 약 6시간 정도 소요되며, 특급 열차(T)를 타면 약 15시간~20시간 소요된다.

일반 열차의 일반 침대(硬卧 yìngwò)
6인 1실로 얇은 매트리스의 3층 침대 두 개가 마주 보는 형태이다. 대부분 문이 없으며 맨 아래 침대(下铺 xiàpù)가 가장 비싸다.

일반 열차의 우등 침대(软卧 ruǎnwò)
4인 1실로 푹신한 2층 침대 두 개가 마주 보는 형태이다. 문이 있어 가족이나 친구들과 함께 이동할 때 공간이 독립적이어서 좋다.

高铁 gāotiě 고속 열차

중국 高铁는 시속 250㎞ 이상의 고속 열차를 말하는 것으로, 초기에는 운행속도가 시속 200㎞이하로 떨어지는 여객 철도였다. 중국 高铁는 高速铁路 gāosù tiělù 고속 철도, 快速铁路 kuàisù tiělù 쾌속 철도와 普通铁路 pǔtōng tiělù 보통 철도로 나뉜다.

중국 최초의 고속 철도인 베이징-천진, 우한-광저우 간의 고속 철도 작업은 2008년과 2009년에 개통 운영되었다. 2016년 고속철도 운행 거리는 22,000 km로 전세계 운행거리의 65%를 차지하고 있다.

중국의 기차표

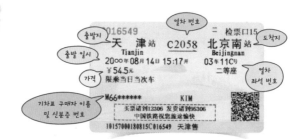

	기차종류	표시	참고
고속기차	高速动车 gāosùdòngchē	G - 次	새로 도입한 열차. (예: 상해-향주 약 45분 소요)
	次城际动车 chéngjì dòngchē	C - 次	도시간 고속열차. (예: 북경-천진 약 30분 소요)고
	动车 dòngchē	D - 次	고속철의 일종으로 비즈니스 1등석, 2등석으로 나뉨
일반기차	直达特快 zhídá tèkuài	Z - 次	대도시 사이만 운행. 비교적 빠름. 전좌석이 4가지로 분류(좌석종류 참고)
	特快 tèkuài	T - 次	주요도시 위주로 정차하며 전국에 노선이 있음.
	快速 kuàisù	K - 次	일반적으로 많이 이용하는 열차. 신·구형있음 (에어컨 유무의 차이)
	普快 pǔkuài	L - 次	중국인이 가장 많이 이용하는 열차. 속도가 느리고 정차역도 많음.

故宮 gùgōng의 정문은 어디일까요?

베이징의 상징 중의 하나가 바로 명·청 시대의 궁궐이며, '자금성'이라고 불리는 故宮gùgōng이다. 흔히 故宮의 정문을 天安門이라고 말하는데 사실일까? 지금부터 그 해답을 베이징의 '4중 성곽 구조'를 통하여 찾아보도록 하자.

■ 제1 성곽 궁성
■ 제2 성곽 황성
■ 제3 성곽 내성
□ 제4 성곽 외성

자금성

톈안먼광장

제1 성곽 궁성

午门 Wǔ Mén
황제가 거주하는 궁궐인 '궁성' 즉 자금성의 정문이다. 가운데 문은 황제만 사용하는 문이다. 궁성이 바로 故宮이다.

제2 성곽 황성

天安门 Tiān'ān Mén
'황성'의 정문이며, 베이징을 상징하는 대표적 건축물이다. 1949년 중화인민공화국의 건국이 선포된 곳이다.

제3 성곽 내성

正阳门 Zhèngyáng Mén
'내성'의 정문이며, 天安门 광장 바로 남쪽에 있다. 성루와 前门 Qián Mén이라는 전루(箭楼)로 구성되어 있다.

제4 성곽 외성

永定门 Yǒngdìng Mén
'외성'의 정문이며, 명나라 영락제가 건설하다가 예산 등의 문제로 남쪽 성곽만 짓고 중단하였다.

자! 그럼 정답은 무엇일까요? 바로 │ 午门 │ 입니다.

개볍게 쉬어 가기

자금성 (紫禁城)의 정문

[생생톡톡]

故宮 gùgōng

명조와 청조의 황제 궁전인 자금성의 건축은 1407년에 시작되었으며, 20만 명이라는 엄청난 사람들이 고생한 끝에 14년이 걸려 완공되었다. 자금성이라는 이름은 황제의 허가 없이는 그 누구도 안으로 들어오거나 나갈 수 없다는 사실을 의미한다. 자금성은 두 지역으로 구분된다. 남쪽 구역은 황제가 매일의 정무를 보는 곳이었고, 황제와 그 가족이 거주하는 곳은 북쪽 구역이다. 1912년, 신해혁명에 뒤이어 중국의 마지막 황제인 푸이가 퇴위했고, 자금성은 결국 박물관이 되었으며 많은 보배와 진기한 물품들을 전시하게 되었다.

1 녹음을 듣고 그림이 일치하면 답안에 O 표시를, 틀리면 X 표시를 하시오.

2 녹음을 듣고 여자가 찾아가려는 곳을 고르시오.

1

2

3

3 녹음을 듣고 남자가 도착하는 곳을 고르시오.

1
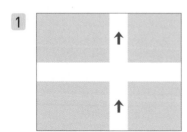

2
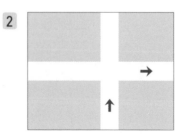

3
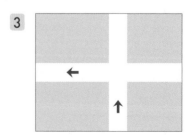

쓰기 평가

1 단어의 뜻을 쓰시오.

1 yuǎn → [_____]

2 zánmen → [_____]

3 头疼 → [_____]

4 感冒 → [_____]

2 단어의 한어병음을 쓰시오.

1 (방향을) 바꾸다 → [_____]

2 동물원 → [_____]

3 一直 → [_____]

4 十字路口 → [_____]

3 문장의 뜻과 일치하도록 빈 칸을 완성하시오.

1 천안문 어떻게 가요? → 天安门 [_____] [_____] ?

2 병원 여기서 멀어요? → [_____] 离 [_____] 远吗?

4 다음 문장을 한자로 바르게 쓰시오.

1 Dāngrán kěyǐ. → [_____]

2 Zánmen shéi gēn shéi ya! → [_____]

기초 평가

1 단어와 뜻이 바르게 연결하시오.

发烧 •   • fāshāo •   • 일하다

一直 •   • sùshè •   • 기숙사

工作 •   • yàoshi •   • 곧장

要是 •   • yìzhí •   • 만약

宿舍 •   • gōngzuò •   • 열나다

2 괄호 안의 두 단어 가운데 알맞은 것을 고르시오.

⑴ (Cóng, Dào) zhèli yìzhí zǒu, ránhòu wǎng yòu guǎi.

⑵ Qù yīyuàn (qí, zuò) chūzūchē dehuà, shífēnzhōng jiù dào.

3 그림에 해당하는 단어를 한자로 쓰시오.

⑴

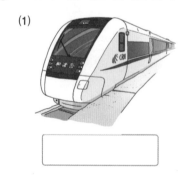

⑵

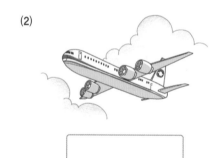

4 한어병음을 바르게 배열하시오.

⑴ ch   zh   à   ē   n   ➔ (   )

⑵ ā   r   d   ng   á   n   ➔ (   )

5 다음을 한자로 쓰시오.

⑴ 학교가 어디에 있나요?   ➔

⑵ 열이 조금 나는 것 같아.   ➔

6 그림이 나타내는 방향을 한어병음으로 쓰시오.

(1)

[그림]

[   ]

(2)

[그림]

[   ]

7 빈칸을 채워 문장을 완성하시오.

(1) 从这里一直走, 然后 (   ) 右拐。

(2) 医院 (   ) 这儿远吗?

8 아래 단어를 바르게 배열하여 문장을 완성하시오.

(1) 공원은 기숙사에서 아주 가까워요.

　　 离, 宿舍, 很, 公园, 近　　→ [   ]

(2) 9시부터 6시까지 일합니다.

　　 到, 从, 六点, 九点, 工作　　→ [   ]

9 문장을 바르게 해석하시오.

(1) 你能陪我去吗?　→ [   ]

(2) 哪儿不舒服?　→ [   ]

10 주어진 단어가 들어갈 위치를 표시하시오.

(1) 就　→

　　 A출구로 나가면 바로예요.

　　 从 ⓐ A口 ⓑ 出去 ⓒ 是 ⓓ 了。

(2) 要是　→

　　 만약 택시를 탄다면 30분 걸립니다.

　　 ⓐ 打的 ⓑ 的话 ⓒ 要 ⓓ 半个小时。

단원 종합 평가

1 밑줄 친 단어의 성조가 다른 하나는?

① 咱<u>们</u> ② 这<u>里</u> ③ 舒<u>服</u> ④ 要<u>是</u> ⑤ 打<u>的</u>

2 성격이 다른 하나의 단어는?

① 飞机 ② 出租车 ③ 火车 ④ 头疼 ⑤ 自行车

[3-4] 대화문을 읽고 물음에 답하시오.

> 보기
>
> A : ___(a)___, 车站在哪儿?
> B : 从这里一直走, 到十字路口往左拐。
> A : 谢谢!
> B : ___(b)___ !

3 빈칸 (a)에 들어갈 한자로 바른 것은?

① 请问 ② 好的 ③ 就是 ④ 不远 ⑤ 很近

4 빈칸 (b)에 들어갈 대답으로 알맞은 것은?

① 下午好 ② 明天见 ③ 不客气 ④ 没关系 ⑤ 当然可以

5 정류장의 위치를 바르게 찾은 것은?

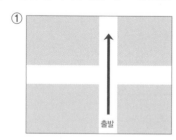

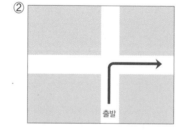

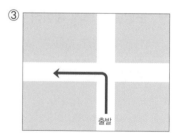

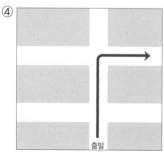

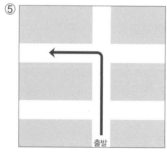

6 대화의 연결이 <u>어색한</u> 것은?

① A : Tiān' ān Mén zěnme zǒu?

　　B : Cóng A kǒu chūqù jiù shì le.

② A : Nǎr bù shūfu?

　　B : Yǒudiǎnr fāshāo.

③ A : Nǐ néng péi wǒ qù ma?

　　B : Dāngrán kěyǐ.

④ A : Yóujú zài nǎr?

　　B : Qí zìxíngchē qù ba.

⑤ A : Gōngyuán lí sùshè jìn ma?

　　B : Hěn jìn.

7 다음 중 어법상 바른 문장은?

① Tā zuò dǎdī.

② Nǐ bù shūfu nǎr?

③ Wǎng guǎi yòu ba.

④ Wǒ péi nǐ qù yīyuàn.

⑤ Qǐngwèn, chēzhàn zài nǎ?

[8-10] 대화문을 읽고 물음에 답하시오.

보기

박나라 : (a) 离这儿远吗?

리빙빙 : 不远。哪儿不舒服?

박나라 : 我感冒了。

리빙빙 : (b) 地铁的话，十分钟就到。

8 빈칸 (a)에 들어갈 장소로 바른 것은?

① 银行　　　② 医院　　　③ 公园　　　④ 邮局　　　⑤ 动物园

9 빈칸 (b)에 들어갈 알맞은 동사는?

① 骑　　　② 做　　　③ 坐　　　④ 打　　　⑤ 能

10 대화문의 내용과 일치하는 것은?

① 박나라는 감기에 걸렸다.

② 리빙빙은 지하철을 타고 있다.

③ 리빙빙 집까지 10분이면 도착한다.

④ 리빙빙은 열이 나서 몸이 좋지 않다.

⑤ 박나라와 리빙빙은 함께 병원에 가고 있다.

단원 소개

우리의 설날에 해당하는 중국의 춘제가 다가오자 민호와 친구들이 새해를 맞이할 준비를 하고 있네요. 이 단원에서는 한·중의 새해맞이 문화와 날씨 표현 등을 배웁니다.

放鞭炮 fàng biānpào 폭죽놀이

春节 Chūnjié는 음력 1월1일로 중국의 가장 성대한 명절이다. 오랜 옛날 한 해의 농사를 갈무리하며 하늘과 조상에 감사의 뜻을 표하고, 새해의 풍작과 행복을 기원하던 행사에서 유래했다. 12월 마지막 주가 되면 거리에는 홍등이 즐비하게 늘어서고 집집마다 대문에는 春联 chūnlián을, 집 안에는 상서로운 소재를 그린 年画 niánhuà를 장식한다. 용춤과 사자춤 공연, 등불 놀이 등 성대한 행사가 펼쳐지고, 섣달그믐에는 모두 모여 만두를 빚고 딤섬, 생선과 두부 요리, 술 등 명절 음식을 함께 만들어 나눠 먹는다. 자정이 되면 폭죽을 터트리고 춘제 아침에는 친척들과 새해 인사를 나누고 아이들은 웃어른께 세배를 드린 뒤 压岁钱 yāsuìqián을 받는다.

春联 chūnlián

중국에는 해마다 설에 春联을 문에 붙이는 풍습이 있다. 春联은 행운을 의미하는 붉은색 종이에 복과 운을 뜻하는 말을 적은 것이다. 일반적으로 붉은색 마름모꼴 종이에 福 fú를 써 거꾸로 붙이는데, 중국어 '거꾸로'를 뜻하는 倒 dào와 '도착하다'라는 뜻의 到 dào가 발음이 같기 때문에 '거꾸로 된 복'(倒福)은 '복이 왔다'(到福)는 의미로 해석된다.

학습 목표
- 날씨를 묻고 답할 수 있다.
- 춘제와 관련된 한·중의 문화를 비교할 수 있다.

학습 표현
- 날씨 표현하기
- 비교하기
- 선택의문 표현하기

문화
- 중국의 전통 명절
- 새해 인사(过年好)의 유래

202

11 天气怎么样
Tiānqì zěnmeyàng
날씨가 어떻습니까

万事如意步步高
wànshì rúyì bùbùgāo 만사형통하고 점차 좋아지다
一帆风顺年年好
yìfānfēngshùn niánnián hǎo
순풍에 돛단 듯 순조롭고 매년 좋아지다

长城 Chángchéng

长城은 인류 최대의 토목공사라고 불리며 중국 역대 왕조들이 북방민족의 침입을 막기 위해서 세운 방어용 성벽이다. 춘추시대부터 북쪽 변방에 부분적으로 성벽이 건축되었고, 통일 왕국인 진나라가 들어서면서 북쪽의 흉노를 견제하기 위해 이들 성벽을 연결하고 증축한 것이다. 만리장성의 축조는 그 후 명나라 시대(1368~1644)까지 계속되었고, 세계에서 가장 장대한 규모의 군사 시설물이 되었다.

包饺子

중국의 春节 요리는 지방마다 다르다. 남방에서는 한 끼 식사에 보통 십여 가지 요리가 오르고, 두부와 생선을 반드시 포함시킨다. 중국어에서 두부의 腐 fǔ와 물고기의 鱼 yú가 재물이 넉넉함을 뜻하는 富裕 fùyù와 음이 비슷하기 때문이다. 또 年糕 niángāo라는 떡을 상에 올리는데 발음이 年高 niángāo와 같아 새해에 발전이 있으리라는 기원을 상징한다. 북방에서는 식구들이 함께 모여 빚은 饺子 jiǎozi를 먹는다. 교자의 饺 jiǎo는 교체를 나타내는 交 jiāo와 발음이 같아 묵은해가 가고 새해가 오는 것을 나타낸다.

미리 보기

1 날씨와 관련된 기본 어휘를 듣고 의미를 생각해 봅시다. 🎧126

春天
chūntiān

冬天
dōngtiān

夏天
xiàtiān

秋天
qiūtiān

下雪
xià xuě

下雨
xià yǔ

冷
lěng

热
rè

기본어휘

- 春天 chūntiān 봄
- 夏天 xiàtiān 여름
- 秋天 qiūtiān 가을
- 冬天 dōngtiān 겨울
- 下雪 xià xuě 눈이 오다
- 下雨 xià yǔ 비가 오다
- 冷 lěng 춥다
- 热 rè 덥다

보충어휘

날씨 관련 어휘
多云 duōyún 구름많음
毛毛雨 máomaoyǔ 이슬비, 보슬비
晴 qíng 맑다
阴 yīn 흐리다
阵雨 zhènyǔ 소나기
暖和 nuǎnhuo 따뜻하다
凉快 liángkuai 선선하다
雾 wù 안개

듣기 대본 및 정답

1. 春天–봄   夏天–여름
   秋天–가을   冬天–겨울
   下雪–눈이 오다
   下雨–비가 오다
   冷–춥다
   热–덥다

2. Wǒ hěn xǐhuan dōngò
   tiān.

짧은 문장 만들기

나는 여름을 매우 좋아한다.
Wǒ hěn (   ) (   ).

정답과 해설 ▶ 275쪽

2 기본 어휘를 사용하여 짧은 문장을 만들어 봅시다.

나는 겨울을 매우 좋아한다. ➔ Wǒ hěn [   ] [   ] .

204

듣기

1 잘 듣고, 알맞은 발음을 고른 후 의미를 생각해 봅시다. 🎧127

1 ☐ qù Chángcéng
☐ qù Chángchéng

2 ☐ Chūnjié
☐ Chùnjié

3 ☐ Tiānqì hěn lěng.
☐ Tiānqì zěnmeyàng?

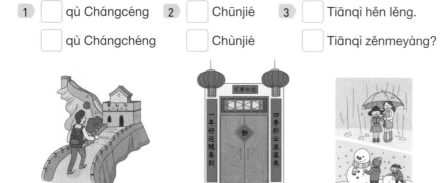

활동

2 잘 듣고, 해당하는 폭죽 불꽃을 찾아 새해 인사말 두 개를 만들어 봅시다. 🎧128

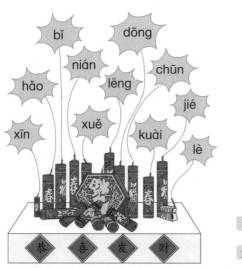

bǐ
dōng
nián
chūn
hǎo
lěng
jié
xuě
xīn
kuài
lè

恭 喜 发 财

1 _____

2 _____

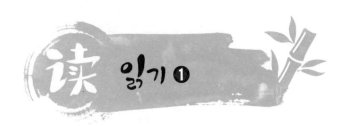

读 읽기 ①

🌱 민호가 친구들에게 새해의 멋진 계획을 이야기하고 있습니다. 과연 무슨 계획일까요?

🎧 130

1 김민호

过年的时候，北京的天气怎么样?
Guònián de shíhou, Běijīng de tiānqì zěnmeyàng?
설을 쉴 때, 베이징의 날씨는 어떻니?

2 왕강

非常冷，可能会下雪。
Fēicháng lěng, kěnéng huì xià xuě.
정말 춥지, 아마 눈도 내릴 거야.

3 리빙빙

新年你有什么打算?
Xīnnián nǐ yǒu shénme dǎsuàn?
새해 너는 무슨 계획을 갖고 있니?

4 김민호

→ 동사 중첩으로 두 번째 看은 경성으로 읽음

我想去看看冬天的长城。
Wǒ xiǎng qù kànkan dōngtiān de Chángchéng.
나는 겨울의 창청을 한 번 보고 싶어.

5 리빙빙

→ 의문문 끝에 쓰여 강조를 나타냄.

为什么冬天去呢?
Wèi shénme dōngtiān qù ne?
왜 겨울에 가려고 하니?

> 看看kànkan과 같이 동사를 중첩하면 '좀 ~하다'라는 의미가 돼요.

6 왕강

因为雪后的风景比夏天的更美。
Yīnwèi xuě hòu de fēngjǐng bǐ xiàtiān de gèng měi.
왜냐하면 눈 내린 이후의 경치가 여름보다 더 아름답기 때문이지.

🔊 민호는 왜 겨울에 창청에 가려고 하나요?

읽기 TIP

● 会의 쓰임

① ~할 수 있다. (학습 후 할 수 있는 능력을 나타냄)
나는 중국어를 말할 수 있다.
我会说汉语。
Wǒ huì shuō Hànyǔ.

② ~할 것이다.(미래의 가능성이나 추측을 나타냄)
내일 그는 오지 않을 것이다.
明天他不会来。
Míngtiān tā búhuì lái.

● 비교문 比

① A+比/不比+B+형용사
(부정부사 不는 比앞에 쓰인다.)
나는 그보다 키가 크지 않다.
我不比他高。
Wǒ bù bǐ tā gāo.

② A 比 B+(还/更)+형용사
(还/更은 사용할 수 있지만 很/太/非常은 사용할 수 없다.)
오늘이 어제보다 더 춥다.
今天比昨天很冷。(×)
Jīntiān bǐ zuótiān hěn lěng
今天比昨天还冷。(○)
Jīntiān bǐ zuótiān hái lěng

③ A+比+B+형용사+수량사/一点儿/一些
나는 그보다 두 살이 많다.
我比他大两岁。
Wǒ bǐ tā dà liǎng suì.

📖 정답

눈 온 후의 풍경이 여름보다 훨씬 아름답기 때문에

✏️ **…** 过年 guònián 설을 쇠다　时候 shíhou 때　天气 tiānqì 날씨　非常 fēicháng 매우　可能 kěnéng ~일 것이다
下 xià 내리다　雪 xuě 눈　新年 xīnnián 새해　打算 dǎsuàn 계획　后 hòu ~ 후에, 뒤　风景 fēngjǐng 경치
比 bǐ ~보다　夏天 xiàtiān 여름　更 gèng 더, 더욱　美 měi 아름답다, 예쁘다

🎧 129

이해하기 ❶

❶ 可能会下雪。 아마 눈이 내릴 거야.

会는 '~할 수 있다'는 뜻 이외에 '~할 것이다'는 뜻으로 사용되어 미래의
가능성이나 추측을 나타낸다.

· 你身体一定会好的。   당신의 몸은 꼭 좋아질 거예요.
  Nǐ shēntǐ yídìng huì hǎo de.

· 他不会来。   그는 오지 않을 것이다.
  Tā bú huì lái.

❷ 因为雪后的风景比夏天的更美。   왜냐하면 눈 내린 이후의 경치가 여름보다
더 아름답기 때문이지.

[A比B + (还/更) + 형용사]는 'A는 B보다 ~(훨씬/더욱)하다'는 의미로
두 대상을 비교할 때 사용한다. 부정할 때는 不比/没有를 사용한다.

· 今天比昨天还忙。   오늘이 어제보다 더 바쁘다.
  Jīntiān bǐ zuótiān hái máng.

· 我没有他高。   나는 그보다 키가 크지 않다.
  Wǒ méiyou tā gāo.

문제 풀이 TIP

1. Wǒ huì qí chē. 我会骑车。
  나는 자전거를 탈 수 있다.

  骑 qí+(自行)车 zìxíngchē
  자전거를 타다
  坐 zuò+车 chē 차를 타다

  Wǎnshang huì xià xuě.
  晚上会下雪。
  저녁에 눈이 올 것이다.

  下雪 xiàxuě 눈이 내리다
  下雨 xiàyǔ 비가 내리다

  我比你大。Wǒ bǐ nǐ dà.
  내가 너보다 나이가 많다.

우리말로 해석하기

Wǒ huì qí chē.
나는 자전거를 탈 줄 안다.

Wǎnshang huì xià xuě.
저녁에 눈이 내릴 것이다.

비교문
'A + 比 + B + 술어' : A는 B보다 ~하다

어순에 맞게 배열하기

(大, 你, 我, 比)
내가 너보다 나이가 많다.

我比你大。

 **사진 속 중국** ·· 생생톡톡

동양의 하와이라 불리는 하이난 섬

섬의 중앙에서 남부에 걸쳐 산지가 있고 북부에는 평야가 펼쳐져 있다. 북위 20° 이남에서는 열대성의 온난다우한 기후를 이루어 연중 영농이 가능하며, 중부 이남의 산지에는 활엽수림이 무성하다. 주민은 북부와 해안에 汉族이 많으나, 우즈산 주변의 중부 및 남부에는 黎民 Límín, 苗族 Miáozú, 回族 Huízú 등의 소수민족이 산다.

하얼빈 얼음 축제

매년 1월 5일부터 2월 말까지 중국 최북단 헤이룽장 성(省) 하얼빈 시(市)에서 개최되는 세계적인 규모의 겨울 축제다. 1985년 첫선을 보인 冰雪节는 민간의 빙등 축제를 바탕으로 꾸려졌으며, 이후 눈과 얼음 조각 전시를 중심으로 한 종합적인 문화 예술 축제로 자리 잡았다. 얼음 조각의 재료는 매년 겨울 1미터 두께로 얼어붙는 松花 Sōnghuā 강에서 직접 채취한다.

 …… 身体 shēntǐ 몸, 신체   一定 yídìng 꼭, 반드시   忙 máng 바쁘다   高 gāo (키가) 크다   131

读 읽기 ②

🎋 춘제에 관련된 중국 문화 사진을 블로그에 올리고, 우리도 '댓글'을 달아 봅시다.

🎧 133

娜拉的博客

春节快到了。
Chūnjié kuài dào le.
봄이 왔네요.

今天我跟同学们一起准备年夜饭。
Jīntiān wǒ gēn tóngxuémen yìqǐ zhǔnbèi niányèfàn.
저는 오늘 친구들과 함께 제야에 먹을 음식들을 준비하고 있어요.

春节的时候，中国人吃饺子、贴春联。
Chūnjié de shíhou, Zhōngguórén chī jiǎozi, tiē chūnlián.
설날 때 중국인들은 만두를 먹고, 춘롄을 붙이지요.

 왕강
ㄴ 春节的时候，韩国人吃饺子还是吃别的?
Chūnjié de shíhou, Hánguórén chī jiǎozi háishi chī bié de?
설날 때 한국인들은 만두를 먹니? 아니면 다른 걸 먹니?

 김민호
ㄴ 我们喝年糕汤。
Wǒmen hē niángāotāng.
우리는 떡국을 먹어

 리빙빙
ㄴ 听说中韩两国的孩子给大人拜年，
Tīngshuō Zhōng-Hán liǎng guó de háizi gěi dàrén bài nián,
大人给孩子压岁钱。
dàrén gěi háizi yāsuìqián.
듣자하니 중한 두 나라의 아이들은 어른들에게 세배를 하고, 어른들은 아이들에게 세뱃돈을 준다는데.

🔊 중국인들은 춘제에 무엇을 하나요?

읽기 TIP

• 임박태 : 곧 ~하려고 하다.
시간부사가 나올 경우 就要~了 jiùyào ~ le만 사용하고 快要~了 kuàiyào ~ le는 사용할 수 없다.
내일 곧 귀국합니다.
明天快要回国了。(×)
Míngtiān kuàiyào huíguó le.
明天就要回国了。(○)
Míngtiān jiùyào huíguó le.

• 선택의문문
A 还是 B : A 아니면 B
你是中国人还是日本人?
Nǐ shì Zhōngguórén háishi Rìběnrén?
당신은 중국사람입니까 일본사람입니까?

• 보충
年夜饭 : 우리나라 설날 아침 떡국 먹는 것과 비슷한 풍습으로 중국은 春节연휴의 첫날, 즉 섣달 그믐날 밤에 온 가족이 모여 다함께 식사를 한다는 뜻에서 团年饭 tuánniánfàn이라고도 함
春联 : 春节때 빨간 종이에 복과 관련된 다양한 문구를 집의 기둥이나 문 앞에 붙이는 대련(对联)을 말함

📖 정답
중국인은 만두를 먹고 춘련을 붙인다.

✏️ ⋯ 博客 bókè 블로그　准备 zhǔnbèi 준비하다　年夜饭 niányèfàn 제야에 먹는 음식　贴 tiē 붙이다
春联 chūnlián 춘련　还是 háishi 또는　别的 bié de 다른 것　年糕汤 niángāotāng 떡국
听说 tīngshuō 듣자 하니　孩子 háizi (어린) 아이　大人 dàrén 어른, 성인　拜年 bài nián 세배하다
压岁钱 yāsuìqián 세뱃돈

🎧 132

1 春节快到了。 봄이 왔어요.

'快(要)~了'는 '곧 ~하려고 하다'는 뜻으로 곧 발생하려는 변화를 나타낸다.

| 他 Tā | + | 快 kuài | + | 回国 huí guó | + | 了。 le. | 그는 곧 귀국합니다. |
| 药房 Yàofáng | + | 快(要) kuài(yào) | + | 关门 guān mén | + | 了。 le. | 약국이 곧 문을 닫으려고 합니다. |

한국인들은 만두를 먹니? 아니면 다른 걸 먹니?

2 韩国人吃饺子还是吃别的?

'A 还是 B'는 'A 아니면 B'라는 뜻으로 두 가지 이상의 가능한 답을 제시하고 상대방이 선택하도록 하는 의문문이다.

| 你 Nǐ | + | 要 yào | + | 吃比萨饼 chī bǐsàbǐng | + | 还是 háishi | + | 吃意大利面? chī yìdàlìmiàn? | 너 피자 먹을래, 아니면 스파게티 먹을래? |
| 咱们 Zánmen | + | 坐21路车 zuò èrshíyī lù chē | + | 还是 háishi | + | 坐301路车? zuò sān líng yāo lù chē? | 우리 21번 타 아니면 301번 타? |

문제 풀이 TIP

1. 곧 있으면 시험입니다.
考试快到了。
Kǎoshì kuài dào le.

快(要)~了 곧 ~하려 하다

그는 한국인입니까 아니면 중국인 입니까?
他是韩国人还是中国人?
Tā shì Hánguórén háishì Zhōngguórén?

A 还是 B : A 아니면 B

빈칸 채우기

곧 있으면 시험입니다.
Kǎoshì [kuài]
dào [le].

중국어로 작문하기

그는 한국인입니까,
아니면 중국인입니까?
= 他是韩国人还是中国人?

 사진 속 중국

중국의 세뱃돈 봉투

红包 hóngbāo는 붉은 봉투를 뜻하는 것으로, 중국에서 세뱃돈이나 결혼식 축의금을 줄 때 '福fú (복)' '吉jí (길조)' '财cái (재물)' 등의 글자가 적힌 붉은색 종이봉투에 넣어 주는 것이 관습이다.

명절 귀성길 대이동

연휴 기간 동안 천문학적 숫자의 인파가 귀성길에 오르는데, 베이징 등 주요 기차역에선 얼굴 인식 시스템을 도입해 보다 빠르게 신원 확인절차를 진행하고 있고, 승객들에게 탑승 규칙을 안내하는 로봇도 첫선을 보였다고 한다.

 … 药房 yàofáng 약국　关 guān 닫다　门 mén 문　比萨饼 bǐsàbǐng 피자　意大利面 yìdàlìmiàn 스파게티
路 lù 노선

 134

说 말하기

1 색칠한 부분을 바꾸어 말해 봅시다. 🎧136

> A: 北京的天气怎么样? Běijīng de tiānqì zěnmeyàng?
> 베이징의 날씨는 어떻습니까?
>
> B: 可能会下雪。Kěnéng huì xià xuě.
> 아마도 눈이 올 것 같습니다.

1 下雨
xià yǔ

2 刮风
guā fēng

3 打雷
dǎ léi

말하기 **TIP**

1. 下雨 xià yǔ 비가 내리다
   刮风 guā fēng 바람이 불다
   打雷 dǎ léi 번개가 친다

2 다음 어휘의 확장 연습을 해 봅시다. 🎧137

> 雪后的风景比夏天的更美。
> Xuě hòu de fēngjǐng bǐ xiàtiān de gèng měi.
> 눈이 내린 후의 풍경이 여름보다 더 아름다워.

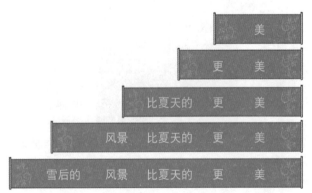

				美
			更	美
		比夏天的	更	美
	风景	比夏天的	更	美
雪后的	风景	比夏天的	更	美

2. 美 měi 아름답다
   更 gèng 너무, 더
   夏天 xiàtiān 여름
   风景 fēngjǐng 풍경
   雪 xuě 눈

📝 ··· 雨 yǔ 비 刮 guā 불다 风 fēng 바람 打雷 dǎ léi 천둥 치다

들기 문제 1

내일의 날씨는 어떤가요?
① 눈이 내릴 것이다.
② 비가 올 것이다.
③ 바람이 심하게 불 것이다.

정답과 해설 ▶ 275쪽

3 색칠한 부분을 바꾸어 말해 봅시다. 🎧138

你吃饺子还是吃别的?
당신은 자오즈를 먹을 건가요? 아니면 다른 것을 먹을 건가요?
Nǐ chī jiǎozi háishi chī bié de?

发短信 fā duǎnxìn /
发电子邮件 fā diànzǐ yóujiàn

喝牛奶 hē niúnǎi /
喝豆浆 hē dòujiāng

说恭喜发财 shuō gōngxǐ fācái /
说年年有余 shuō niánnián yǒuyú

4 기차 연결 부분에서 빠진 부분을 채워 넣고 문장을 말해 봅시다.

🎧135

发 fā 보내다   短信 duǎnxìn 문자   电子邮件 diànzǐ yóujiàn 이메일   牛奶 niúnǎi 우유
豆浆 dòujiāng 콩국   说 shuō 말하다   恭喜 gōngxǐ 축하하다   发财 fācái 돈을 벌다
有余 yǒuyú 여유가 있다

말하기 **TIP**

3. 发短信 문자를 보내다
发电子邮件
이메일을 보내다
喝牛奶 우유를 마시다
喝豆浆 두유를 마시다
说恭喜发财
부자가 되기를 바란다고 말하다
说年年有余
매해 풍요롭기를 바란다고 말
하다

활동 **TIP**

春节快到了。
Chūnjié kuài dào le.
곧 춘제이다.
中国人喜欢吃饺子。
Zhōngguórén xǐhuan chī
jiǎozi.
중국사람은 만두 먹는 것을 좋아
한다.
今天我准备年夜饭。
Jīntiān wǒ zhǔnbèi niányèfàn
오늘 나는 제야에 먹을 음식들을
준비한다.
新年你有什么打算?
Xīnnián nǐ yǒu shénme
dǎsuàn?
새해에 너는 무슨 계획을 갖고 있
니?

활동 정답

4. ① 快   ② chī
③ zhǔnbèi   ④ 打算

듣기 문제 2

남자가 아침에 보통 마시는 것
은?

① 요플레   ② 두유

③ 우유

1 다음 단어를 참고하여 우리말에 알맞은 중국어를 한어병음과 한자로 써 봅시다.

hē

niángāo

tāng

chī

nǐmen

tīngshuō

jiǎozi

> 듣자 하니 너희들은 만두를 먹는다고 하더라.

한어병음: _____

한자: _____

2 빈칸에 알맞은 단어를 보기에서 골라 써 봅시다.

보기

| 快 | 会 | 跟 | 怎么样 |

1 A: 过年的时候, 北京的天气 [ ]?

B: 非常冷, 可能 [ ] 下雪。

2 A: 春节 [ ] 到了。

B: 今天我 [ ] 同学们一起准备年夜饭。

3 숨은 그림에서 두 개의 먹을 거리를 찾아 해당하는 단어를 중국어로 써 봅시다.

1 _____

2 _____

쓰기 TIP

1. 听说你们吃饺子。
Tīngshuō nǐmen chī jiǎozi.

2. ① A : 过年的时候, 北京的天气怎么样?
Guònián de shíhou, Běijīng de tiānqì zěnmeyàng?
설을 쇨 때, 베이징의 날씨는 어떻니?

B : 非常冷, 可能会下雪。
Fēicháng lěng, kěnéng huì xià xuě.
매우 춥지, 아마 눈도 내릴 거야.

② A : 春节快到了。
Chūnjié kuài dào le.
곧 춘제네요.

B : 今天我跟同学们一起准备年夜饭。
Jīntiān wǒ gēn tóngxuémen yìqǐ zhǔnbèi niányèfàn.
오늘 저는 친구들과 함께 제야에 먹을 음식들을 준비하고 있어요.

3. 包子 bāozi 만두,
牛奶 niúnǎi 우유

쓰기 정답

1. (한어병음)
Tīngshuō nǐmen chī jiǎozi.
(한자) 听说你们吃饺子。

2. ① 怎么样, 会 ② 快, 跟

3. 包子 bāozi, 牛奶 niúnǎi

실생활 적용하기

2박 3일간의 '중국 문화 캠프 in 上海'에 참여하고자 합니다. 방문할 장소와 그곳의 날씨를 고려하여 '개인 준비물 목록표'를 만들어 봅시다.

1 단계 주간 일기예보 자료를 보고 필요한 날씨 정보를 파악하기
2 단계 날짜별로 방문할 장소의 순서를 기록하고, 그날의 날씨를 '우리말'로 기록하기
3 단계 방문 장소와 날씨를 고려한 개인 준비물을 '중국어'로 준비물 목록표에 기록하기

上海 주간 일기예보

방문할 장소
- 대한민국 임시 정부 청사
- '东方明珠 Dōngfāng míngzhū' 방송탑
- '复旦 Fùdàn' 대학
- 루쉰(鲁迅) 공원

● 필수 준비물 목록표 ●

날짜	방문할 장소	날씨	개인 준비물
12월 13일(周六)	东方明珠	大雨	雨伞, 外套
12월 14일(周日)	复旦 대학	阴	手套, 铅笔
12월 15일(周一)	루쉰 공원	多云	铅笔, 照相机

东方明珠
1991년에 착공하여 1994년 10월 1일에 완공된 건축물로서 상하이 마천루를 상징한다. 용도는 방송탑이며 전망대가 있어 많은 관광객들이 찾는다. 높이는 468m이다. 건축물을 구성하는 둥근 모양 때문에 동양의 진주라고 불리게 되었으며 상하이 야경에서 핵심적인 역할을 한다.

윤봉길 의사 기념관
윤봉길 의사의 虹口 공원 의거를 기념하는 곳으로 그의 일대기를 조명하는 자료와 함께 흉상과 친필 편지, 순국하기 직전의 사진 등이 전시돼 있다.

... 雨伞 yǔsǎn 우산   铅笔 qiānbǐ 연필
外套 wàitào 외투   地图 dìtú 지도
暖和 nuǎnhuo 따뜻하다
凉快 liángkuai 시원하다

... 云 yún 구름   晴 qíng 맑다   阴 yīn 흐리다

어휘 TIP

天气预报 일기예보
下载 다운로드하다
3.22版 3.22버전
发布 발표하다
湿度 습도
微风 산들바람, 미풍

중국의 기후
중국은 전체적으로 사계절이 뚜렷한 계절풍 기후의 특징을 보이고 있다. 그러나 광대한 영토 탓에 지역별로 다양한 기후대가 분포한다. 중국의 최남단인 하이난섬은 1월의 평균기온이 21도를 웃도는 대표적 열대지역에 속한다. 광동, 운남의 일부 지역도 하이난섬처럼 열대기후이다. 화남지역은 여름에는 열대기후처럼 덥고 습하며 겨울에도 온난한 기후를 보이는 아열대성 기후를 띠고 있다. 하북지역, 동북 3성까지는 계절에 따라 기온 편차가 큰 냉온대 기후지역으로 분류된다.

대한민국 임시 정부 청사
상하이 임시정부는 상하이에 있던 여러 임시정부 청사 가운데 하나로, 1926년에 이곳으로 옮겨와 1932년 상하이를 떠나기 전까지 사용하던 곳으로 가장 오랜 기간 이곳에서 활동했다. 임시정부 청사에는 당시 사용되었던 집기물과 가구들이 그대로 전시되어 있으며, 임시정부 요원들의 집무 모습이 그대로 재현되어 있다.

나의 학습 점검

1. 날씨를 묻고 답할 수 있다.

2. 춘제와 관련된 한·중의 문화를 비교할 수 있다.

그들의 삶 속으로

전통 명절

생생톡톡

1. 春节 Chūnjié (음력 1월 1일)

春节에 饺子 jiǎozi를 빚는 것은 중국 가정의 풍습이다.

대문에 春联 chūnlián과 거꾸로 된 복(福 fú) 자를 붙여 새해에 좋은 일만 있기를 바라는 마음을 담았다.

폭죽 소리는 귀신을 몰아낸다는 전설이 있다.

2. 清明节 Qīngmíng Jié (양력 4월 5일 전후)

조상을 기리며 성묘하고, 교외로 나가 신선한 공기를 마시며 푸른 초목을 감상한다.

3. 端午节 Duānwǔ Jié (음력 5월 5일)

용머리 배를 타고 강을 건너는 시합을 하고 粽子 zòngzi를 먹는다.

端午节 Duānwǔjié

단오절은 음력 5월 5일이다. 단오절에 용머리배 시합, 粽子 zòngzi를 먹는 것은 굴원의 전설에서 연유하였다. 굴원은 전국시대 초나라의 시인으로서, 여러 차례 왕에게 부패를 청산하고 나라를 바로잡기를 요구하다가 먼 곳으로 유배를 당했다. 어느 날, 초나라의 수도가 진나라에 의해 함락되었다는 소식을 듣고 비통한 나머지 泪罗江에 몸을 던져 스스로 목숨을 끊었다. 이 때가 바로 기원전 278년 음력 5월 5일이며, 그의 우국충정을 기리는 날이 된 것이다. 굴원이 泪罗江에서 자살하였다는 소식을 들은 백성들은 애통해 하며 배를 내어 굴원의 시신을 찾아 나섰고, 물고기들이 굴원의 시신을 해치지 못하게 하기 위해 음식물을 강물에 던져 넣었다. 이후 사람들은 굴원에 대한 애도의 표시로 제사를 지내면서 강에 배를 띄우고, 대나무통에 찹쌀을 넣어 강에 던졌다. 여기에서 용머리배 시합, 粽子가 발전되어 나온 것이다.

문화 ○× 퀴즈

중국 최대의 명절인 설날(春节)에는 웨빙(月饼 yuèbing)을 먹는다. (×)

알아보기

중국의 국경절(国庆节)에 대하여 알아보자.
国庆节 Guóqìngjié
'중화인민공화국(中华人民共和国)'의 건국을 기념하는 날로 1949년 10월 1일에 중화인민공화국의 건국이 선포되었다. 국경절의 법정공휴일은 3일이다

4. 中秋节 Zhōngqiū Jié (음력 8월 15일)

中秋节의 전설인 后羿 Hòuyì와 嫦娥 Cháng'é의 사랑 이야기를 들으며 달을 감상하고, 다양한 문양이나 글자를 새겨 넣은 月饼 yuèbing을 먹는다.

중추절은 음력 8월 15일로서, 옛날 옥황상제 아들들의 장난으로 하늘에 열 개의 태양이 떠올랐다. 사람들이 살 수 없는 지경에 이르자, 옥황상제가 羿(예)를 보내 아들들의 장난을 멈추게 하였으나, 아들들은 막무가내였다. 화가 난 羿가 아홉 개의 태양을 쏘아 하늘에서 떨어뜨렸다. 이 소식을 들은 옥황상제는 아들 아홉을 죽인 꼴이 되어 대노하였고, 벌로 羿와 그의 부인 嫦娥(상아)는 인간 세상에 남겨졌다. 이를 동정한 西王母가 羿에게 하늘나라로 돌아갈 수 있는 약을 건네 주었다. 그런데 嫦娥가 혼자 몰래 그것을 먹어 버렸다. 하늘나라로 올라 가던 嫦娥는 남편을 속인 죄로 비웃음을 받을까 두려워 달로 달아나서 월신이 되었다고 한다. 嫦娥가 달로 달아난 날이 중추절이어서, 이 날 달을 향해 제사를 지내는 풍속이 생겨났다고 전해진다.

중추절에 月饼을 먹게 된 유래는 汉族들이 원나라를 전복시킬 계획을 세웠으나 D-day를 비밀리에 전달할 방법이 없었다. 이에 계책을 내어 전염병이 돈다는 소문을 퍼뜨리고, 아울러 중추절에 월병을 먹으면 전염병의 화를 피할 수 있다고 알렸다. 월병을 산 사람들이 그 속에 적힌 '중추절 밤에 거사한다. 뜻있는 자는 일어서라' 는 내용을 발견하고는 힘을 모아 원나라를 무너뜨렸다는 것이다. 이런 연유로 중추절에 월병을 먹게 되었다고 한다.

214

괴물 年
이야기

생생톡톡

新年好!

过年好!

"过年好!"는 무슨 말이야?

옛날 흉악한 괴물 '年'이 살고 있었는데, 섣달 그믐날 깨어나 허기진 배를 채우러 마을로 왔대.

여기 있으면 위험해요.

'年'을 물리칠 방법이 있어요.

다음날 아침

어떻게 된 거죠?

괴물 '年'이 무서워하는 것이 있지요.

이때부터 중국인들은 대문에 붉은 对联 duìlián을 붙이고

날이 밝을 때까지 불을 켜놓고 폭죽을 터트려.

이후 새해가 되면, '괴물(年)을 잘(好) 보냈다(过)'라는 뜻으로 "过年好!"라고 인사해.

春节 관련 용어

农历 nónglì 음력
正月 zhèngyuè 정월
除夕 chúxī 섣달 그믐
初一 chúyī 초하루
元宵节 Yuánxiāojié 원소절
过年 guònián 설을 쇠다
剪纸 jiǎnzhǐ 종이오리기
年画 niánhuà 세화
敬酒 jìngjiǔ 술을 권하다
灯笼 hóngdēng 홍등
烟花 yānhuā 불꽃놀이
爆竹 bàozhú 폭죽
红包 hóngbāo 붉은 종이봉투
压岁钱 yāsuìqián 세뱃돈

듣기 평가

1 녹음을 듣고 그림이 일치하면 답안에 O 표시를, 틀리면 X 표시를 하시오.

2 녹음을 듣고 베이징의 날씨를 고르시오.

1

2

3

3 녹음을 듣고 남자가 말하는 춘제 때 하는 것을 고르시오.

1

2

3

쓰기 평가

1 단어의 뜻을 쓰시오.

1 guònián → [   ] **2** bókè → [   ]

3 夏天 → [   ] **4** 风景 → [   ]

2 단어의 한어병음을 쓰시오.

1 춘제 → [   ] **2** (어린)아이 → [   ]

3 拜年 → [   ] **4** 大人 → [   ]

3 문장의 뜻과 일치하도록 빈 칸을 완성하시오.

1 날씨 어때요? → 天气 [   ] ?

2 왜 겨울에 가려고 해? → [   ] 冬天去呢?

4 다음 문장을 한자로 바르게 쓰시오.

1 Xīnnián nǐ yǒu shénme dǎsuàn? → [   ]

2 Hánguórén chī jiǎozi háishi chī biéde? → [   ]

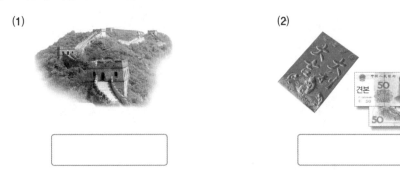

기초 평가

1 단어와 뜻이 바르게 연결하시오.

下雨 ·　　　　　 · fēicháng ·　　　　　 · 우유

牛奶 ·　　　　　 · niúnǎi ·　　　　　 · 계획

还是 ·　　　　　 · dǎsuàn ·　　　　　 · 비가 내리다

打算 ·　　　　　 · xiàyǔ ·　　　　　 · 매우

非常 ·　　　　　 · háishi ·　　　　　 · 또는

2 괄호 안의 두 단어 가운데 알맞은 것을 고르시오.

(1) (Yīnwèi, Dànshì) xuě hòu de fēngjǐng bǐ xiàtiān de gèng měi.

(2) Nǐ chī jiǎozi (háishi, huòzhě) chī bié de?

3 그림에 해당하는 단어를 한자로 쓰시오.

(1)

(2)

4 한어병음을 바르게 배열하시오.

(1) í　o　h　sh　u → (　　　　　　　　　　　　)

(2) ǐ　sh　t　n　ē → (　　　　　　　　　　　　)

5 다음을 한자로 쓰시오.

(1) 아마 눈이 내릴 거야. → (　　　　　　　　　　　　)

(2) 나는 겨울의 만리장성을 보러 가고 싶어 → (　　　　　　　　　　　　　　)

6 그림을 보고 빈칸에 들어갈 말을 쓰시오.

7 빈칸을 채워 문장을 완성하시오.

(1) 今天(　　　　　　　)昨天还忙。

(2) 咱们坐21路车(　　　　　　)坐301路车?

8 아래 단어를 바르게 배열하여 문장을 완성하시오.

(1) 약국이 곧 문을 닫으려고 합니다.

快, 了, 关门, 药方 　➡

(2) 그는 오지 않을 것이다.

不, 来, 会, 他 　➡

9 문장을 바르게 해석하시오.

(1) 今天我跟同学们一起准备年夜饭。 ➡

(2) 听说中韩两国的孩子给大人拜年。 ➡

10 주어진 단어가 들어갈 위치를 표시하시오.

(1) 想 ➡ 나는 겨울의 만리장성을 보러 가고 싶어.

我 ⓐ 去 ⓑ 看看 ⓒ 冬天的 ⓓ 长城。

(2) 什么 ➡ 새해 너는 무슨 계획을 갖고 있니?

ⓐ 新年 ⓑ 你 ⓒ 有 ⓓ 打算?

단원 종합 평가

1 성격이 <u>다른</u> 하나의 단어는?

① 热   ② 冷   ③ 饺子   ④ 打雷   ⑤ 刮风

2 밑줄 친 단어의 성조와 같은 것은?

> 别<u>的</u>, 孩<u>子</u>

① 还<u>是</u>   ② 博<u>客</u>   ③ 春<u>联</u>   ④ 药<u>方</u>   ⑤ 回<u>国</u>

3 빈 칸에 공통으로 들어갈 단어는?

过	

ⓐ	夜	饭

意	

ⓑ	人

利

面

① ⓐ 年, ⓑ 大   ② ⓐ 贴, ⓑ 下   ③ ⓐ 们, ⓑ 后

④ ⓐ 更, ⓑ 门   ⑤ ⓐ 路, ⓑ 美

4 그림의 설명이 바르게 된 것은?

①

夏天

②

秋天

③

天气

④

冬天

⑤

春天

5 어법상 자연스러운 문장을 <u>모두</u> 고르면?

① 我会不说汉语。   ② 今天比昨天很冷。   ③ 我比他大两岁。

④ 晚上会下雪吗?   ⑤ 明天快要回国了。

6 대화의 연결이 <u>어색한</u> 것은?

① A : 过年的时候, 北京的天气怎么样?

　B : 非常冷。

② A : 春节快到了。

　B : 我很喜欢冬天。

③ A : 明天她会来吗?

　B : 她不会来。

④ A : 你比他高吗?

　B : 我比他更高。

⑤ A : 你喜欢喝牛奶还是喝豆浆?

　B : 我喜欢喝牛奶。

[7-10] 대화문을 읽고 물음에 답하시오.

<보기>

리 빙 빙 : 春节快到了。 今天我跟妈妈一起准备饺子。
春节的时候, 中国人 (a) 饺子。

박 나 라 : 韩国人 (b) 年糕汤。

데이비드 : (c) 韩中两国的孩子给大人拜年，大人给孩子压岁钱。

7 빈칸 (a), (b)에 들어갈 알맞은 동사는?

① (a) 喝, (b) 喝

② (a) 吃, (b) 吃

③ (a) 吃, (b) 喝

④ (a) 喝, (b) 吃

⑤ (a) 给, (b) 吃

8 빈칸 (c)에 들어갈 알맞은 단어는?

① 听说　　② 听听　　③ 说说　　④ 看看　　⑤ 可能

9 대화문의 시기에 들을 수 있는 말을 <u>모두</u> 고르면?

① 坐车

② 发短信

③ 年年有余

④ 恭喜发财

⑤ 发电子邮件

10 대화문의 내용과 일치하는 것은?

① 리빙빙은 추석을 맞아 엄마와 만두를 준비한다.

② 중국사람들은 춘제 때 만두국을 먹는다.

③ 한국 사람들은 설날 때 만두를 빚어 먹는다.

④ 중국어린이들은 춘제 때 세뱃돈을 받는다.

⑤ 데이비드는 중국에서 명절을 지내고 싶어한다.

지금까지 열심히 '중국어'를 배웠습니다. 즐거우셨죠?
이번 단원에서는 지금까지 학습한 핵심 내용을 복습합니다.

北京大学图书馆

Běijīng Dàxué Túshūguǎn
베이징 대학교 도서관

北京大学는 중국의 수도 베이징에 있는 중국 최초의 국립 종합
대학교로 중국 최초의 근대 종합대학교로 'C9 리그(League)' 회
원 대학이다. 'C9 리그'란 1998년 중국 정부에 의해 선정된 9개
대학 연맹을 말하며 푸단 대학교(复旦大学), 난징 대학교(南京
大学), 칭화 대학교(清华大学) 등이 여기에 속한다. 도쿄 대학
교(东京大学), 싱가포르 국립대학교와 함께 아시아 3대 명문 대
학교로 손꼽힌다. 2011년 영국의 대학평가기관 QS(Quacquarelli
Symonds)가 선정 발표한 세계 대학 순위에서 46위를 기록했다.
기초과학 및 응용과학 분야에서 인정받고 있다.

北京大学은 정치·사회적으로 높은 명성과 중요한 지위를 가지
고 있는데, 1957년 노벨 물리학상을 공동 수상한 양전닝(杨振宁,
1922~)과 리정다오(李政道, 1957~), 문화대혁명을 일으킨 정치
가 마오쩌둥(毛泽东, 1893~1976), 소설 《아큐정전(阿Q正传)》을
쓴 문학가 겸 사상가 루쉰(鲁迅, 1881~1936) 등이 이 대학 졸업
생이다.

北京大学 도서관은 매일 수 많은 관광객이 다녀가기도 하는 명
소인데, 미오쩌둥은 도서관 관장을 역임하기도 하였으며, 장쩌민
전 주석도 글을 남겼고, 덩샤오핑 전 주석은 베이징대학교도서관
의 현판을 써 주었다고 한다. 현재 중국을 통치하고 있는 중국 공
산당과 수 많은 인연이 있었던 만큼 문화대혁명기에도 장서들을
지킬 수 있었다고 한다.

학습
목표

다시 보기를 통해 학습한 내용을 정리하고,
상황별 표현법을 활용하여 말할 수 있다.

12 看一看，做一做

Kàn yi kàn, zuò yi zuò

다시 보고 활용하기

고등학교 도서실

중국의 고등학교는 오전 수업과 오후 수업으로 나누어져 있으며, 일반적으로 기숙학교가 많고, 아침자습을 시작으로 하루 일과를 시작하게 된다. 한국과 가장 큰 차이점은 2교시 후 전교생이 운동장에서 课间操 kèjiāncāo(체조)를 한다는 것이다. 4교시가 끝난 후 점심시간은 1시 30분 혹은 2시까지인데, 식사 후 낮잠 시간을 가지게 된다. 오후 수업이 시작하기 전 眼操 yǎncāo(눈체조)를 하고 정규 수업이 모두 끝나면 또 다시 야간자습을 하게 된다.

중국 역시 한국과 마찬가지로 중국의 대학수학능력시험인 '高考 gāokǎo'가 있기 때문에 아침부터 밤늦은 시간까지 학생들은 도서관, 교실에서 각자의 목표 달성을 위해 최선을 다하여 노력한다.

高考는 중국의 중앙정부가 시행하는 대학입학시험이다. 정식 명칭은 일반대학입학 전국통일시험으로 중국판 대학수학능력시험이라 할 수 있다. 요일에 상관없이 매년 6월 7일과 8일, 양일에 걸쳐서 진행된다. 과목은 언어영역, 수리영역, 사회탐구(문과) 또는 과학탐구(이과), 외국어영역 등이다. 언어영역은 논술이 포함되어 있는데 공통 주제 1개와 지역마다 다른 주제 1개에 대해 서술해야 한다. 외국어영역은 영어, 일본어, 러시아어, 프랑스어, 독일어, 스페인어 중에서 선택한다.

다시 보기

제3과 인사하기 140

A: 老师好!
Lǎoshī hǎo!
선생님 안녕하세요!

B: 大家好!
Dàjiā hǎo!
여러분 안녕하세요!

141 **제4과 국적 묻기**

A: 你是哪国人?
Nǐ shì nǎ guó rén?
당신은 어느 나라 사람입니까?

B: 我是韩国人。
Wǒ shì Hánguórén.
저는 한국인입니다.

제5과 날짜 묻기 142

A: 今天几月几号?
Jīntiān jǐ yuè jǐ hào?
오늘은 몇 월 며칠입니까?

B: 五月一号，星期四。
Wǔ yuè yī hào, xīngqīsì.
5월 1일, 목요일입니다.

보기 TIP

제3과 인사하기

❶ 만났을 때 인사 표현

'대상+好' 형식

你好! Nǐ hǎo! 안녕하세요!

你们好! Nǐmen hǎo! (너희들) 안녕하세요!

❷ 헤어질 때 인사 표현

再见! Zàijiàn! 잘가!

明天见! Míngtiān jiàn! 내일 만나!

一会儿见! Yíhuìr jiàn! 조금 있다 만나!

❸ 감사할 때 표현

A: 谢谢! Xièxie! 고마워요!

B: 不客气! Bú kèqì!

不谢! Bú xiè! 천만에요!

❹ 사과할 때 표현

A: 对不起! Duìbuqǐ! 미안해요!

不好意思! Bù hǎoyìsi!

很抱歉! Hěn bàoqiàn!

B: 没关系。 Méi guānxi. 괜찮아요.

没事。 Méi shì.

没什么。 Méi shénme.

국적 묻기와 이름 묻기, 가족 소개 제4과

❶ 국적을 묻는 표현

'你是哪国人？'의 문장은 '당신은 어느 나라 사람입니까?'라는 뜻으로 이에 대한 대답으로는 '我是＋나라 이름+人'의 형태로 대답하면 된다.

예 我是韩国人。

❷ 이름을 묻는 표현

A: 你叫什么名字? 넌 이름이 뭐니?

Nǐ jiào shénme míngzi?

您贵姓? 존함이 어떻게 되십니까?

Nín guì xìng?

B: 我叫〇〇〇。 Wǒ jiào 〇〇〇.

제 이름은 〇〇〇입니다.

❸ 가족을 서로 소개할 때

A : 你家有几口人? 너희 집은 몇 식구니?

Nǐ jiā yǒu jǐ kǒurén?

B : 我家有三口人。 우리 집은 세 식구야.

Wǒ jiā yǒu sān kǒu rén.

제5과 날짜 묻기

월	화	수	목	금	토	일
星期一	星期二	星期三	星期四	星期五	星期六	星期天
xīngqīyī	xīngqī'èr	xīngqīsān	xīngqīsì	xīngqīwǔ	xīngqīliù	xīngqītiān

12. 看一看，做一做 225

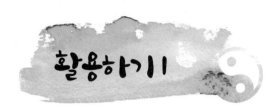

1 두 사람의 대화를 듣고 남자의 국적을 적어 봅시다. 🎧143

听写

중국어

한어병음

2 보기 를 참고하여 친구의 이름, 국적, 생일을 물은 후, '친구 소개서'를 작성해 봅시다.

说写

보기

1. 你是哪国人? Nǐ shì nǎ guó rén?

2. 我是韩国人。 Wǒ shì Hánguórén.

3. 今天几月几号? Jīntiān jǐ yuè jǐ hào?

내 친구를 소개합니다.

大家好!

我的朋友叫_____。

他(她)是_____。

他(她)的生日是__月__号。

3 한류 스타의 인사말을 읽고 대화문을 완성해 봅시다.

读写

* 金大龙 Jīn Dàlóng 김대용

大家好! 我是韩国的歌手金大龙。

今年十九岁。

认识你们很高兴。我爱你们。

谢谢大家!

A: 金大龙今年多大?

B: 他今年_____。

1. 대화 듣고 남자의 국적 적어보기

듣기 대본

女: 你好! Nǐ hǎo!　안녕!

男: 你好! Nǐ hǎo!　안녕!　你是哪国人? Nǐ shì nǎ guó rén?　너는 어느 나라 사람이니?

女: 我是美国人。Wǒ shì Měiguórén.　나는 미국 사람이야.　你呢? Nǐ ne?　너는?

男: 我是中国人。Wǒ shì Zhōngguórén.　나는 중국 사람이야.

2. 친구 소개서 작성

보기

1. 너는 어느 나라 사람이니?

2. 나는 한국인이야.

3. 오늘은 몇 월 며칠이니?

내 친구를 소개합니다.

Dàjiā hǎo!

Wǒ de péngyǒu jiào○○○.

Tā shì ○○○.

Tā de shēngrì shì ○ yuè ○ hào.

모두들 안녕! 내 친구는 ○○○이야. 그(그녀)는 ○○○이야.

그(그녀)의 생일은 ○월 ○일이야.

3. 대화문 완성

Dàjiā hǎo! Wǒ shì Hánguó de gēshǒu Jīn Dàlóng.

Jīnnián shíjiǔ suì.

Rènshi nǐmen hěn gāoxìng. Wǒ ài nǐmen.

Xièxie dàjiā!

모두들 안녕하세요! 저는 한국 가수 김대용입니다.

올해 19살입니다. 여러분을 만나서 반갑습니다. 사랑합니다.

감사합니다. 여러분!

A : Jīn Dàlóng jīnnián duōdà? 김대용은 올해 몇 살입니까?

B : Tā jīnnián _____ . 그는 올해 <u>19살</u>입니다.

정답　1. 中国人 Zhōngguórén　2. (예시) 金民浩, 韩国人, 8, 23　3. 十九岁

다시보기 2

제6과 시간 묻기

A: 你每天几点睡觉?
Nǐ měi tiān jǐ diǎn shuìjiào?
당신은 매일 몇 시에 자나요?

B: 晚上十二点半。
Wǎnshang shí'èr diǎn bàn.
밤 12시 30분에 잡니다.

제7과 취미 묻기

A: 你喜欢看电影吗?
Nǐ xǐhuan kàn diànyǐng ma?
당신은 영화 보는 것을 좋아합니까?

B: 我很喜欢看。
Wǒ hěn xǐhuan kàn.
저는 영화 보는 것을 매우 좋아합니다.

제7과 약속 정하기

A: 我们在哪儿见?
Wǒmen zài nǎr jiàn?
우리 어디에서 만날까요??

B: 在学校门口见。
Zài xuéxiào ménkǒu jiàn.
학교 입구에서 만나요.

228

제6과 시간 묻기

시간을 표현할 때 点,分을 사용하되, 2시의 경우 两点이라고 한다. 一刻는 15分이고, 三刻는 45分이다. 30分은 半이라고도 표현할 수 있다. 몇 분전은 差를 이용하여 표현한다. 조동사 要는 '~해야 한다'는 의지의 표현을 나타내며 동사 앞에 사용한다.

취미 묻기와 약속 정하기 **제7과**

❶ 喜欢 xǐhuan : 좋아하다

我喜欢听音乐。

Wǒ xǐhuan tīng yīnyuè.

나는 음악 듣는 것을 좋아한다.

❷ '在+장소+동사': ~에서 ~을 하다

他在学校教英语。

Tā zài xuéxiào jiào Yīngyǔ.

그는 학교에서 영어공부를 한다.

❸ 在+장소: ~에 있다

他在图书馆。

Tā zài túshūguǎn.

그는 도서관에 있다.

❹ 哪儿 : 어디(장소를 물을 때 사용하는 의문사)

A : 我们在哪儿见?

Wǒmen zài nǎr jiàn?

우리 어디에서 만날까?

B : 在学校门口见。

Zài xuéxiào ménkǒu jiàn.

학교 정문에서 만나.

❺ 会 : (학습을 통해) 할 수 있다

我不会踢足球。

Wǒ bú huì tī zúqiú.

나는 축구를 할 수 없다.

활용하기2

1 잘 듣고, 김민호의 취침 시간을 쓰고, 시계에 표시해 봅시다. 🎧147

听写

晚上 _____ 点 _____ 分

2 보기 를 참고하여 친구의 취미와 장소를 묻고, 문자 메시지를 빈칸에 작성해 봅시다.

说写

보기

A : 你会打篮球吗? Nǐ huì dǎ lánqiú ma?

B : 我会打篮球。Wǒ huì dǎ lánqiú.

A : 我们在哪儿见? Wǒmen zài nǎr jiàn?

B : 在学校门口见。Zài xuéxiào ménkǒu jiàn.

3 다음의 주요 일정표를 보고 대화문을 완성해 봅시다.

读写

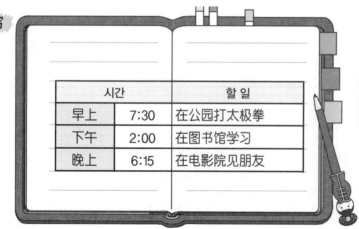

시간		할 일
早上	7:30	在公园打太极拳
下午	2:00	在图书馆学习
晚上	6:15	在电影院见朋友

A: 她下午两点做什么?

B: 她 [_____] 。

A: 她几点见朋友?

B: 她 [_____] 见朋友。

1. 시간 묻기

리빙빙 : 现在几点? 지금 몇 시야? Xiànzài jǐ diǎn?

김민호 : 现在七点半。 지금 7시 반이야. Xiànzài qī diǎn bàn.

리빙빙 : 你每天几点睡觉? Nǐ měi tiān jǐ diǎn shuìjiào? 너는 매일 몇 시에 자니?

김민호 : 晚上十一点四十分。 Wǎnshang shíyī diǎn sìshí fēn. 저녁 11시 40분.

2. 취미와 장소 묻기

보기

A: 너는 농구를 할 줄 아니?

B: 나는 농구를 할 줄 알아

A: 우리 어디에서 만날까?

B: 학교 입구에서 봐.

3. 일정표 완성

시간		할 일
아침	7:30	공원에서 태극권하기
오후	2:00	도서관에서 공부하기
저녁	6:15	영화관에서 친구 만나기

A : Tā xiàwǔ liǎng diǎn zuò shénme?

그녀는 오후 2시에 무엇을 합니까?

B : Tā _____.

그녀는 도서관에서 공부합니다 .

A : Tā jǐ diǎn jiàn péngyǒu?

그녀는 몇 시에 친구를 만납니까?

B : Tā _____ jiàn péngyǒu. 그녀는 저녁 6시 15분에 친구를 만납니다.

정답

1. 十一　　四十

2. (예시)

　　A : 你喜欢看电影吗?　　　B : 喜欢。

　　A : 我们在哪儿见?　　　B : 在电影院门口见。

3. 在图书馆学习

　　晚上六点一刻

다시보기3

A: 喂，你做什么呢?
Wèi, nǐ zuò shénme ne?
여보세요, 너 뭐 하고 있니?

B: 我在吃饭呢。
Wǒ zài chī fàn ne.
나 밥 먹고 있는 중이야.

 (149) 제8과 **경험 표현하기**

A: 你去过北京吗?
Nǐ qùguo Běijīng ma?
너는 베이징에 가 본 적이 있니?

B: 我还没去过。
Wǒ hái méi qùguo.
나 아직 안 가봤어.

제9과 **물건 사기** (150)

A: 多少钱?
Duōshao qián? 얼마입니까?

B: 120块。
Yìbǎi èrshí kuài. 120원입니다.

A: 太贵了。便宜一点儿吧。
Tài guì le. Piányi yìdiǎnr ba.
너무 비싸네요. 좀 깎아주세요.

보기 TIP

제8과 전화 걸기와 진행, 경험 표현하기

❶ 喂 wèi : 여보세요.

你打错了。 전화 잘못 거셨습니다.

Nǐ dǎ cuò le.

❷ 동작의 진행 : '在+동사+呢'

(在나 呢 중 하나만 써도 됨)

・你(在)做什么呢?

Nǐ (zài) zuò shénme ne?

너 뭐 하고 있니?

・我在吃饭呢。

Wǒ zài chī fàn ne.

나 밥 먹고 있어.

❸ 동작의 경험 : 동사+过

(부정: 没+동사+过)

・你吃过北京烤鸭吗?

Nǐ chīguo Běijīng kǎoyā ma?

너 베이징 오리구이 먹어봤니?

・我没吃过。

Wǒ méi chīguo.

나 못 먹어 봤어.

물건 사기 **제9과**

❶ 중국의 화폐 : 런민비

단위 : 块 kuài, 毛 máo, 分 fēn

❷ 가격을 읽을 때

￥20.8: 二十块八(毛)

èrshí kuài bā (máo)

❸ 조금 ~하다

'형용사/동사+(一)点儿'

'有(一)点儿+형용사'

의미는 비슷하지만 一点儿과 有点儿은 위치도 다르고 특히 有点儿은 부정적인 느낌을 줄 때 주로 사용하는 차이점이 있다.

활용하기 3

1 남자가 먹고 있는 음식을 고른 후 한어병음으로 써 봅시다. 🎧151

听写

北京烤鸭

粥

包子

米饭

---

2 보기 를 참고하여 친구가 가 본 나라 또는 도시를 묻고, 지도에 적어 봅시다.

说写

보기

A: 你去过北京吗? Nǐ qùguo Běijīng ma?

B: 我去过北京。Wǒ qùguo Běijīng.

3 나라와 빙빙의 문자 메시지를 읽고 대화문을 완성해 봅시다.

读写

나라 韩国朋友　　　　　　　　⏰ 🔋 📶100%🔋 오후 3:12

 现在普洱茶打7折，70块一个。
Xiànzài pǔ'ěrchá dǎ qī zhé, qīshí kuài yí ge.

真的？　太便宜了。我想买一个。
Zhēn de? Tài piányi le. Wǒ xiǎng mǎi yí ge.

 那我们一起去吧!
Nà wǒmen yìqǐ qù ba!

A: 不打折的话，普洱茶多少钱?

B: ＿＿＿＿＿＿＿块。

234

 TIP

1. 음식

여자 : 你吃饭了吗? Nǐ chī fàn le ma? 밥 먹었니?

남자 : 我在吃饭呢。 Wǒ zài chī fàn ne. 먹고 있어.

여자 : 你在吃什么? Nǐ zài chī shénme? 뭐 먹고 있는데?

남자 : 我在吃包子。 Wǒ zài chī bāozi. 나 만두 먹고 있어.

Běijīng kǎoyā 베이징 오리구이　　　　　　zhōu 죽

bāozi 만두　　　　　　　　　　　　　mǐfàn 쌀밥

2. 장소 묻기

보기

A : 너 베이징 가 본 적 있니?

B : 나는 베이징에 간 적 있어.

3. 물건 사기

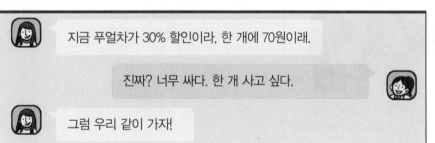

지금 푸얼차가 30% 할인이라, 한 개에 70원이래.

진짜? 너무 싸다. 한 개 사고 싶다.

그럼 우리 같이 가자!

A : Bù dǎzhé de huà, pǔ'ěrchá duōshao qián?
　　할인하지 않으면 푸얼차는 얼마인가?

B : _____ kuài.　　100 块

다시 보기 4

A: 请问，电影院怎么走?
Qǐngwèn, diànyǐngyuàn zěnme zǒu?
실례합니다. 영화관은 어떻게 가나요?

B: 一直往前走，然后往右拐。
Yìzhí wǎng qián zǒu, ránhòu wǎng yòu guǎi.
앞으로 쭉 가서, 그다음 오른쪽으로 돌아가세요.

A: 你哪儿不舒服?
Nǐ nǎr bù shūfu?
어디가 아픕니까?

B: 我有点儿发烧。
Wǒ yǒudiǎnr fāshāo.
좀 열이 납니다.

A: 今天天气怎么样?
Jīntiān tiānqì zěnmeyàng?
오늘 날씨는 어때요?

B: 今天天气很好。
Jīntiān tiānqì hěn hǎo.
날씨가 좋습니다.

보기 TIP

感冒 gǎnmào 감기(걸리다)

头疼 tóuténg 머리 아프다

发烧 fāshāo 열나다

流鼻涕 liú bítì 콧물 흘리다

打喷嚏 dǎ pēntì 재채기하다

咳嗽 késou 기침하다

肚子疼 dùzi téng 배가 아프다

拉肚子 lā dùzi 설사하다

打针 dǎzhēn 주사 맞다

看病 kànbìng 진찰받다

길 묻고 답하기   제11과

❶ 从은 동작의 공간적, 시간적 시작점을 나타내며, 주로 도착점을 나타내는 到와 함께 쓰인다.

从九点到六点工作。 9시부터 6시까지 일한다.

Cóng jiǔ diǎn dào liù diǎn gōngzuò.

❷ '离+장소, 때'의 형식은 기준점으로부터의 거리 또는 남은 시간 등을 표현할 때 사용한다.

公园离宿舍很近。 공원은 숙소에서 매우 가깝다.

Gōngyuán lí sùshè hěn jìn.

❸ 가정을 표현하는 방법: 要是/如果~(的话)'

要是打的的话, 要半个小时。

Yàoshi dǎdī dehuà, yào bàn ge xiǎoshí.

만약 택시를 타고 간다면 30분 걸립니다.

제11과   가능과 비교

❶ 会의 쓰임

• ~할 수 있다

(학습 후 할 수 있는 능력을 나타냄)

我会说汉语。 나는 중국어를 말할 수 있다.

Wǒ huì shuō Hànyǔ.

• ~할 것이다

(미래의 가능성이나 추측을 나타냄)

明天他不会来。 내일 그는 오지 않을 것이다.

Míngtiān tā búhuì lái.

❷ 비교문 比

• A+比/不比+B+형용사

(부정부사 不는 比앞에 쓰인다.)

我不比他高。 나는 그보다 키가 크지 않다.

Wǒ bù bǐ tā gāo.

• A 比 B + (还/更) + 형용사

(还/更은 사용할 수 있지만 很/太/非常은 사용할 수 없다.)

今天比昨天还冷。 오늘이 어제보다 더 춥다.

Jīntiān bǐ zuótiān hái lěng

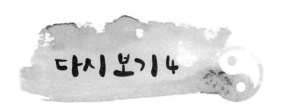

다시보기 4

1 잘 듣고, 여자의 건강 상태를 중국어로 써 봅시다. 🎧155

听写

_____

2 보기 를 참고하여 친구와 함께 가고 싶은 도시의 날씨를 묻고, 일기예보 판을 만들어 봅시다.

说写

보기

A: 北京的天气怎么样?
　 Běijīng de tiānqì zěnmeyàng?

B: 北京会下雪。
　 Běijīng huì xià xuě.

3 글을 읽고 대화문을 완성해 봅시다.

读写

今天小王要去天安门。
Jīntiān Xiǎo Wáng yào qù Tiān'ān Mén.

天安门离他家很近。
Tiān'ān Mén lí tā jiā hěn jìn.

出门往右拐，一直走，十分钟就到了。
Chūmén wǎng yòu guǎi, yìzhí zǒu, shí fēnzhōng jiù dào le.

A: 从小王家到天安门怎么走?

B: 出门往右拐，⬚⬚⬚⬚⬚⬚⬚⬚⬚。

문제 TIP

1. 건강 묻기

듣기 대본

의사 : 你哪儿不舒服吗?

Nǐ nǎr bù shūfu ma?

당신은 어디가 불편합니까?

환자 : 有点儿发烧。

Yǒudiǎnr fāshāo.

조금 열이 납니다.

2. 날씨 묻기

보기

A : 베이징의 날씨는 어때?

B : 베이징은 눈이 올 거야.

3. 대화문 완성

오늘 샤오왕은 톈안먼에 가려고 한다.
톈안먼은 그의 집에서 아주 가깝다.
문을 나서서 우회전하여 곧장 가면 10분이면
도착한다.

A : Cóng xiǎo Wáng jiā dào Tiān'ān mén zěnme zǒu?

샤오왕의 집에서 톈안먼까지 어떻게 갑니끼?

B : Chūmén wǎng yòu guǎi, _____.

문을 나서서 우회전하고, 一直走, 十分钟就到了。

정답 1. 有点儿发烧。 2. (예시) 北京: 下雪, 首尔: 晴天, 东京: 下雨 3. 十分钟就到了

1 녹음을 듣고 그림이 일치하면 답안에 O 표시를, 틀리면 X 표시를 하시오.

2 녹음을 듣고 대화가 이루어지는 장소를 고르시오.

| 1 | 2 | 3 |

3 녹음을 듣고 여자가 다녀온 나라를 고르시오.

| 1 | 2 | 3 |

쓰기 평가

1 단어의 뜻을 쓰시오.

1 lánqiú → _____   **2** xuéxiào → _____

3 电影院 → _____   **4** 朋友 → _____

2 단어의 헌어병음을 쓰시오.

1 죽 → _____   **2** 여보세요 → _____

3 便宜 → _____   **4** 一起 → _____

3 문장의 뜻과 일치하도록 빈 칸을 완성하시오.

1 너무 비싸요. → 太 [_____] 了。

2 나는 밥을 먹고 있어. → 我 [_____] 吃饭 [_____] 。

4 다음 문장을 한자로 바르게 쓰시오.

1 Běijīng de tiānqì zěnmeyàng? → _____

2 Tiān'ān Mén lí tā jiā hěn jìn. → _____

1 단어와 뜻이 바르게 연결하시오.

寒假 •	• huángsè	• 겨울방학
菜名 •	• zuìjìn	• 노란색
黄色 •	• zuìjìn	• 내년
明年 •	• càimíng	• 음식이름
最近 •	• hánjià	• 최근

2 괄호 안의 두 단어 가운데 알맞은 것을 고르시오.

(1) Wǒ hái (bù, méi) chī guo.

(2) Tài guì le, piányi (yìdiǎnr, yǒudiǎnr) ba.

3 그림에 해당하는 단어를 한자로 쓰시오.

(1)

(2)

4 한어병음을 바르게 배열하시오.

(1) i x x à ě u ➜ (   )

(2) h   u   r   n   á   ò ➜ (   )

5 다음을 한자로 쓰시오.

(1) 영화관 어떻게 가나요? ➜ (   )

(2) 오늘 날씨 매우 좋다. ➜ (   )

6 그림을 보고 빈칸에 들어갈 말을 쓰시오.

7 빈 칸을 채워 문장을 완성하시오.

(1) 咱们(　　　　　)跟(　　　　　)呀!

(2) 服务员，我们(　　　　　)。

8 아래 단어를 바르게 배열하여 문장을 완성하시오.

(1) 우리 집은 식구가 4명이야.

　　四, 人, 我, 有, 家, 口　→ _____

(2) 나는 한국 노래 듣는 것을 좋아해.

　　喜欢, 韩国歌, 我, 听　→ _____

9 문장을 바르게 해석하시오.

(1) 去医院坐车的话，十分钟就到。→ _____

(2) 非常冷，可能会下雪。→ _____

10 주어진 단어가 들어갈 위치를 표시하시오.

(1) 但是 →　칠 줄은 아는데, 잘은 못 쳐.

　　　　　ⓐ 会是　ⓑ 会，　ⓒ 打得　ⓓ 不好。

(2) 来 →　오리구이 한 마리와 콜라 한 병 주세요.

　　　　　ⓐ 一只　ⓑ 烤鸭　ⓒ 和　ⓓ 一瓶　ⓔ 可乐。

단원 종합 평가

[1-4] 대화문을 읽고 물음에 답하시오.

> **보기**
>
> 리빙빙 : ⓐ <u>너는 영화 보는 것을 좋아하니?</u>
> 김민호 : 我很喜欢看。
> 리빙빙 : 那么今天晚上我们ⓑ<u>一</u>起去看电影吧。
> 김민호 : 好，我们ⓒ<u>在</u>哪儿见？
> 리빙빙 : 在电影院门口见。

1 ⓐ를 중국어로 바르게 작문한 것은?

① 你喜欢看电影吗？　　　　　　　　　② 你看喜欢电影吗？

③ 你不喜欢看电影吗？　　　　　　　　④ 你喜欢看电影吧？

⑤ 你看电影喜欢吧？

2 밑줄 친 '一'의 성조를 읽을 때 ⓑ와 같은 발음은?

① 一号　　　　② 看一看　　　③ 一百　　　④ 十一　　　⑤ 一样

3 밑줄 친 '在'의 성격이 ⓒ과 같은 문장은?

① 他不在家。　　　　　　　　　　　　② 你在学习吗？

③ 姐姐在学校吗？　　　　　　　　　　④ 我在吃饭呢。

⑤ 妈妈在家看电视剧。

4 대화문의 내용과 일치하는 것은?

① 영화는 저녁 6시에 시작한다.　　　　② 리빙빙은 한국영화에 관심이 많다.

③ 김민호는 영화 보는 것을 좋아한다.　④ 학교 앞에서 만나서 같이 가기로 했다.

⑤ 리빙빙과 김민호는 내일 영화 보러 간다.

5 성격이 다른 단어는?

① 哥哥 – 弟弟　　　　② 老师 – 学生　　　　③ 姐姐 – 妹妹

④ 奶奶 – 爷爷　　　　⑤ 爸爸 – 妈妈

[6-9] 대화문을 읽고 물음에 답하시오.

> 보기
>
> 박나라 : Wèi, xīngqītiān wǒmen qù túshūguǎn ba.
> 왕　강 : Hǎo. Túshūguǎn　(a)　xuéxiào yuǎn ma?
> 박나라 : Bù yuǎn. (b) Qí zìxíngchē dehuà, shí fēn zhōng　(c)　dào.
> 왕　강 : Xīngqītiān zǎoshang (d) bā diǎn yí kè zài túshūguǎn ménkǒu jiàn.
> 박나라 : Hǎo.

6 빈칸 (a), (b)에 들어갈 알맞은 것은?

① (a) 从, (c) 才　　　　② (a) 离, (c) 才　　　　③ (a) 从, (c) 到

④ (a) 离, (c) 就　　　　⑤ (a) 到, (c) 就

7 (b)와 어울리는 교통수단은?

① 飞机　　　② 出租车　　　③ 摩托车　　　④ 地铁　　　⑤ 火车

8 (d)의 시간과 같은 표현은?

① 八点半　　　　　② 八点三刻　　　　　③ 八点十五分

④ 差五分八点　　　⑤ 八点四十五分

9 대화문의 내용과 일치하는 것은?

① 학교는 자전거 타고 10분이면 간다.　　② 박나라와 왕강은 서점에 가기로 했다.

③ 일요일 아침 8시에 만나기로 약속했다.　④ 도서관은 학교에서 멀지 않은 곳에 있다.

⑤ 박나라와 왕강은 전화로 안부를 묻고 있다.

10 두 사람의 대화가 <u>어색한</u> 것은?

① A : 你是哪国人?　　　　　　　② A : 明天几月几号?

　B : 我是韩国人。　　　　　　　　B : 十二月六号。

③ A : 多少钱?　　　　　　　　　④ A : 请问, 医院怎么走?

　B : 便宜一点儿吧。　　　　　　　B : 一直往前走, 然后往右拐。

⑤ A : 今天天气怎么样?

　B : 今天天气很好。

제로 카드

활동 자료 327쪽

활동 방법

1. A4 용지의 절반 크기를 세 번 접는다.
2. 여덟 칸이 생기면 정해 놓은 범위 내에 있는 단어(혹은 문장)를 한 칸에 하나씩 적는다.
3. 순서를 정하고 위와 아래 중 단어(혹은 문장)를 말하며 해당 칸의 종이를 찢는다.
4. 상대가 말하는 단어(혹은 문장)가 맨 위 또는 맨 아래 칸에 있는 경우만 찢을 수 있다.
5. 순번대로 돌아가며 단어(혹은 문장)를 말하고 종이를 찢는다.
6. 종이가 남지 않는 사람이 최종 승리한다.

활동 삽화

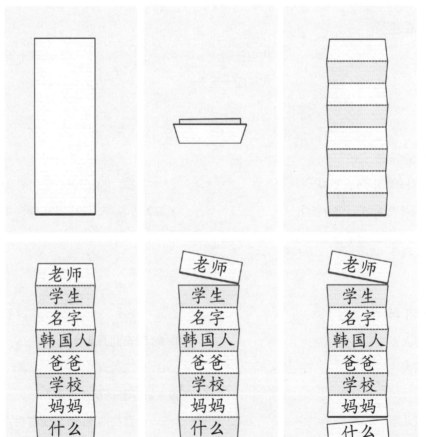

老师 lǎoshi 선생님
学生 xuésheng 학생
名字 míngzi 이름
韩国人 Hánguórén 한국인
爸爸 bàba 아빠
学校 xuéxiào 학교
妈妈 māma 엄마
什么 shénme 무슨

노래: 甜蜜蜜 🎧156

덩리쥔(邓丽筠)이 부른 甜蜜蜜 tiánmìmì는 영화 甜蜜蜜의 영화 주제곡으로 더욱 유명해졌다.
그럼 중국 노래 甜蜜蜜를 불러보자.

甜蜜蜜 Tiánmìmì

작사 庄奴 / 작곡 Osman Ahmad

甜蜜蜜你笑得甜蜜蜜
好像花儿开在春风里
开在春风里
在哪里在哪里见过你
你的笑容这样熟悉
我一时想不起
啊~在梦里
梦里梦里见过你
甜蜜笑得多甜蜜
是你~是你~梦见的就是你
在哪里在哪里见过你
你的笑容这样熟悉
我一时想不起
啊~在梦里

달콤해요. 당신의 미소는 달콤해요.
마치 봄바람 속에서 꽃이 피는 것 같아요.
봄바람 속에서 피어요.
어디서인가 당신을 본 적 있어요.
당신의 미소는 그렇게 익숙해요
나는 갑자기 생각이 나질 않아요.
아 ~ 꿈속에서 봤군요.
꿈속에서 당신을 본 적이 있어요.
미소가 너무나 달콤해요.
바로 당신이에요. 꿈속에서 본
사람이 바로 낭신이에요.
어디서인가 당신을 본 적 있어요.
당신의 미소는 그렇게 익숙해요.
나는 갑자기 생각이 나질 않아요.
아 ~ 꿈속에서 봤군요.

甜蜜	tiánmì	달콤하다	笑容	xiàoróng	미소짓는 표정
笑	xiào	웃다	这样	zhèyàng	이렇게, 이렇다
好象	hǎoxiàng	마치 ~과/와 같다	熟悉	shúxī	익숙하다
开	kāi	(꽃이) 피다	一时	yìshí	잠시
春风	chūnfēng	봄바람	梦	mèng	꿈
里	lǐ	안쪽, 안			

짝과 함께 보드 게임

활동 방법

1. 동전을 두 개 던져 둘 다 앞면이면 두 칸, 하나만 앞면이면 한 칸, 둘 다 뒷면이면 제자리이다.
2. 임무를 수행하지 못하면 원래 자리로 돌아온다.

활동 삽화

출발

① 중국 전통 의복 명칭 말하기
② 색깔 3가지 빨리 말하기
③ 물건 깎는 표현 말하기

⑦ 120元 중국어로 말하기
⑥ 중국 음식 명칭 2개 말하기
⑤ 8번으로 이동
④ 톈안먼 한자로 쓰기

⑧ 창청을 한자로 쓰기
⑨ "얼마예요?" 중국어로 말하기
⑩ 친구와 말 위치 바꾸기
⑪ 请问 한어병음으로 쓰기

⑮ 지하철역 어떻게 가는지 중국어로 묻기
⑭ 두 칸 뒤로
⑬ 춘절에 대문에 붙이는 것 말하기
一年好运随春到 四季彩云滚滚来
⑫ 사계절을 중국어로 말하기

도착

248

도전! 탕후루(糖葫芦tánghúlu) 만들기

준비물: 설탕, 물, 물엿, 꼬치, 좋아하는 과일

설탕 시럽 만들기
설탕:물:물엿 = 4:1:1

부록

정답과 해설

기초 평가

본문 20쪽

01 ③	**02** ③	**03** ⑤	**04** ②	**05** ②
06 ⑤	**07** ②	**08** ①	**09** ④	**10** ③

01 중국의 수도를 묻는 문제로 '北京', 베이징이 정답이다. 참고로 중국의 4대 직할시로는 베이징, 상하이, 톈진, 충칭이 있으며 홍콩은 특별자치구에 속한다.

02 중국의 국기는 '오성홍기'로 중국어로는 '五星红旗'이다. 빨간색의 바탕에 왼쪽에는 노란색으로 이루어진 다섯 개의 별이 있는데, 가장 큰 별은 공산당을 의미하고 나머지 4개의 작은 별들은 노동자, 농민, 소자산 계급과 민족자산계급을 나타낸다. 국기의 빨간색의 의미는 공산주의와 혁명을 의미한다.

03 중국의 56개의 민족 중에서 90% 이상의 인구를 차지하는 민족은 한족이다. 한위라고 부르는 이유는 바로 대다수를 차지하는 한족의 언어이기 때문에 한족이 사용하는 언어라고 해서 '汉语'라고 부른다.

04 '동방명주'는 상하이를 대표하는 랜드마크로 높은 기둥을 중심으로 구슬 세 개를 꿰어 놓은 듯한 독특한 외형이 인상적인 건물로 세계에서 네 번째, 아시아에서는 두 번째로 높은 건물이라는 기록을 세웠다.

05 성조의 의미를 물어보는 문제이다. 성조는 중국어 음절의 3요소(성조, 성모, 운모) 중 하나로 '음의 높낮이로' 뜻을 구분하며 모두 4개의 성조가 있다.

06 중국어는 뜻으로 이루어진 글자(표의문자)로 음을 나타낼 수 없는 한계가 있다. 이에 한자의 음을 표기하는 방법이 만들어졌는데 이것이 바로 '한어병음'이다. 한어병음은 표음문자인 로마자 즉, 알파벳을 이용하여 한자의 음을 표기하며 표준어 발음을 나타내고 있다.

07 우리나라에서도 마파두부의 조리법이 여러 가지가 소개되면서 중국 요리 중에서 한국인들이 자주 즐겨먹는 요리 중 하나로 인식되고 있다.

08 중국어로는 '剪纸'이다.

09 만리장성은 동쪽의 끝인 산해관과 가욕관은 오래전부터 실크로드 길에서 중요한 관문으로 사용이 된 곳으로 산해관에서 가욕관까지의 길이가 대략 6,350km 정도가 된다.

10 병마용은 세계의 8대 경이 중 하나로 꼽히기도 하는데 하나하나가 모두 훌륭한 예술품으로 평가되고 있다. 이 병마용들은 진시황 친위군단의 강력한 위용을 과시하는 데 그치지 않고 진나라의 군사편제·갑옷·무기등의 연구에도 구체적인 자료를 제공하고 있으며, 이와 아울러 일부 도용에서 확인되는 북방 민족의 두발 형식은 친위군단의 민족적 구성을 짐작하게 한다.

단원 종합 평가

본문 22쪽

01 北京, 天津, 上海, 重庆	**02** 태극권
03 선저우 11호	**04** 황산 **05** 광장무
06 공산당, 노동자, 농민, 소자산계급, 민족자산계급	
07 유커 **08** 표의문자, 표음문자 **09** 샤오롱바오	
10 변검(变脸) **11** ⑤	

01 중국의 4대 직할시는 北京(베이징), 天津(톈진), 上海(상하이), 重庆(충칭)이다. 면적으로는 베이징이 약 16,808km², 톈진이 11,760.26km², 상하이가 약 6,184km², 충칭이 약 82,400km²며, 인구로는 베이징이 약 2,200만 명, 톈진이 1,546만 명, 상하이가 약 2,300만 명, 충칭이 약 4,900만 명이 살고 있다.

02 중국의 태극권에 대해서 설명하고 있다. 중국의 명조 말~청조 초(17세기)에 허난성에 거주하는 진씨성 일족 사이에서 창시된 진식(陳式) 태극권에서 유래하였다는 설

과 중국 송나라 말 사람인 장삼봉 진인이 역경(易經)의 태극오행설(太極五行說)과 황제내경소문(黃帝內經素問)의 동양의학, 노자(老子)의 철학사상 등에 기공(氣功) 및 양생도인법, 호신술을 절묘하게 조화해 집대성한 것이라는 설이 있다. 창안한 근본 목적은 치병 및 건강장수에 있지만 유연하고 완만한 동작 속에 기를 단전에 모아 온몸에 원활하게 유통시키고 오장육부를 강화하는 것이 두드러진 특징이다.

03 '선저우 시리즈'는 1992년 시작된 중국의 유인 우주선 발사 프로젝트로서 1999년 '선저우 1호' 발사 이후로 총 11호까지 이르게 되었다. 2016년 7번째 유인선의 이름은 '선저우 11호'이다. 따라서 정답은 '선저우 11호'이다.

04 황산은 진나라 때 황산은 이산(移山)이라고 불렸으며 이후 당나라 현종 때 현재의 명칭으로 바뀌었다고 전한다. 등산을 위하여 4만 개에 이르는 돌계단이 설치되어 있고 황산입구 자광각(慈光閣)에는 정상으로 오르는 케이블카가 만들어져 있다. 정상 부근에는 3개의 호텔이 있고 남쪽 기슭의 탕커우(湯口)에는 일년 내내 온천이 뿜어져 나온다. 현재 중국의 대표적인 관광·휴양지가 되어 있으며 황산 자락 일대에서 생산되는 녹차는 최고의 품질로 평가받는다. 1990년 유네스코(UNESCO:국제연합교육과학문화기구)에서 세계문화유산과 자연 유산으로 지정하였다.

05 중국어로는 '广场舞'라고 하며 중국 길거리를 가다보면 가장 흔하게 볼 수 있는 장면이라고 볼 수 있다. 글자의 의미 그대로 광장이나 공원에 모여서 춤을 추는 것이라고 이해하면 된다. 수많은 중년 여성들이 정렬하여 오와 열을 정확히 맞춘 가운데 일사불란하게 동작에 맞추어 춤을 추는데 이는 중국에서만 볼 수 있는 독특한 풍경이다.

06 오성홍기(五星紅旗)는 1949년 중국 정치협상회의 준비위원회가 공모선을 열어 총 2,992점 후보작 중에서 채택된 것이다. 5가지 별들의 의미는 가장 큰 별은 공산당을, 작은 별들은 노동자, 농민, 소자산계급과 민족자 산계급을 나타낸다. 참고로 오성홍기 국기의 빨간색의 의미는 공산주의와 혁명을 의미한다. 따라서 정답은 '공산당', '노동자', '농민', '소자산계급', '민족자산계급'이다.

07 중국어로는 '游客'라고 한다. 우리나라에서는 '중국인 관광객'을 일컫는 단어로 주로 사용 되고 있다.

09 샤오룽바오는 중국대륙 뿐만이 아니라 대만, 홍콩 등 중국권 전역과 전 세계의 중국요리 레스토랑에서 쉽게 찾을 수 있는 중국식 만두요리이다.

10 중국어로는 '变脸'이라고 한다.

11 성조의 역할에 대해서 물어보고 있다. 중국어의 성조는 경성을 제외하고 모두 4개의 성조가 있는데 같은 발음이라도 성조에 따라서 의미가 다르게 사용된다.

제2과 **중국어의 발음**

기초 평가

본문 34쪽

01 ③	02 ④	03 ②	04 ⑤	05 ③
06 ③	07 ③	08 ①	09 ①	10 ⑤

01 중국어 음절의 3요소 중에서 '성모'에 대해서 설명하고 있다. ②번 '초성'으로 정답을 생각할 수 있으나 중국어에서는 '초성'이라는 의미가 없고, 우리말의 '초성'에 해당하는 명칭을 '성모'라고 한다.

02 중국어 성조의 표기법에 대해서 이해하는 문제이다. ①번부터 ④번까지 1, 2, 3, 4성의 순서대로 제시되어 있고 ⑤번의 표기는 경성(짧고 약하게 발음)이다.

03 운모에 해당하지 않는 것을 찾는 문제이다. 'b'는 쌍순음으로 성모에 해당한다.

04 기본운모 'o'에 대한 설명을 하고 있는 문장이다.

05 주어진 우리말에 해당하는 한어병음을 찾는 문제로 '아빠는 안 가십니다.'의 올바른 한어병음은 'Bàba bú qù.이다.
② Gēge qù. 오빠(형)가 가다.
③ Bàba bú qù. 아버지는 가지 않습니다.
④ Gēge qù le. 오빠(형)가 갔습니다.
⑤ Gēge bú qù. 오빠(형)가 가지 않습니다.

06 성조에 대한 정의에 대해서 묻고 있는 문장이다.

07 성조 표기법에 해당하는 문제로 제시된 발음은 〈2-1-4〉로 발음되는 3성의 내용이다. 3성은 중간보다 낮은 음에서 시작하여 깊숙이 내렸다가 다시 위로 올리면서 발음한다.

08 마찬가지로 성조 표기법에 해당하는 문제로 제시된 발음은 〈5-5〉로 발음되는 1성의 내용이다. 1성은 높고 평평한 음을 유지해서 발음한다.

09 단운모(기본운모) 6가지 중에서 입을 가장 크게 벌리며 발음하는 것은 'a'이다.

10 설첨중음(d, t, n, l)에 대해서 설명하고 있는 문장으로 이에 해당하지 않는 것은 순치음인 'f' 발음이다.

단원 종합 평가
본문 36쪽

01 ①	**02** ②	**03** ②	**04** ②	**05** ⑤
06 ③	**07** ③	**08** ⑤	**09** ②	**10** ②

01 성모의 종류 중에서 쌍순음에 대해서 설명하고 있는 문제이다. 쌍순음은 윗입술과 아랫입술을 붙였다가 떼면서 내는 소리로 모두 3가지(b, p, m)가 있다.

02 단운모를 이용하여 문장을 만들고, 이 문장을 한어병음으로 바르게 옮긴 것을 찾는 문제로 '남동생은 안 갑니다.'의 올바른 한어병음의 표현법으로는 'Dìdi bú qù.'이다.
① Dìdi qù. 남동생은 갑니다.
③ Dìdi bú qù ma? 남동생은 가지 않습니까?
④ Bàba bú qù. 아버지는 안 가십니다.
⑤ Bàba bú qù ma? 아버지는 가지 않습니까?

03 '엄마'라는 단어의 알맞은 발음을 이해하는 문제로 쌍순음에 해당하는 'm'를 넣어서 'māma'라는 단어를 만들어야 한다.

04 'hǎo' 발음에 해당하는 우리말을 고르는 문제로 'hǎo'는 '좋다'의 의미를 갖고 있다.

05 교실중국어에 해당하는 한어병음 문장을 우리말로 바르게 옮긴 것을 찾는 문제로 '저를 따라 읽어주세요. 지금 시작합니다!'의 알맞은 한어병음은 'Gēn wǒ dú, xiànzài kāishǐ!'이다.

① Fēicháng hǎo! 정말 잘합니다!
② Qǐng dǎ kāi shū. 책을 펴십시오.
③ Māma piàoliang ma? 어머니는 아름답습니까?
④ Wǒ diǎn yíxià míng. 출석을 부르겠습니다.

06 성모와 운모를 구별할 수 있는지 없는지를 묻는 문제로 ③번의 'b'만 성모이고 나머지는 모두 기본운모(단운모)로 사용되는 단어들이다.

07 보기에서 옳은 문장들끼리 짝지어진 것을 고르는 문제로 오답은 '나'와 '마'이다. '나'는 '중국어에는 기본적으로 8개의 성조가 있다.'고 기술했는데 표준 중국어는 4개의 성조가 있기 때문에 오답이다. 또한 '마'는 '현재 중국에서 사용되는 중국어 발음표기법의 정식명칭은 '주음부호방법이다.'라고 했는데 현재 중국에서는 '한어병음방안'을 제정하여 사용하고 있기 때문에 이 문장 또한 오답이다.

08 주어진 우리말에 해당하는 한어병음을 고르는 문제로 '노력하다'의 한어병음은 'nǔlì'이다.

09 중국어 성조표기를 할 때 우선순위에 대한 이해를 해야 풀 수 있는 문제로 가장 기본적인 성조표기의 순서는 'a 〉 o = e 〉 l = u 〉 ǚ'이다. 따라서 가장 우선적인 순위인 'a' 위에 성조를 표기해야 한다.

10 2성의 성조 표기법에 대해서 묻는 문제이다.

제3과 你好

짧은 문장 만들기 　　　　　본문 40쪽

Zài jiàn!

듣기 문제 1 　　　　　본문 46쪽

A : 再见! Zàijiàn! 잘 가!
B : 明天见! Míngtiān jiàn! 내일 보자!
정답 ②

듣기 문제 2 　　　　　본문 47쪽

A : 晚上好! Wǎnshang hǎo! 안녕!(저녁인사)
B : 晚上好! Wǎnshang hǎo! 안녕!(저녁인사)
정답 ③

듣기 평가

본문 52쪽

01 ○   **02** ②   **03** ③

01 你好! Nǐ hǎo!

'안녕하세요!', '안녕!'이라는 의미로 사용되는 인사말이다.

02 对不起! Duìbuqǐ!

'미안합니다!', '죄송합니다!'의 사과의 의미로 사용한다.

03 A : 大家好! 여러분, 안녕하세요!

Dàjiā hǎo!

B : 老师好! 선생님, 안녕하세요!

Lǎoshī hǎo!

쓰기 평가

본문 53쪽

01 (1) 나 (2) 너, 당신 (3) 잘 가 (4) 선생님
02 (1) qù (2) xièxie (3) hěn (4) kèqi
03 (1) bu (2) jiàn
04 (1) 大家好! (2) 没关系!

01 (1) 我 wǒ 나 (2) 你 nǐ 너, 당신

(3) 再见 zàijiàn 잘 가 (4) 老师 lǎoshī 선생님

02 (1) 去 qù 가다

(2) 谢谢 xièxie 감사합니다, 고맙습니다.

(3) 很 hěn 매우, 대단히

(4) 客气 kèqi 예의바르다, 겸손하다

03 (1) 对不起! Duìbuqǐ 미안해!

(2) 明天见! Míngtiān jiàn 내일 봐요!

04 (1) 大家好! Dàjiā hǎo! 여러분 안녕하세요!

(2) 没关系。Méi guānxi. 괜찮습니다.

기초 평가

본문 54쪽

01

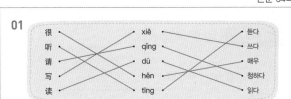

02 (1) hǎo (2) hěn
03 (1) 我 (2) 同学们
04 ①
05 ②
06 (1) wǎnshang (2) xièxie
07 (1) ⓒ (2) ⓓ
08 ①
09 (1) 여러분 감사합니다! (2) 죄송합니다! (가볍게 미안할 때)
10 (1) 对不起! / 不好意思! (2) 同学们好!

01 주어진 단어의 한자, 한어병음, 의미를 모두 이해해야 한다.

02 주어진 문장 안에 들어갈 알맞은 단어를 찾는 문제이다.

(1) '미안합니다'의 '不好意思'의 한어병음을 이해한다.

(2) '나는 매우 좋아'의 '我很好'의 한어병음을 이해한다.

03 그림에 해당하는 단어를 한자로 쓰는 문제이다.

(1) 我 wǒ 나 (2) 同学们 tóngxuémen 친구들

04 '再见!'의 우리말의 '또 만나요!'의 뜻이다.

② 감사합니다! 谢谢!

③ 미안합니다! 对不起!

④ 괜찮습니다! 没关系!

⑤ 사양하지 마세요! 别客气!

05 '对不起!'의 한어병음은 'Duìbuqǐ!'이다.

① Xièxie! 谢谢! 고맙습니다!

③ Bù hǎoyìsi! 不好意思! 미안합니다!

④ Méi guānxi! 没关系! 괜찮습니다!

⑤ Hěn bàoqiàn! 很抱歉! 매우 미안하다!

06 주어진 단어의 한어병음을 정확히 이해하는지를 확인하는 문제이다.

(1) 저녁 wǎnshang

(2) 감사하다 xièxie

07 주어진 단어가 들어갈 위치를 묻는 문제이다.

(1) '좋다, 안녕하다'의 '好'의 위치는 ⓒ번에 두어야 한다.

(2) '만나다'의 '见'의 위치를 찾는 문제로 '잠시 후'라는 '一会儿' 뒤인 ⓓ에 사용하면 된다.

08 대화가 이루어지는 시간을 묻는 문제로 첫 번째 문장에서 인사하는 '早上好!' 문장에서 힌트를 얻고 정답을 찾으면 된다.

A: 안녕하세요!

B: 안녕하세요!

A: 건강하시죠?

B: 네, 감사합니다.

09 제시된 중국어 문장을 바르게 해석하는 문제이다.

(1) 谢谢大家! Xièxie dàjiā! 여러분 감사합니다!

(2) 不好意思。Bù hǎoyìsi. 죄송합니다.

10 제시된 우리말 문장을 중국어로 작문하는 문제이다.

(1) '미안합니다!'는 '对不起! Duìbuqǐ!'나 '不好意思! Bù hǎoyìsi!'를 쓴다.

(2) 학우들 안녕! 同学们好! Tóngxuémen hǎo!

단원 종합 평가

본문 56쪽

01 ⑤	02 ②	03 ④	04 ②
05 (1) 谢谢您! (2) 不客气!			
06 ②	07 ②	08 ⑤	09 ④	10 ⑤

01 제시된 중국어 단어와 우리말의 연결이 잘못된 표현을 찾는 문제이다. '晚上'은 '저녁'을 뜻하는 단어이며 '아침'은 '早上'을 사용한다.

02 작별인사와 관련된 문장을 고르는 문제이다.

① Nǐ hǎo! 안녕!(만날 때 하는 인사말)

③ Xiàwǔ hǎo! 안녕!(오후에 하는 인사말)

④ Laǒshī hǎo! 선생님 안녕하세요!

⑤ Tóngxuémen hǎo! 친구들 안녕!

03 학생들과 선생님이 인사하는 장면이다. 제시된 보기에서 학생들이 선생님에게 '老师好!'라고 인사를 하고 있다. 이와 관련하여 선생님이 학생들에게 인사하는 표현으로 정답은 ④번 '여러분'이라는 단어를 사용하여 '大家好!'로 인사하면 된다.

A: 老师好! 선생님 안녕하세요!

B: 大家好! 모두들 안녕!

04 작별을 나타내는 표현을 이해하는 문제로 '再见!'이라고 작별인사를 할 때 연결 지어서 사용할 수 있는 표현은 '明天'이라는 단어 밖에는 없다.

A: 再见! 안녕!

B: 明天见! 내일 보자!

① 你们 너희들 ③ 大家 모두 ④ 不客气 괜찮아

⑤ 谢谢 고마워

05 제시된 한어병음을 보고 한자를 쓰는 문제이다.

(1) 谢谢您! 감사합니다!

(2) 不客气! 별 말씀을요!

06 '不'의 성조 변화를 이해하는 문제로 '不' 단어의 본래 성조는 4성으로, '不 + 1, 2, 3성'일 경우 '不'는 4성으로, '不 + 4성'일 경우 '不'는 2성으로 변한다. 문제에서는 '不' 뒤에 '客气'가 사용되었고 '客'가 4성이기 때문에 '不'는 2성으로 바뀐다.

07 감사를 나타내는 한어병음의 문장을 고르는 문제이다.

① Duìbuqi. 미안합니다.

③ Búyòng xiè. 별말씀을요.

④ Zhè shì nǐ de shū. 이것은 당신의 책입니다.

⑤ Zhè shì yīnggāi de. 마땅한 일입니다.

08 주어진 우리말에 해당하는 중국어를 고르는 문제로 '당신의 도움에 감사드립니다.'의 한어병음은 '谢谢你的帮助.'으로 사용해야 한다.

① 不谢。별말씀을요. ② 不客气。별말씀을요.

③ 您太客气了。너무 예의를 차리십니다.

④ 非常感谢您。정말로 감사합니다.

09 오랜만에 만났을 때 사용하는 'Hǎo jiǔ bú jiàn. 好久不见.'이외에도 'Hěn jiǔ méi jiàn. 很久没见.'으로도 사용할 수 있다.

① Xièxie. 감사합니다. ② Zàijiàn. 안녕히 가세요.

③ Duìbuqǐ. 죄송합니다.

⑤ Duōxiè, duōxiè. 감사합니다, 감사합니다.

10 한어병음에 해당하는 중국어를 고르는 문제로 'xiàwǔ'는 '오후'를 뜻하는 단어이다.

① 晚上 wǎnshang 저녁 ② 老师 lǎoshī 선생님

③ 很好 hěn hǎo 좋다 ④ 明天 mímgtiān 내일

제4과 我是韩国人

짧은 문장 만들기

본문 60쪽

Wǒ shì Měiguórén.

듣기 문제 1

남 : 我是中国人，你呢? 나는 중국인입니다, 당신은요?

여 : 我是韩国人。 나는 한국인입니다.

정답 ①

듣기 문제 2

여 : 你家有几口人? 너희 가족은 몇 식구야?

남 : 我家有四口人。 4식구야.

여 : 都有什么人? 어떻게 되는데?

남 : 爸爸、妈妈、弟弟和我。
　　 아빠, 엄마, 남동생, 그리고 나야.

정답 ②

듣기 평가

01 ○　　**02** ③　　**03** ③

01 她不是日本人，是中国人。
그녀는 일본인이 아니라, 중국인입니다.

02 A : 你是哪国人? 당신은 어느 나라 사람입니까?
B : 我是美国人。 저는 미국인입니다.
국적을 물어보는 문장에 답변하는 표현으로 미국인이라고 대답하고 있다.

03 A : 你家有几口人? 너의 가족은 몇 명이니?
B : 我家有五口人。 우리 집안은 5명의 가족이 있어.
A : 都有什么人? 가족의 구성원은 어떻게 되니?
B : 爷爷、爸爸、妈妈、弟弟和我。
　　 할아버지, 아빠, 엄마, 남동생과 나야.
가족이 몇 명인지 물어보고, 5명이라고 대답하고 있다.

쓰기 평가

01 (1) ~라 부르다　(2) 무엇, 무슨　(3) 2, 둘　(4) 이름
02 (1) shì　(2) shéi　(3) jiā　(4) nǎ
03 (1) 叫, 名字　(2) 有, 几
04 (1) 你是哪国人?　(2) 我家有四口人。

01 (1) 叫 jiào ~라 부르다　(2) 什么 shénme 무엇, 무슨
　　(3) 两 liǎng 2, 둘　(4) 名字 míngzi 이름

02 (1) 是 shì ~이다　(2) 谁 shéi 누구
　　(3) 家 jiā 집　(4) 哪 nǎ 어느

03 (1) 你叫什么名字? 당신의 이름은 무엇입니까?
　　　Nǐ jiào shénme míngzi?
　　(2) 你家有几口人? 당신의 가족은 몇 명입니까?
　　　Nǐ jiā yǒu jǐ kǒu rén?

04 (1) 你是哪国人? 당신은 어느 나라 사람입니까?
　　　Nǐ shì nǎ guó rén?
　　(2) 我家有四口人。 우리 가족은 4명입니다.
　　　Nǐ jiā yǒu sì kǒu rén.

기초 평가

01
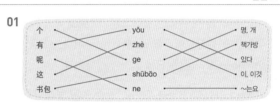

02 (1) nǎ　(2) yě
03 (1) 奶奶　(2) 手机
04 (1) shénme　(2) méiyǒu
05 (1) 你叫什么名字?　(2) 我妈也是韩国人。
06 (1) Wǒ jiā yǒu liù kǒu rén.　(2) Wǒ shì Rìběnrén.
07 (1) 个　(2) 叫
08 (1) 你是哪国人?　(2) 我家有四口人。
09 (1) 3가족(명)입니다.　(2) 저는 중국인입니다. 당신은요?
10 (1) ⓑ　(2) ⓓ

01 주어진 단어의 한자, 한어병음, 의미를 모두 이해해야
해결할 수 있는 문제이다.

02 문장 안에 들어갈 알맞은 단어를 찾아 쓰는 문제이다.
(1)은 국적을 물어보는 표현으로 '어느'에 해당하는 의문
사 'nǎ'를 사용해야 한다.
(2)는 '또한', '역시'의 의미를 표현으로 'yě'를 사용해야
한다. 참고로 'yě'는 부사로 문장 안에 사용할 때는 술어
앞에서 사용해야 한다.

03 그림에 해당하는 단어를 중국어로 쓰는 문제이다.
(1) 奶奶 nǎinai 할머니
(2) 手机 shǒujī 휴대 전화

04 주어진 단어의 한어병음을 정확히 이해하는지를 확인하
는 문제이다.

(1) shénme 무엇, 무슨 (2) méiyǒu 없다

05 주어진 우리말을 중국어로 쓰는 문제이다.
(1) 你叫什么名字？당신의 이름은 무엇입니까?
(2) 我妈也是韩国人。우리(나의) 엄마도 한국인입니다.
'우리(나의) 엄마도'라는 의미를 통해 강조의 표현을 사용해야 함을 알 수 있다. 이에 '我妈'와 '是韩国人。' 사이에 '또한', '역시'에 해당하는 '也'의 단어를 사용해야 완벽한 문장이 만들어진다는 것을 기억하자.

06 묻는 문장에 중국어로 알맞은 표현을 쓰는 문제이다.
(1)은 '你家有几口人？'으로 '너의 가족은 모두 몇 명이니?'라는 의미로 해석하면 된다. 이에 해당하는 답변으로 그림에서는 모두 6명의 가족이기 때문에 답은 'Wǒ jiā yǒu liù kǒu rén. (我家有六口人。)'이 된다.
(2)는 국적을 물어보는 문장으로 '你是哪国人？'이라고 물었으며 일본인이라고 답변을 하면 된다. 따라서 'Wǒ shì Rìběnrén. (我是日本人。)'이 정답이다.

07 빈 칸에 들어갈 알맞은 단어를 골라 쓰는 문제이다.
(1)은 사람을 나타내는 양사인 '个'를 사용해야 한다. 她有两(个)妹妹。그녀는 두 명의 여동생이 있다.
(2)는 이름을 물어볼 때 사용하는 표현으로 괄호 안에 들어갈 단어는 '~라 부르다'의 의미인 '叫'를 사용해야 한다. 你 (叫) 什么名字? 당신은 이름이 어떻게 됩니까?

08 주어진 단어들을 배열하여 알맞은 중국어 문장을 작문하는 문제이다.
(1)은 국적을 물어보는 '당신은 어느 나라 사람입니까?'의 문장으로 정답으로는 '你是哪国人?'이다. 이 문장에서 사용된 의문사 '哪(어느)'의 사용으로 일반 평서형 문장 끝에 사용되는 의문조사 '吗'를 사용하지 않고 의문형의 문장이 만들어짐을 이해할 수 있다.
(2)는 가족의 구성원을 대답하는 표현의 문장으로 '저의 가족은 4명입니다.'를 중국어로 작문하는 문제이다. 정답은 '我家有四口人。'이다.

09 주어진 중국어 문장을 우리말로 해석하는 문제이다.
(1) '三口人。'은 '3명이다'라는 의미인데, 여기에 사용된 '口'라는 단어가 가족을 셀 때 사용하는 양사로 쓰인 것으로 보아 가족의 구성원을 나타내는 표현임을 알 수 있다.
(2) '我是中国人，你呢？'의 문장은 '저는 중국인입니다. 당신은요?'라는 문장으로 국적을 물어보는 표현

에 답변하는 문장으로 이해하면 된다.

10 문장 안에 들어갈 알맞은 단어를 찾는 문제이다.
(1)은 본인의 이름을 이야기 할 때 사용하는 방법으로 '我'와 '金民浩' 앞에 '叫'의 단어를 넣어주면 된다.
(2)는 가족의 구성원을 이야기하는 문장으로 '我家有三人。'에서 가족의 수를 세는 양사 '口'의 위치를 물어 보는 문제로 '수사+양사+명사'의 순서에 따라 사용하면 됨으로 정답은 '三'과 '人' 사이인 ⓓ에 넣어주면 된다.

단원 종합 평가
본문 76쪽

01 ②	02 ③	03 ①	04 ③	05 ⑤
06 ①	07 ③	08 ④	09 ③	10 ⑤

01 각 단어의 음절의 성조를 이해하는 문제이다.
① 名字 míngzi ② 年级 niánjí ③ 弟弟 dìdi
④ 学生 xuésheng ⑤ 什么 shénme
②번의 jí만 2성이고 나머지는 모두 경성으로 이루어져 있다.

02 단어의 성격을 확인하는 문제이다.
① 姐姐 누나, 언니 ② 爸爸 아빠 ③ 韩国 한국
④ 奶奶 할머니   ⑤ 弟弟 남동생
③번(국적을 나타냄)을 제외한 나머지는 모두 가족관계를 나타내는 단어이다.

03~04 보기

| A : 你家有几口人? 너희 집은 몇 식구이니?
B : 我家有五口人。다섯 식구야.
A : 都有什么人? 모두 어떻게 되는데?
B : 爷爷、爸爸、妈妈、妹妹和我。
할아버지, 아빠, 엄마, 여동생과 나야.
我妈也是韩国人。우리 엄마 역시 한국인이야. |

03 가족이 몇 명인지를 물어보는 문장으로 '你家有几口人?'이 완성된 문장이다. 따라서 ⓐ에 들어갈 알맞은 단어는 10 미만의 수를 셀 때 사용하는 '几'이다.
② 哪 어느 ③ 多少 얼마 ④ 什么 무슨 ⑤ 没有 없다

04 가족의 구성원을 물어볼 때 사용하는 문장으로 이 때는 '都有什么人'의 표현을 사용해서 물어볼 수 있다.
① 早上好 안녕(아침인사)
② 不好意思 죄송하다, 면목 없다

④ 我没有弟弟 나는 남동생이 없다

⑤ 你家有几口人 너희 가족은 몇 명이니

05 그림을 보고 알맞은 국적의 사람을 고르는 문제로 투우 사로 유명한 스페인인을 찾으면 된다.

① 韩国 Hánguó 한국 ② 英国 Yīngguó 영국

③ 美国 Měiguó 미국 ④ 日本 Rìběn 일본

⑤ 西班牙 Xībānyá 스페인

06 가계도의 내용을 보면 아버지와 어머니 위에 있는 분 중 에서 한 분을 찾는 문제인데 'nǎinai'인 할머니가 제시되 어 있기 때문에 정답은 'yéye (할아버지)'이다.

① yéye 爷爷 할아버지 ② jiějie 姐姐 언니

③ jiārén 家人 가족 ④ shūshu 叔叔 삼촌

⑤ mèimei 妹妹 여동생

07 주어진 단어들을 이용하여 올바른 문장을 만드는 문제 로, 이러한 문제의 형태는 HSK 3급과 4급에서도 쓰기 분야에 고정적으로 제시되는 문제이다. 주어진 문장은 '그녀는 여동생이 두 명 있습니다.'이다. 중국어 문장의 구조를 살펴본다면 '주어+동사+목적어'의 형태로 그녀 를 나타내는 주어 ⓑ가 먼저 나오고, 동사인 ⓐ를 그 뒤 에 넣어 주어야 한다. 또한 목적어는 여동생의 ⓒ를 넣 어주어야 하는데 '두 명'의 수식해 주는 성분의 위치를 확인해야 한다. 이는 목적어 바로 앞에 사용해야 하기 때문이다.

08 한어병음으로 이루어진 문장의 대화의 흐름이 어색한 것을 고르는 문제이다.

① A : Nǐ shì nǎ guó rén?

당신은 어느 나라 사람입니까?

B : Wǒ shì Zhōngguórén.

저는 중국인입니다.

② A : Nín guì xìng?

당신의 성은 무엇입니까?

B : Wǒ xìng Lín jiào Shēngguī.

제 성은 임이고, 승규라고 부릅니다.

③ A : Nǐ jiā yǒu jǐ kǒu rén?

당신의 가족은 몇 명인가요?

B : Wǒ jiā yǒu sān kǒu rén.

저의 집에는 3명입니다.

④ A : Nǐ yǒu méi yǒu dìdi?

당신은 남동생이 있습니까?

B : Wǒ jiào Jīn Shèngxùn.

저는 김성훈이라고 합니다.

⑤ A : Nǐ jiào shénme míngzi?

당신의 이름은 무엇입니까?

B : Wǒ jiào Jīn Mínhào. 제 이름은 김민호입니다.

따라서 가장 어색한 문장은 ④번이다.

09 보기

ⓐ 你家有几口人 ? 당신의 가족은 몇 명입니까?

ⓑ 我家有四口人。제 가족은 4명입니다.

ⓒ 三口人, 你呢 ? 3명입니다. 당신은요?

ⓓ 我妈也是韩国人。우리 엄마도 한국인입니다.

따라서 문장의 흐름으로 보아 가장 자연스러운 부분은 〈ⓐ-ⓒ-ⓑ-ⓓ〉이다.

10 두 그림을 보고 상황과 일치하는 것을 모두 고르는 문제 로 중국어 문장을 해석해 보면 5개의 문항의 내용이 모 두 일치함을 알 수 있다. 따라서 정답은 ⑤번이다.

ⓐ 小王家有五口人。小王의 가족은 5명이다.

ⓑ 小李有爸爸和妈妈。小李는 아빠와 엄마가 있다.

ⓒ 小王没有哥哥。小王은 형이 없다.

ⓓ 小李家有三口人。小李의 가족은 3명이다.

ⓔ 小王有爷爷。小王은 할아버지가 있다.

제5과 今天几月几号

짧은 문장 만들기 본문 80쪽

明天星期二。

듣기 문제 1 본문 86쪽

A : 今天是几月几号?

오늘은 몇 월 며칠인가요?

B : 今天是5月15号, 星期三。

오늘은 5월 15일, 수요일입니다.

정답 ②

듣기 문제 2 본문 87쪽

A : 今天星期几? 오늘은 무슨 요일입니까?

B : 今天星期日。오늘은 일요일입니다.

정답 ③

본문 92쪽

01 ×	02 ②	03 ①

01 A : 今天几月几号？ 오늘은 몇 월 며칠입니까?
B : 今天是五月十一号，星期四。오늘은 5월 11일, 목요일입니다.
달력에는 오늘이 5월 15일이라고 표시되어 있고, 듣기에는 5월 11일이 오늘이라고 말하고 있으므로 정답은 ×이다.

02 A : 你的妹妹今年多大？ 네 여동생은 올해 몇 살이니?
B : 我的妹妹今年十五岁。내 여동생은 올해 15살이다.

03 A : 祝你生日快乐! 생일 축하합니다.
B : 今天我请客。你们点菜吧!
오늘은 제가 한턱냅니다. 주문하십시오!
생일을 축하하고 있고, 이에 감사해 하는 장면을 찾는 문제이다. 따라서 정답은 ①번이다.

본문 93쪽

01 (1) 파이팅 (2) 즐겁다 (3) 친구 (4) 운동회
02 (1) jīnnián (2) hào (3) gāoxìng (4) shēngri
03 (1) xīngqīwǔ (2) rènshi, gāoxìng
04 (1) 生日快乐! (2) 明天是运动会吗?

01 (1) 加油 jiāyóu 파이팅
(2) 快乐 kuàilè 즐겁다
(3) 朋友 péngyou 친구
(4) 运动会 yùndònghuì 운동회

02 (1) 今年 jīnnián 올해, 금년 (2) 号 hào 일
(3) 高兴 gāoxìng 기쁘다, 즐겁다
(4) 生日 shēngri 생일

03 (1) 五月十号，星期五。5월 10일, 금요일입니다.
Wǔ yuè shí hào, xīngqīwǔ.
(2) 认识你, 很高兴。만나게 되어서 반갑습니다.
Rènshi nǐ, hěn gāoxìng.

04 (1) 生日快乐! Shēngri kuàilè! 생일 축하합니다!
(2) 明天是运动会吗? 내일은 운동회입니까?
Míngtiān shì yùndònghuì ma?

본문 94쪽

01

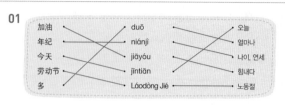

02 (1) jǐ (2) dà
03 (1) 儿童节 (2) 运动会
04 (1) jiāyóu (2) Chūnjié
05 (1) 星期 (2) 年纪
06 (1) Wǔ yuè shíwǔ hào.
(2) Rènshi nǐ, wǒ yě hěn gāoxìng!
07 (1) ⓓ (2) ⓑ
08 (1) Jīntiān jǐ yuè jǐ hào? (2) 谢谢, 这是我妹妹。
09 (1) 그래요! 모두들 파이팅입니다!
(2) 오늘은 금요일이 아닙니다.
10 (1) ⓒ (2) ⓐ

01 주어진 단어의 한자, 한어병음, 의미를 모두 이해해야 해결할 수 있는 문제이다.

02 문장 안에 들어갈 알맞은 단어를 찾아 쓰는 문제이다.
(1)은 요일을 물어보는 표현으로 10미만의 수를 셀 때 사용되는 'jǐ'이다.
(2)는 나이를 물어보는 표현으로 'dà'를 사용해야 한다.

03 어린이날은 중국어로 '儿童节', 운동회는 '运动会'이다. 참고로 우리나라의 어린이날은 5월 5일이지만, 중국의 어린이날은 6월 1일이다.

04 한어병음을 이해해야 하는 문제로, 문제에는 성조 표기가 되어 있기 때문에, 이러한 유형의 문제는 단어의 의미를 정확히 이해하고 각 음절에 해당하는 한어병음들을 조합해서 하나의 단어로 만들면 된다.

05 (1)은 요일에 대한 표현을 물어보는 문제로 요일을 나타내는 '星期'의 단어를 사용해야 한다.
Jīntiān xīngqī jǐ? 今天星期几? 오늘은 무슨 요일입니까?
(2)는 나이 표현법과 관련하여 손위의 어르신들에게 사용하는 표현으로 '多大年纪'라는 표현을 사용해야 한다. '多大年纪' 이 외에도 '几岁', '多大'의 표현법도 함께 학습해 두도록 하자.
Nǐ jīnnián duō dà? 你今年多大?
너는 올해 몇 살이니?

06 (1) 오늘은 몇 월 며칠인가요?라는 문제로 달력에 표시된 날짜는 5월 15일임을 확인할 수 있다. 중국어로 날짜를 표현할 때는 '월'은 '月'로, '일'은 '号'를 넣어서 사용하며 이에 해당하는 수사를 넣어주기만 하면 되기 때문에 (1)번의 정답은 'Wǔ yuè shíwǔ hào.'의 한어병음을 쓰면 된다.

(2)는 상대방에게 만나서 반갑다는 표현을 사용하는 것으로 '또한', '역시'의 '也'를 사용하여 'Rènshi nǐ, wǒ yě hěn gāoxìng!'의 형태로 만들어서 사용하면 된다.

07 주어진 단어가 들어갈 위치를 찾아내는 문제이다.

(1)은 나이를 나타내는 '岁'(세, 살)의 위치 찾는 문제로 나이를 나타내는 수사 '十三' 뒤에 붙여주면 된다.

(2)는 동사 술어로 사용된 '是'의 위치를 찾아내는 문제로 동사의 위치는 주어 뒤 술어 앞에 놓는다는 것을 이해해야 한다. 이 문장에서 주어는 내일이라는 '明天'이며 목적어는 운동회라는 '运动会'이다. 따라서 주어진 동사 술어 '是'가 들어갈 위치는 ⓑ이다.

08 문장 안에 들어가는 단어의 순서를 정확하게 이해하는 문제로, 중국어의 문장 구조는 '주어+술어+목적어'의 순서로 이해하면 된다.

(1) 오늘은 몇 월 며칠입니까? 今天几月几号？
Jīntiān jǐ yuè jǐ hào?

(2) 고마워, 여기는 내 여동생이야. 谢谢, 这是我妹妹。
Xièxie, zhè shì wǒ mèimei.

09 (1)은 '그래요! 모두들 파이팅입니다!'로 여기에서 '大家'의 의미는 '모두, 여러분'의 뜻을 갖고 있으며 '加油'는 '힘내다'의 의미로 해석하면 된다.

(2)는 '오늘은 금요일이 아닙니다.'로 여기에서 '今天'은 '오늘', '不是'는 부정의 표현으로 '~이 아니다'라는 의미이고, '星期五'는 '수요일'이라는 의미이다. 따라서 '오늘은 금요일이 아니다.'라는 의미로 해석하면 된다.

10 (1)은 중국어로 시제를 나타내는 단어를 이해하는 문제이다. 제시된 단어들을 살펴본다면
前天(그저께) ⓐ 昨天(어제) ⓑ 今天(오늘) ⓒ 后天(모레)로 제시된 明天(내일)이 들어갈 위치는 ⓒ으로 볼 수 있다.

(2)는 생일축하의 문장을 이해하는 표현으로 '축복하다', '축원하다'의 '祝'는 문장 가장 앞자리에 위치해야 한다.

단원 종합 평가

본문 96쪽

01 ⑤	02 ③	03 ②	04 ③	05 ④
06 ⑤	07 ③	08 ③	09 ④	10 ②

01 중국어와 의미의 연결이 바르지 않는 것을 찾는 문제이다. '加油'은 '힘내다, 파이팅하다'의 의미이고, '상점'의 중국어는 '商店'이다.

02 제시된 중국어의 의미를 이해하는 문제이다.
'gāoxìng'은 '기쁘다', '즐겁다'의 의미이다.
① 올해 jīnnián ② 나이 niánjì ③ 기쁘다
④ 얼마나 duō ⑤ 서명하다 qiān míng

03 문법적인 표현을 이해하는 문제로 부정부사의 의미에 대해서 이해하고 있는지 아닌지를 물어보는 문제이다. 일반적으로 사용되는 부정부사로는 '不 bù'와 '没 méi'가 있는데, 현재와 미래의 경험, 행위, 사실 등을 부정할 때는 '不 bù'를 사용하고, 과거의 경험과 행위, 사실 등을 부정할 때는 '没 méi'를 사용하여야 한다. 위 문장은 '모레 hòutiān'라는 미래의 시제가 사용되었으므로 과거의 부정을 나타내는 '没 méi'를 사용해서는 안 된다. 따라서 정답은 ⓑ임을 확인할 수 있다. 참고로 문장에서 부사의 위치는 주어 뒤 술어 앞에 놓인다는 것도 함께 기억하며 공부해 나가도록 하자.

04 대화의 내용에 알맞은 표현의 문장을 찾는 문제로 제시된 A가 말한 문장은 나이를 물어보는 표현이다.
A: Nǐ jīnnián duō dà? 너는 올해 몇 살이니?
B: Wǒ jīnnián shísān suì. 저는 올해 13살입니다.
① Xièxie 감사합니다
② Shēngrì kuàile 생일 축하합니다
③ Rènshi nǐ, hěn gāoxìng 만나서 반갑습니다
⑤ Láodòng Jié wǔ yuè yī hào 노동질은 5월 1일이다

05 정답은 ④번 'Xīngqī jǐ'이다.
① Jǐ hào 며칠?
② Jǐ yuè 몇 월
③ 'Jǐ xīngqī'는 중국어에서 사용하지 않는 잘못된 표현이다.
⑤ Shénme shíhou 언제

06 '~이 아니고, ~이다'의 표현을 이해하는 문제로 중국어 표현으로는 '不是~, 是~'이다. 따라서 정답은 ⑤번 '不是'이다.

07 나이를 물어보는 표현법을 이해하는 문제로 10세 미만의 어린 아이들에게 나이를 물어보는 표현방법을 이해해야 한다. 이는 '几岁'라는 표현법으로 정답은 ④번이다. 참고로 나이를 물어보는 '几岁' 이외에도, '多大', '多大年纪'가 있다는 것을 기억하도록 하자.

A : 你奶奶多大年纪了?
　　당신의 할머니는 연세가 어떻게 되십니까?
B : 她今年七十三岁了。할머니는 올해 73세이십니다.

08

A : 오늘은 몇 월 며칠입니까? 무슨 요일인가요?
B : 5월 10일, 수요일입니다.
A : 그럼 우리 운동회는 몇 월 며칠인가요?
B : 바로 내일입니다.
A : 그래요? 저는 너무 기대됩니다.
B : 우리 모두 파이팅입니다.

문제에서 제시된 질문은 운동회가 열리는 날짜나 요일을 고르는 것인데, 운동회는 5월 10일 수요일에 진행이 된다. 따라서 정답은 ③번 목요일로 확인할 수 있음을 알 수 있다.

09~10 보기

① 那 저, 저것 ② 认识 알다, 이해하다 ③ 几岁 몇 살
④ 年纪 나이 ⑤ 加油 파이팅

09 괄호 안에 들어갈 알맞은 중국어를 찾는 문제로 손 위의 어르신들에게 연세를 물어볼 때 사용하는 표현으로 정답은 ④번 '年纪'이다. 즉 손 위의 어르신들에게 연세를 물어볼 때는 '多大年纪'를 사용한다.

爷爷, 您今年多大年纪?
할아버지, 올해 연세가 어떻게 되십니까?

10 '만나서 반갑습니다.'라는 문장을 이해해야 풀 수 있는 문제로 정답은 '알다', '이해하다'의 의미인 ②번 '认识'을 사용해서 문장을 만들어야 한다.

认识你, 很高兴。만나서 반가워요.

제**6**과　　现在几点

짧은 문장 만들기　　본문 100쪽

zǎoshang qi diǎn.

早上 zǎoshang 아침, 七 qī 7, 일곱, 点 diǎn 시

듣기 문제 1　　본문 106쪽

A : 现在几点? Xiànzài jǐ diǎn? 지금 몇 시야?
B : 现在两点。Xiànzài liǎng diǎn.지금 두 시야
정답 ③

듣기 문제 2　　본문 107쪽

A : 你每天几点起床?
B : 六点半。
정답 ①

듣기 평가

본문 112쪽

01 ○　　**02** ③　　**03** ①

01 现在两点一刻。지금은 2시 15분입니다.
Xiànzài liǎng diǎn yí kè.
시간에서 2시는 两点으로 표현함. 一刻는 15분을 의미함.

02 我要学习汉语。나는 중국어 공부를 할 거야.
Wǒ yào xuéxí Hànyǔ.

03 여 : 你几点睡觉? 너는 몇 시에 자니?
Nǐ jǐ diǎn shuìjiào?
남 : 晚上十二点。저녁 12시.
Wǎnshang shí'èr diǎn.

쓰기 평가

본문 113쪽

01 (1) 지금 (2) 잠자다 (3) 중국어 (4) 진짜
02 (1) chídào (2) xiūxi (3) wèi shénme (4) zuòyè
03 (1) shí'èr, bàn　　(2) 现在, 点
04 (1) 我们迟到了。(2) 因为我要学习汉语。

01 (1) 现在 xiànzài 지금 (2) 睡觉 shuìjiào 잠자다
　　(3) 汉语 Hànyǔ 중국어 (4) 真的 zhēnde 진짜

02 (1) 迟到 chídào 지각하다 (2) 休息 xiūxi 쉬다
　　(3) 为什么 wèi shénme 왜 (4) 作业 zuòyè 숙제

03 (1) 晚上十二点半。저녁 12시 반이야.
　　Wǎnshang shí'èr diǎn bàn.
　　(2) 现在几点? 지금 몇 시야?
　　Xiànzài jǐ diǎn?

04 (1) 我们迟到了。 우리 지각이야.

Wǒmen chídào le.

(2) 因为我要学习汉语。

Yīnwèi wǒ yào xuéxí Hànyǔ.

왜냐하면 나는 중국어를 공부하기 때문이야.

기초 평가

본문 114쪽

01

快 ── Hànyǔ ── 중국어
走 ── zuòyè ── 빨리
真的 ── zhēnde ── 숙제
汉语 ── zǒu ── 가다
作业 ── kuài ── 진짜

02 (1) bàn (2) qī diǎn

03 (1) 2:15 (2) 3:55

04 (1) yí kè (2) bàn

05 快

06 (1) 睡觉 (2) 上课

07 (1) měi tiān (2) chídào

08 ③

09 (1) 다 같이 쉬자. (2) 나는 숙제를 해야 한다.

10 (1) ⓑ (2) ⓑ

---

01 주어진 단어의 한자, 한어병음, 의미를 모두 이해해야 해결할 수 있는 문제이다.

02 문장 안에 들어갈 알맞은 단어를 찾아 쓰는 문제이다.

(1) 现在九点半。 지금은 9시 반입니다.

Xiànzài jiǔ diǎn bàn.

(2) 我七点起床。 나는 7시에 일어난다.

Wǒ qī diǎn qǐchuáng.

03 정확한 시간은 시계에 그리는 문제이다.

(1) 两点一刻。 Liǎng diǎn yí kè. 2시 15분이다.

(2) 差五分四点。 Chà wǔ fēn sì diǎn.

4시 5분 전, (즉 3시 55분을 말한다.)

04 보기의 알맞은 단어를 골라 시간을 표현하는 문제이다.

보기

半 bàn 반(30분), 分 fēn 분,
一刻 yí kè 15분, 点 diǎn 시

(1) 十点一刻。Shí diǎn yí kè. 10시 15분이다.

(2) 三点半。Sān diǎn bàn. 3시 반이다.

05 두 단어를 모두 알아야 문제를 풀 수 있다.

快乐 kuàilè 즐겁다

快走吧! Kuài zǒu ba! 빨리 가자!

06 반대말을 쓰는 문제이다.

起床 qǐchuáng 기상하다 ↔ 睡觉 shuìjiào 잠자다

上课 shàngkè 수업 시작하다 ↔ 下课 xiàkè 수업 마치다

07 문장의 뜻과 일치하도록 문장을 완성하는 문제이다.

(1) 너는 매일 몇 시에 자니? 你每天几点睡觉?

Nǐ (měi tiān) jǐ diǎn shuìjiào?

(2) 우리 늦었어! 我们迟到了。 Wǒmen (chídào) le.

08 하루 일과를 중국어로 표현한 문장이다.

我七点起床。 나는 7시에 기상한다.

Wǒ qī diǎn qǐchuáng.

八点上课。Bā diǎn shàngkè. 8시에 수업이 시작한다.

五点回家。Wǔ diǎn huí jiā. 5시에 귀가한다.

十点睡觉。Shí diǎn shuìjiào. 10시에 잠잔다.

09 (1)은 '大家休息吧。Dàjiā xiūxi ba. 다 같이 쉬자.'의 청유형의 문장이다.

(2)는 '我要做作业。Wǒ yào zuò zuòyè. 나는 숙제를 해야 한다.'의 조동사 '要' 의지 표현의 문장이다.

10 (1)은 10미만의 수를 물을 때 사용하는 의문사 几가 들어갈 위치는 ⓑ로 现在几点? Xiànzài jǐ diǎn?이다. (2)는 '~해야 한다'는 의지의 표현인 要는 동사 앞에 위치한다. 따라서 정답은 ⓑ로, 明天要HSK考试。Míngtiān yào HSK kǎoshì.이다.

단원 종합 평가

본문 116쪽

01 ⑤	**02** ⑤	**03** ①	**04** ④	**05** ④
06 ④	**07** ①	**08** ②	**09** ⑤	**10** ③

01 그림에 해당하는 단어를 고르는 문제로 정답은 ⑤이다.

① 午饭 wǔfàn 점심식사 ② 起床 qǐcháng 기상하다

③ 迟到 chídào 지각하다 ④ 睡觉 shuìjiào 잠자다

⑤ 学习 xuéxí 공부하다

02 단어와 뜻의 연결을 묻는 문제로 정답은 ⑤이다.

① 点 diǎn – 시 ② 分 fēn – 분
③ 走 zǒu – 가다 ④ 考试 kǎoshì– 시험
⑤ 冬天 dōngtiān – 겨울

03 문장 해석을 통해 빈칸에 공통으로 들어가는 단어를 찾는 문제로 정답은 ①이다.

· 我晚(上)十二点睡觉。
　Wǒ wǎnshang shí´èr diǎn shuìjiào.

· 我八点(上)课。Wǒ bā diǎn shàngkè.

04 어순 배열하는 문제로 접속사+주어+부사 (조동사 要)+서술어(동사)+목적어 순이다.

因为我要学习汉语。
Yīnwèi wǒ yào xuéxí Hànyǔ.
왜냐하면 중국어 공부를 해야하니깐.

05 시간 표현에서 半과 分은 동시에 사용하지 않는다.

我早上七点半起床。
Wǒ zǎoshang qī diǎn bàn qǐchuáng.
나는 아침 7시 반에 기상한다.

06 시간 표현에서 二과 两의 정확한 쓰임을 묻는 문제로, 두 시는 两点 liǎngdiǎn으로 표현하고, 20분은 二十分 èrshí fēn이라고 한다.

07~09 제시된 중국어 문장을 해석하면 아래와 같다.

A : 왕강, 일어나!
B : 지금 몇 시야?
A : 지금 7시 40분이야. 우리 지각이야.
B : 빨리 가자.

07 10 미만의 수를 물을 때 사용하는 의문사 几를 이용해서 시간을 묻는 문장이다.

① 几 jǐ – 몇 ② 那 nà – 저, 저것
③ 哪儿 nǎr – 어디 ④ 什么 shénme – 무엇
⑤ 怎么样 zěnmeyàng – 어때

08 '~하자'란 뜻의 청유형 문장에 쓰이는 어기조사는 吧이다.

09 현재시간은 7시 40분(七点四十分 qī diǎn sìshí fēn)으로 7시 14분(七点十四分 qī diǎn shísì fēn)이 아니다.

10 하루 일과를 해석하면 아래와 같다.

ⓒ 我七点起床。나는 7시에 일어난다.
　Wǒ qī diǎn qǐchuáng.

ⓛ 我十二点吃午饭。나는 12시에 점심식사를 한다.
　Wǒ shí´èr diǎn chī wǔfàn.

ⓔ 我五点四十分回家。나는 5시 40분에 귀가한다.
　Wǒ wǔ diǎn sìshí fēn huí jiā.

ⓜ 我十一点睡觉。나는 11시에 잠든다.
　Wǒ shíyī diǎn shuìjiào.

제**7**과　我们在哪儿见

짧은 문장 만들기 　　　　　　　　　　본문 124쪽

Wǒ tīng yīnyuè.

→ 我听音乐。나는 음악을 듣는다. Wǒ tīng yīnyuè.

듣기 문제 1 　　　　　　　　　　　　본문 130쪽

A : 我们在哪儿见? 우리는 어디에서 만나?
　Wǒmen zài nǎr jiàn?

B : 在图书馆见。도서관에서 보자.
　Zài túshūguǎn jiàn.

정답 ②

듣기 문제 2 　　　　　　　　　　　　본문 131쪽

A : 我喜欢跳舞。

정답 ③

듣기 평가

　　　　　　　　　　　　　　　　본문 136쪽

01 ×	02 ①	03 ①

01 我会打篮球。나는 농구를 할 수 있다.
Wǒ huì dǎ lánqiú.
농구를 할 수 있다고 말하고 있는데 그림이 탁구치는 모습이므로 '×'이다.

02 我喜欢看电影。나는 영화 보는 것을 좋아한다.
Wǒ xǐhuan kàn diànyǐng.

03 A : 我们在哪儿见? 우리 어디에서 만날까?
　Wǒmen zài nǎr jiàn?

B : 在学校门口见。학교 입구에서 만나.
　Zài xuéxiào ménkǒu jiàn.

본문 137쪽

01 (1) 좋아하다 (2) 입구 (3) 문제 (4) 그러나
02 (1) jiāo (2) zúqiú (3) tī (4) yǎnchànghuì
03 (1) Míngtiān (2) huì
04 (1) 没问题。 (2) 我喜欢听韩国歌。

01 (1) 喜欢 xǐhuan 좋아하다 (2) 门口 ménkǒu 입구
　　(3) 问题 wèntí 문제 (4) 但是 dànshì 그러나

02 (1) 教 jiāo 가르치다 (2) 足球 zúqiú 축구
　　(3) 踢 tī 차다 (4) 演唱会 yǎnchànghuì 콘서트

03 (1) Míngtiān qù yǎnchànghuì ba. 내일 콘서트 가자.
　　明天去演唱会吧。
　　(2) Nǐ huì dǎ pīngpāngqiú ma? 너는 탁구 칠 수 있니?
　　你会打乒乓球吗?

본문 138쪽

01
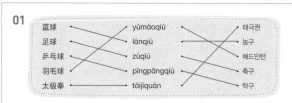

02 (1) nǎr (2) tī
03 (1) 唱歌 (2) 跳舞
04 (1) tīng (2) kàn
05 打
06 (1) diànyǐng (2) wèntí
07 (1) 可以 (2) 但是
08 (1) Wǒ huì dǎ pīngpāngqiú.
　　(2) Tā bù xǐhuan tīng yīnyuè.
09 (1) 나는 한국음악 듣는 것을 좋아한다. (2) 상점에서 만나.
10 (1) ⓑ (2) ⓑ

01 주어진 단어의 한자, 한어병음, 의미를 모두 이해해야
　해결할 수 있는 문제이다.

02 문장 안에 들어갈 알맞은 단어를 찾아 쓰는 문제이다.
　(1) 我们在哪儿见? Wǒmen zài nǎr jiàn?
　　우리 어디에서 만나?
　　'어디'라는 의문사는 哪儿 nǎr로 '어느'를 의미하는
　　哪 nǎ는 부적절하다.

(2) 你会踢足球吗? Nǐ huì tī zúqiú ma?
　　너는 축구를 할 수 있니?
　　踢 tī는 '축구를 ~하다'의 동사이고, 打 dǎ는 '야구,
　　농구, 탁구, 배드민턴 등을 ~하다'이다.

03 그림에 맞는 단어를 쓰는 문제이다.
　(1)은 노래 부르는 모습으로 정답은 唱歌이다.
　(2)는 춤추는 모습으로 정답은 跳舞이다.

04 보기의 알맞은 단어를 골라 시간을 표현하는 문제이다.

> **보기**
> kàn 看 보다, tīng 听 듣다,
> wánr 玩儿 놀다, tī 踢 ~하다

　(1) Wǒ xǐhuan tīng yīnyuè.
　　나는 음악 듣는 것을 좋아한다.
　　我喜欢听音乐。
　　'음악을 듣다'로 동사 听(듣다)을 써야 한다.
　(2) Wǒ bù xǐhuan kàn diànyǐng.
　　나는 영화 보는 것을 좋아하지 않는다.
　　我不喜欢看电影。
　　'영화를 보다'로 동사 '看(보다)'을 써야 한다.

05 두 단어를 모두 알아야 문제를 풀 수 있다.
　打乒乓球 dǎ pīngpāngqiú 탁구를 치다.
　打篮球 dǎ lánqiú 농구를 하다.
　'(탁구, 농구 등의 운동을) 하다'의 의미의 동사는 打 dǎ
　이다.

06 한어병음을 바르게 배열하면서 단어를 암기하는 문제이
　다.
　(1) diànyǐng 电影 영화
　(2) wèntí 问题 문제

07 문장이 뜻과 일치히도록 문장을 완성하는 문제이다.
　(1) 你可以教他吗? 네가 그를 가르칠 수 있니?
　　Nǐ kěyǐ jiāo tā ma?
　　'허락을 의미하는 ~할 수 있다' 라는 '可以'를 사용한다.
　(2) 但是打得不好。 그러나 잘 못 쳐.
　　Dànshì dǎ de bù hǎo.
　　'그러나' 의미의 접속사로 '但是'를 사용한다.

08 문장 배열하는 문제이다.
　(1) 我会打乒乓球。 나는 탁구를 칠 수 있어.
　　Wǒ huì dǎ pīngpāngqiú.

학습을 통해 '~할 수 있다'의 의미의 '会'는 동사 앞에 위치한다.

(2) 他不喜欢听音乐。 그는 음악 듣는 것을 좋아하지 않아.
Tā bù xǐhuan tīng yīnyuè.
'좋아하다'의 喜欢은 동사 앞에 위치하며, 부정문은 喜欢 앞에 不를 사용한다.

09 (1) 我喜欢听韩国歌。 나는 한국 음악 듣는 것을 좋아해.
Wǒ xǐhuan tīng Hánguógē.
좋아하는 것을 말할 때 '喜欢'을 사용한다.

(2) 在商店见。 Zài shāngdiàn jiàn. 상점에서 만나.
'~에서 ~을 하다'는 표현으로 '전치사 在 + 장소 + 동사'의 형식으로 나타낸다.

10 (1) 会是会, 但是打得不好。
Huì shì huì, dànshì dǎ de bù hǎo.
동작의 상태나 정도를 표현 할 때는 '동사/형용사 + 得 + 정도보어'로 나타낸다.

(2) 我们在哪儿见? Wǒmen zài nǎr jiàn?
'哪儿'은 '어디'라는 뜻으로 장소를 물을 때 사용한다.

단원 종합 평가

01 ③	02 ②	03 ④	04 ⑤	05 ⑤
06 ③	07 ③	08 ①	09 ①	10 ②

01 혀끝을 윗니 뒤쪽에 붙였다가 떼면서 내는 소리인지 (z), 혀끝을 딱딱한 입천장 앞부분에 가까이 놓고(sh) 내는 소리인지를 구분하는 문제이다.
zúqiú 足球 축구, shāngdiàn 商店 상점

02 단어와 뜻의 연결을 묻는 문제이다.
① 玩儿 wánr 놀다 ② 电脑 diànnǎo 컴퓨터
③ 跳舞 tiàowǔ 춤추다 ④ 医院 yīyuàn 병원
⑤ 图书馆 túshūguǎn 도서관

03 제3성의 성조 변화를 묻는 문제로 제3성 뒤에 제1성, 2성, 4성, 경성이 오면 앞의 제3성은 반3성으로 발음하며, 제3성 뒤에 제3성이 오면 앞의 제3성은 제2성으로 발음한다. '喜欢(좋아하다) xǐhuan' 제3성 뒤에 경성, '演唱会(콘서트) yǎnchànghuì' 제3성 뒤에 제4성, '我们(우리들) wǒmen' 제3성 뒤에 경성임으로 앞의 제3성은 모두 반3성으로 읽는다.

04 • 我喜欢看电影。 나는 영화 보는 것을 좋아한다.
Wǒ xǐhuan kàn diànyǐng.
• 你喜欢看电视剧吗? 너는 드라마 보는 것을 좋아하니?
Nǐ xǐhuan kàn diànshìjù ma?
'(영화, 드라마를) 보다'는 동사 '看'을 사용한다.

05 他跑得不太快。 Tā pǎo de bú tài kuài. 그는 달리기가 그다지 빠르지 않다.
동작의 정도를 표현하는 '동사(跑) + 得 + 정도보어(不太快)'이다.

06

> A : 너는 탁구 칠 수 있니?
> B : 칠 수는 있는데 잘은 못 쳐.

① 不会 bú huì 할 수 없다 ② 没 méi 없다
③ 会是会 huì shì huì 할 수 있긴 할 수 있다
④ 喜欢 xǐhuan 좋아하다 ⑤ 问题 wèntí 문제

07

> A : 우리 어디에서 만나?
> B : (   )에서 만나자.

在 뒤에는 장소명사가 나와야 하므로, ③ 篮球(농구)를 제외한 모든 단어가 가능하다.
① 学校 xuéxiào 학교 ② 医院 yīyuàn 병원
④ 商店 shāngdiàn 상점
⑤ 图书馆 túshūguǎn 도서관

08~10

> 왕강 : 내일 배드민턴장 가는 게 어때?
> 리빙빙 : 좋아. 너 배드민턴 칠 수 있니?
> 왕강 : 할 수 있지, 잘해.
> 리빙빙 : 네가 나 좀 가르쳐 줄 수 있니?
> 왕강 : 문제 없지.

08 의문문을 만들 때 문장 맨 끝에 吗를 붙이면 의문문 '~ 입니까?' 가 된다.

09 你可以教我吗? 네가 나 좀 가르쳐 줄 수 있니?
Nǐ kěyǐ jiāo wǒ ma?
'할 수 있다' 可以는 동사 教 앞에 위치한다.

10 리빙빙이 배드민턴을 잘 치는지 못 치는지는 나와 있지 않다.

266

제8과 你吃饭了吗

짧은 문장 만들기 본문 144쪽

Wǒ hē chá.

→ 나는 차를 마시다. 我喝茶。

듣기 문제 1 본문 150쪽

A : 你做什么呢? 너 무엇을 하고 있니?
　　Nǐ zuò shénme ne?

B : 我在看书呢。나는 책을 읽고 있어.
　　Wǒ zài kàn shū ne.

정답 ①

듣기 문제 2 본문 151쪽

A : 我想吃汉堡包。

정답 ②

듣기 평가 본문 156쪽

01 ×	02 ③	03 ②

01 汉堡包。hànbǎobāo 햄버거
녹음(汉堡包)과 그림(茶)이 일치하지 않는다.

02 来一只烤鸭和一瓶可乐。
Lái yì zhī kǎoyā hé yì píng kělè.
오리구이 한 마리와 콜라 한 병 주세요.

03 A : 你吃饭了吗? 너 밥 먹었니?
　　　Nǐ chī fàn le ma?
B : 我还没吃。나 아직 안 먹었어.
　　Wǒ hái méi chī.

쓰기 평가 본문 157쪽

01 (1) 마시다 (2) 먹다 (3) 무엇 (4) 등등
02 (1) diànhuà (2) fúwùyuán (3) là (4) kěshì
03 (1) fàn (2) diǎn, cài
04 (1) 那我请客。 (2) 你做什么呢?

01 (1) 喝 hē 마시다　　(2) 吃 chī 먹다
(3) 什么 shénme 무엇　(4) 什么的 shénmede 등등

02 (1) 电话 diànhuà 전화 (2) 服务员 fúwùyuán 종업원
(3) 辣 là 맵다　　　　(4) 可是 kěshì 그러나

03 (1) Nǐ chī fàn le ma? 你吃饭了吗? 너 밥 먹었니?
(2) Wǒmen diǎn cài. 我们点菜。우리 주문할게요.

04 (1) Nà wǒ qǐngkè. 그럼 내가 한턱낼게.
(2) Nǐ zuò shénme ne? 너는 무엇을 하고 있니?

기초 평가 본문 158쪽

01
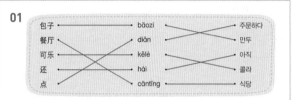

02 (1) hē (2) méi
03 (1) 米饭 (2) 粥
04 yāo wǔ bā èr jiǔ bā bā yāo líng bā sì
05 (1) 只 (2) 碗
06 (1) kěshì (2) zǎofàn
07 (1) ⓐ (2) ⓒ
08 (1) Nǐ jiā zǎofàn yìbān chī shénme?
(2) 我在吃饭呢。
09 (1) 종업원, 저희 주문하겠습니다.
(2) 나는 한국 음식을 먹어봤어.
10 (1) ⓐ (2) ⓐ

01 주어진 단어의 한자, 한어병음, 의미를 모두 이해해야 해결할 수 있는 문제이다.

02 (1) Wǒmen yìbān hē tāng 우리는 주로 국을 마셔.
我们一般喝汤。
(2) Nǐ méi chīguo? 너 안 먹어 봤어?
你没吃过?
过는 '~한 적이 있다'는 경험을 나타내며, 부정은 '没 + 동사 + 过'의 형식으로 표현한다.

03 그림에 맞는 단어를 쓰는 문제이다.
(1) 米饭 mǐfàn 쌀밥 (2) 粥 zhōu 죽

04 보기의 알맞은 전화번호를 중국어로 표현하는 문제이다. 전화번호, 버스번호 등 숫자 1은 'yī'가 아닌 'yāo'로

정답과 해설 **267**

읽고, 숫자 0은 'líng'이다.

05 양사를 묻는 문제이다.

(1) 一只北京烤鸭 베이징 오리구이 한 마리

(2) 两碗炸酱面 짜장면 두 그릇

중국어에는 다양한 양사가 존재한다. 명사의 성격에 따라 세는 양사가 달라진다.

오리를 세는 양사는 '마리'를 뜻하는 '只'이다.

짜장면은 그릇에 담겨져 있으므로 '그릇'을 뜻하는 '碗'을 쓴다.

06 한어병음을 바르게 배열하면서 단어를 암기하는 문제이다.

(1) kěshì 可是 그러나

(2) zǎofàn 早饭 아침식사

07 문장의 뜻과 일치하도록 문장을 완성하는 문제이다.

(1) 来一个麻婆豆腐。마파두부 하나 주세요.

　　Lái yíge mápódòufu.

　　来는 구체적인 동사를 대신하는 말로, 음식을 주문할 때는 '~주세요'라는 의미로 쓰인다.

(2) 我还没吃。나는 아직 안 먹었어.

　　Wǒ hái méi chī.

　　부정 没는 동사 吃 앞에 쓰인다.

08 문장 배열하는 문제이다.

(1) 你家早饭一般吃什么?

　　Nǐ jiā zǎofàn yìbān chī shénme?

　　너희 집에서는 아침에 주로 무엇을 먹니?

　　의문사 什么를 이용한 의문문으로 동사 吃 뒤에 위치한다.

(2) 我在吃饭呢。Wǒ zài chī fàn ne.

　　나는 밥을 먹고 있어.

　　동사의 진행은 '在+동사+呢'의 형식으로 나타내며, 在나 呢 중 하나만 써도 된다.

09 (1) 服务员，我们点菜。Fúwùyuán, wǒmen diǎn cài.

　　종업원, 저희 주문하겠습니다.

　　点은 '주문하다'는 뜻의 동사이다.

(2) 我吃过韩过菜。Wǒ chīguo Hánguócài.

　　나는 한국음식을 먹어본 적이 있다.

　　过는 '~한 적이 있다'는 경험을 나타내며 동사 뒤에 쓴다.

10 (1) 我想吃中国菜。Wǒ xiǎng chī Zhōngguócài.

나는 중국음식을 먹고 싶다.

想 '~하고 싶다'라는 의미로 동사 '吃' 앞에 쓰인다.

(2) 我在做作业呢。Wǒ zài zuò zuòyè ne.

저는 숙제하고 있어요.

동작의 진행은 '在+동사+呢'의 형식으로 나타내며, 在나 呢 중 하나만 써도 된다.

단원 종합 평가

01 ①	02 ③	03 ③	04 ③	05 ①
06 ①	07 ①	08 ②	09 ③	10 ③

01 단어와 뜻의 연결을 묻는 문제이다.

① 喝 hē – 마시다　② 还 hái – 아직

③ 菜 cài – 요리　④ 米饭 mǐfàn – 쌀밥

⑤ 多少 duōshao – 얼마

02 zh, ch, sh, r / z, c, s 뒤에 'i'의 발음은 '으'와 가깝다. 그 외의 'i'는 '이'로 발음한다

03 경험을 나타내는 过의 부정형은 不가 아니고 没를 쓴다.

• Tā hái bù chīguo gōngbǎojīdīng.
　ⓐ ⓑ ⓒ 　ⓓ　　　 ⓔ

→ 바른 문장 : 他还没吃过宫保鸡丁。
　Tā hái méi chīguo gōngbǎojīdīng.

04

A : Nǐ chī fàn le ma? 你吃饭了吗? 너 밥 먹었니?

B : Wǒ hái méi chī. 我还没吃。나는 아직 안먹었어.

① Wǒ qǐngkè. 我请客。내가 한턱 낼게.

② Hěn hǎo chī. 很好吃。매우 맛있다.

④ Chīguo, kěshì hěn là. 吃过, 可是很辣。
먹어봤어, 그런데 매워.

⑤ Wǒ chīguo Zhōngguócài. 我吃过中国菜。
나는 중국 음식을 먹어봤어.

05

A : 你想吃什么? 너는 무엇을 먹고 싶어?
　Nǐ xiǎng chī shénme?

B : 我想吃韩国菜。나는 한국음식을 먹고싶어.
　Wǒ xiǎng chī Hánguócài.

268

② 中国菜 Zhōngguócài 중국요리

③ 日本菜 Rìběncài 일본요리

④ 美国菜 Měiguócài 미국요리

⑤ 意大利菜 Yìdàlìcài 이탈리아 요리

06

> 来一只北京烤鸭和两瓶可乐。
> Lái yì zhī Běijīng kǎoyā hé liǎng píng kělè.
> 베이징 오리구이 한 마리와 콜라 두 병 주세요.

베이징 오리구이 한 마리 가격은 60元이고, 콜라는 한 병에 5元이므로 두 병 가격은 10元이다. 총 70元으로 七十元이다.

07 ①의 来는 동사 '오다'라는 뜻으로 쓰였고, 나머지 来는 구체적인 동사를 대신하는 말로 쓰였다.

① 老师来了。Lǎoshī lái le. 선생님 오셨다.

② 来一杯茶。Lái yì bēi chá. 차 한 잔 주세요.

③ 再来一首吧。Zài lái yì shǒu ba. 다시 한 곡 불러봐.

④ 你也来一个吧。Nǐ yě lái yí ge ba. 너도 하나 해.

⑤ 你休息休息，我来吧。Nǐ xiūxi xiūxi, wǒ lái ba.
　 너 좀 쉬어, 내가 할게.

08~10

> 박나라 : 너 뭐 해?
> 리빙빙 : 나 밥 먹고 있어.
> 박나라 : 너희 집에서는 아침에 주로 무엇을 먹니?
> 리빙빙 : 죽이랑 찐빵 같은 것을 먹어, 너희는?
> 박나라 : 우리는 주로 국이랑 쌀밥을 먹어.

08 진행을 나타낼 때 在를 동사 앞에 써서 '~하는 중이다'라는 의미를 나타낸다.

09 粥, 汤처럼 국물이 있는 음식은 동사 喝를 사용하고, 包子, 米饭처럼 씹어 먹어야 하는 음식들은 동사 吃를 사용한다.

10 리빙빙은 아침에 주로 죽을 먹는다.

짧은 문장 만들기　본문 164쪽

→ Tài guì le.
매우 비싸다. 太贵了。

듣기 문제 1　본문 170쪽

> A : 这件红色的衣服很漂亮。
> Zhè jiàn hóngsè de yīfu hěn piàoliang.
> 저 빨간색 옷은 매우 예쁘다.
> 정답 ②

듣기 문제 2　본문 171쪽

> A : 我要买一件旗袍。 나는 치파오 한 벌을 사려고 해.
> Wǒ yào mǎi yí jiàn qípáo.
> 정답 ①

듣기 평가

본문 176쪽

01 ○	02 ②	03 ③

01 这件衣服太贵了。
Zhè jiàn yīfu tài guì le.
이 옷은 너무 비싸요.
太~了 '너무 ~하다'라는 표현으로 약간 부정적인 의미로 많이 쓰인다.

02 我要买一双鞋。
Wǒ yào mǎi yì shuāng xié.
나는 신발 한 켤레를 사려고 해.
鞋(신발), 袜子(양말) 등 짝을 이루고 있는 물건을 세는 양사는 双(켤레)을 사용한다.

03 A : 多少钱? Duōshao qián? 얼마예요?
B : 一百二十块。Yì bǎi èr shí kuài. 120위안입니다.
가격을 묻고 답하는 대화문이기 때문에 대화가 이루어지는 장소로는 백화점이 가장 적절하다.

본문 177쪽

> 01 (1) 사다 (2) 팔다 (3) 어떻게 (4) 어때
> 02 (1) piàoliang (2) dǎzhé (3) liúxíng (4) piányi
> 03 (1) Duōshao (2) 一点儿
> 04 (1) 太贵了。(2) 六十块, 行不行?

01 (1) 买 mǎi 사다　　　(2) 卖 mài 팔다
　　(3) 怎么 zěnme 어떻게　(4) 怎么样 zěnmeyàng 어때

02 (1) 漂亮 piàoliang 예쁘다 (2) 打折 dǎzhé 할인하다
　　(3) 流行 liúxíng 유행하다 (4) 便宜 piányi 싸다

03 (1) Duōshao qián? 얼마예요? 多少钱?
　　(2) 便宜一点儿吧。 싸게 해 주세요.
　　　　Piányi yìdiǎnr ba.

04 (1) Tài guì le. 너무 비싸요.
　　(2) Liù shí kuài, xíng bu xíng? 60위안 어때요?

본문 178쪽

01
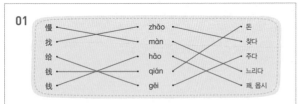

02 (1) zěnmeyàng (2) tiáo
03 (1) 茶 (2) 旗袍
04 (1) liǎng bǎi kuài (2) yì bǎi líng wǔ kuài sān (máo)
05 (1) huángsè (2) hēisè
06 (1) liǎng jiàn (2) sān tiáo
07 (1) 多少 (2) 贵, 一点儿
08 (1) 最近很流行。(2) 给你一百块。
09 (1) 40위안 거슬러 드릴게요.
　　(2) 지금 20% 할인합니다.
10 (1) ⓐ (2) ⓑ

01 주어진 단어의 한자, 한어병음, 의미를 모두 이해해야
　　해결할 수 있는 문제이다.

02 (1) 상대방의 의견을 묻는 표현으로 문장 끝에 怎么样
　　을 쓴다. 怎么는 '어떻게'라는 의문 대명사이다.
　　Zhè jiàn hóngsè de zěnmeyàng?
　　这件红色的怎么样?

이 빨간색은 어때?

(2) 중국어에는 다양한 양사가 존재한다. 명사가 무엇이
냐에 따라 양사가 달라지는데 바지, 강줄기 등을 세
는 양사는 '条'이다.
Wǒ yào mǎi yī tiáo kùzi. 我要买一条裤子。
저는 바지 한 벌을 사려고 해요.

03 그림에 맞는 단어를 쓰는 문제이다.
(1) 중국의 대표적인 차문화를 연상시키는 그림으로 정
답은 茶이다.
(2) 중국의 전통의상 치파오 그림으로 정답은 旗袍이다.

04 물건을 살 때 가장 기본적인 표현으로 금액을 중국어로
말할 수 있어야 한다.
런민비(人民币)는 중국의 화폐 단위로 块-毛-分이다.
(1) ¥200 → 两百块 liǎng bǎi kuài
(2) ¥105.3 → 一百零五块三(毛)
　　　　　 yì bǎi líng wǔ kuài sān (máo)

05 한어병음을 바르게 배열하면서 단어를 암기하는 문제이다.
(1) huángsè 黄色 노란색 (2) hēisè 黑色 검은색

06 양사를 묻는 문제이다.
'수사 + 양사 + 명사' 순으로 표현한다.
코트, 티셔츠 등 의복을 세는 양사는 '件'이고, 치마, 바
지 등을 세는 양사는 '件'이다. 이 때 주의할 점은 양
사 앞의 숫자 '2'는 '两'으로 쓴다는 점이다.
코트 두 벌 → 两件大衣 liǎng jiàn dàyī
치마 세 벌 → 三条裙子 sān tiáo qúnzi

07 문장의 뜻과 일치하도록 문장을 완성하는 문제이다.
(1) 几는 10 미만의 수를 물을 때 사용하고, 多少는 그
보다 더 큰 수를 물을 때 사용한다. 물건을 구매하고
가격을 물을 때는 多少(얼마)가 적절한 표현이다.
这条裤子(多少)钱? 이 바지 얼마예요?
Zhè tiáo kùzi duōshao qián?

(2) 太~了 '너무~하다'라는 표현으로 약간 부정적인 의
미로 많이 쓰인다. 그리고 '형용사+一点儿'은 '조금
~하다'라는 뜻이다. 이때 주의해야 할 점은 '有点儿
+ 형용사'의 형태도 같은 뜻이지만 부정적인 느낌을
포함한다. 그렇기 때문에 이 문장에서는 一点儿이
정확한 표현이다.
太(贵)了。便宜(一点儿)吧。너무 비싸요. 깎아주세요.
Tài guì le. Piányi yì diǎnr ba.

08 문장 배열하는 문제이다.

  (1) 很 뒤에 형용사를 써서 '매우 ~하다'라는 의미를 나타낸다.

    最近很流行。최근에 매우 유행하는 거야.

    Zuìjìn hěn liúxíng.

  (2) 给는 전치사로 '~에게'라는 의미도 있지만, 동사일 때는 '~에게 ~을 주다'라는 의미로 목적어를 두 개 가질 수 있는 동사이다. 이같은 동사로는 找, 教 등이 있다.

    给你一百块。Gěi nǐ yì bǎi kuài. 100원 드릴게요.

09 (1) 找는 '찾다'라는 의미도 있지만, 이 문장에서는 '거슬러 주다'라는 뜻으로 목적어를 두 개 가질 수 있는 동사이다.

    找您四十块。Zhǎo nín sìshí kuài. 40위안 거슬러 드릴게요.

  (2) 打八折는 20% 할인의 뜻으로, 가운데 숫자 '8'은 판매되는 가격의 비율을 의미한다.

    现在打八折。Xiànzài dǎ bā zhé. 지금 20퍼센트 할인합니다.

10 (1) 要 '~하려 한다'라는 의지를 나타내며, 동사 '买' 앞에 쓰인다.

    我要买一件旗袍。나는 치파오 한 벌을 사려고 해.

    Wǒ yào mǎi yí jiàn qípáo.

  (2) '有点儿 + 형용사'는 '약간 ~하다' 뜻으로 부정적인 느낌을 포함한다.

    我有点儿累。Wǒ yǒudiǎnr lèi. 저는 약간 피곤해요.

단원 종합 평가

본문 180쪽

01 ②	02 ②	03 ④	04 ⑤	05 ③
06 ⑤	07 ③	08 ②	09 ③	10 ②

01 단어와 뜻의 연결을 묻는 문제이다.

  ① 钱 qián - 돈　② 贵 guì - 비싸다

  ③ 件 jià - 벌(옷을 세는 양사)

  ④ 红色 hóngsè - 빨강색

  ⑤ 最近 zuìjìn - 최근

02 한자는 한 획이 달라지면 단어가 달라지기 때문에 정확하게 쓰는 연습이 필요하다. ②같은 경우는 篮은 '바구니'라는 뜻으로 우리가 아는 '篮球 lánqiú 농구'가 이에 해당하는 한자이다. 반면 파란색은 '蓝 lán 남색'이라는 뜻을 가진 이 한자를 써야 맞다.

  ① 累 lèi 피곤하다

  ② 篮色 → 蓝色 lánsè 파란색

  ③ 火车票 huǒchēpiào 기차표

  ④ 怎么样 zěnmeyàng 어떻게

  ⑤ 有点儿 yǒudiǎnr 조금, 약간

03 발음을 편하게 해주기 위해 '一 yī'는 읽을 때 성조가 변한다. '一' 뒤에 제1, 2, 3성이 올 때는 '一'를 'yì'로 발음하고, '一' 뒤에 제4성이 올 때는 '一'를 'yí'로 발음한다. ④ 'yī kuài'은 'yī' 뒤의 단어가 제4성이기 때문에 'yī'를 'yí'로 읽고, 그 외의 문항은 'yī' 뒤의 단어가 제1성, 제2성, 제3성이기 때문에 전부 'yì'로 발음한다.

04 문장배열의 순서는 '조동사 (yào) + 동사 (mǎi) + 수사 (liǎng) + 양사 (jiàn) + 명사 (yīfu)'이다.

  양사 앞에 숫자 '2'를 나타내는 수사는 반드시 '两 liǎng'을 써야 한다.

05 명사에 알맞은 양사를 찾는 문제이다. 양사 双은 짝을 이루고 있는 단어에 쓰는 양사로 '~켤레'라는 의미를 갖는다. 양말과 신발은 양사 '双'을 쓴다. 이밖에 치마와 바지의 양사는 条 tiáo, 코트는 件 jiàn을 쓴다.

06. ⓔ Wǒ yào mǎi yí jiàn qípáo.

    我要买一件旗袍。

    저는 치파오 한 벌을 사고 싶어요.

  ⓒ Zhè jiàn huángsè de zěnmeyàng?

    这件黄色的怎么样?

    이 노란색 어떠세요?

  ⓑ Hǎo piàoliang. 好漂亮。예쁘네요.

  ⓓ Duōshao qián? 多少钱? 얼마죠?

  ⓐ Liǎng bǎi kuài. 两百块。200위안입니다.

07 그림은 100위안 2장과 2위안 1장이 그려져 있음으로 총 202위안을 중국어로 표현하라는 문제이다.

  202위안은 两百零二块 liǎng bǎi líng èr kuài로 표현한다.

08~10 제시된 중국어 문장을 해석하면 아래와 같다.

> 왕 강 : 이거 얼마예요?
>
> 판매원 : 한 개에 100위안입니다.
>
> 왕 강 : 너무 비싸요. 깎아주세요.
>
> 판매원 : 지금 20% 할인 중입니다.
>
> 왕 강 : 좋아요. 저는 한 개 사고 싶어요. 제가 80위안
> 드릴게요.

08 '너무 ~하다'의 표현은 '太~了'이고, '一点儿'은 형용
사 뒤에 쓰여 '조금 ~하다'라는 뜻이다.

09 打八折는 원래 판매하는 금액 중 80%만 받는다는 의미
로 20% 할인을 의미한다. 그러므로 원래 물건의 가격
이 100위안이므로 물건 하나의 가격은 80위안이다. 그
래서 왕강은 판매원에게 80위안을 드린다고 말하고 있
다.

10 왕강이 물건을 사러 상점에 들어왔고 구체적으로 노트
북이라는 단어는 언급되지 않았다. 지금은 20% 행사 중
이고 왕강이 정확히 80 위안을 지불했기 때문에 판매원
은 거스름돈을 주지 않았다.

제10과 天安门怎么走

짧은 문장 만들기 본문 184쪽

Wǒ zuò fēijī.

→ 我坐飞机。나는 비행기를 탑니다

듣기 문제 1 본문 190쪽

> A : 请问, 邮局怎么走?
>
> Qǐngwèn, yóujú zěnme zǒu?
>
> 실례합니다, 우체국은 어떻게 가나요?
>
> B : 一直往前走就是了。
>
> Yìzhí wǎng qián zǒu jiùshì le.
>
> 앞 쪽으로 쭉 가시면 있어요.

정답 ①

듣기 문제 2 본문 191쪽

> A : 去银行骑自行车的话, 二十分钟。
>
> Qù yínháng qí zìxíngchē dehua, èrshí fēnzhōng.
>
> 은행가는데 자전거를 탄다면, 20분이 걸립니다.

정답 ①

듣기 평가
본문 196쪽

01 ×	02 ③	03 ②

01 我想坐飞机。나는 비행기를 타고 싶다.

Wǒ xiǎng zuò fēijī.

02 여 : 请问, 邮局怎么走?

Qǐngwèn, yóujú zěnme zǒu?

실례합니다, 우체국 어떻게 가나요?

03 남 : 从这儿里一直走, 然后往右拐。

Cóng zhèli yìzhí zǒu, ránhòu wǎng yòu guǎi.

여기에서 앞으로 가신 후, 오른쪽으로 돌으세요.

쓰기 평가
본문 197쪽

01 (1) 멀다 (2) 우리 (3) 두통 (4) 감기
02 (1) guǎi (2) dòngwùyuán (3) yìzhí (4) shízìlùkǒu
03 (1) 怎么, 走 (2) 医院, 这儿
04 (1) 当然可以。
  (2) 咱们谁跟谁呀!

01 (1) 远 yuǎn 멀다 (2) 咱们 zánmen 우리
  (3) 头疼 tóuténg 두통 (4) 感冒 gǎnmào 감기

02 (1) 拐 (방향을) 바꾸다 (2) 动物园 동물원
  (3) 一直 곧장 (4) 十字路口 교차로

03 (1) 天安门怎么走?

Tiān'ān Mén zěnme zǒu?

  (2) 医院离这儿远吗?

Yīyuàn lí zhèr yuǎn ma?

04 (1) Dāngrán kěyǐ. 당연히 가능하지.

  (2) Zánmen shéi gēn shéi ya! 우리 사이에!

본문 198쪽

01
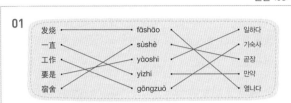

发烧 —— fāshāo —— 일하다
一直 —— sùshè —— 기숙사
工作 —— yàoshi —— 곧장
要是 —— yìzhí —— 만약
宿舍 —— gōngzuò —— 열다

02 (1) Cóng (2) zuò
03 (1) 火车 (2) 飞机
04 (1) chēzhàn (2) dāngrán
05 (1) 学校在哪儿? (2) 有点儿发烧。
06 (1) wǎng yòu guǎi (2) wǎng zuǒ guǎi
07 (1) 往 (2) 离
08 (1) 公园离宿舍很近。
  (2) 从九点到六点工作。
09 (1) 나 좀 데리고 가 줄 수 있니? (2) 어디가 아프니?
10 (1) ⓒ (2) ⓐ

01 주어진 단어의 한자, 한어병음, 의미를 모두 이해해야 해결할 수 있는 문제이다.

02 (1) 从은 동작의 공간적, 시간적 시작점을 나타내며, 주로 도착점을 나타내는 到와 함께 쓰인다.
从这儿里一直走, 然后往右拐。
Cóng zhèli yìzhí zǒu, ránhòu wǎng yòu guǎi.
여기에서 쭉 가서, 그 다음 오른쪽으로 돌아가세요.
(2) (버스, 지하철, 비행기, 자동차 등의 교통수단을) '타다'라는 의미의 동사는 '坐'이다. 이때 (자전거, 말, 오토바이 등의 교통수단을) '타다'라는 의미의 '骑'와 혼동하지 않도록 주의한다.
去医院坐出租车的话, 十分钟就到。
Qù yīyuàn zuò chūzūchē dehuà, shí fēnzhōng jiù dào.
병원가는데 택시를 타고 간다면, 10분이면 도착합니다.

03 교통수단을 묻는 문제이다.
车 chē 차
公共汽车 gōnggòng qìchē 버스
火车 huǒchē 기차
出租车 chūzūchē 택시
飞机 fēijī 비행기
船 chuán 배
自行车 zìxíngchē 자전거

马 mǎ 말
摩托车 mótuōchē 오토바이

04 한어병음을 바르게 배열하면서 단어를 암기하는 문제이다.
(1) chēzhàn 车站 정류장 (2) dāngrán 当然 당연하다

05 (1) 在는 동사로 '~에 있다'라는 의미로 쓰였다.
学校在哪儿? 학교가 어디에 있나요?
Xuéxiào zài nǎr?
(2) '有点儿+형용사'는 '조금~있다'라는 뜻으로 부정적인 의미로 많이 쓰인다.
有点儿发烧。 열이 조금 나는 것 같아.
Yǒu diǎnr fāshāo.

06 往은 '~쪽으로'라는 뜻으로, 동작의 방향을 나타낸다.
往右拐 wǎng yòu guǎi 오른쪽으로 돌다
往左拐 wǎng zuǒ guǎi 왼쪽으로 돌다
往前走 wǎng qián zǒu 앞 쪽으로 가다

07 (1) 往은 '~쪽으로'라는 뜻으로, 동작의 방향을 나타낸다.
从这儿里一直走, 然后往右拐。
Cóng zhèli yìzhí zǒu, ránhòu wǎng yòu guǎi.
여기에서 쭉 가서, 그 다음 오른쪽으로 돌아가세요.
(2) '离+장소, 때'의 형식은 기준점으로부터의 거리 또는 남은 시간 등을 표현할 때 사용한다.
医院离这儿远吗? 병원은 여기에서 멉니까?
Yīyuàn lí zhèr yuǎn ma?

08 문장 배열하는 문제이다.
(1) '离+장소, 때'의 형식은 기준점으로부터의 거리 또는 남은 시간 등을 표현할 때 사용한다.
公园离宿舍很近。 공원은 기숙사에서 아주 가까워요.
Gōngyuán lí sùshè hěn jìn.
(2) '从~到~'는 '~부터 ~까지'라는 의미로 공간적, 시간적 시작점과 도착점을 나타낸다.
从九点到六点工作。9시부터 6시까지 일합니다.
Cóng jiǔ diǎn dào liù diǎn gōngzuò.

09 (1) 你能陪我去吗? 나 좀 데리고 가 줄수 있니?
Nǐ néng péi wǒ qù ma?
(2) 哪儿不舒服? Nǎr bù shūfu? 어디가 아프니?

10 (1) 就는 '바로, 곧'이란 뜻을 나타낸다.
从A口出去就是了。Cóng A kǒu chūqù jiùshì le.

(2) '要是／如果~(的话)'는 '만약 ~한다면'이라는 가정의 뜻을 나타낸다.

要是打的的话要半个小时。

Yàoshì dǎdī dehuà yào bàn ge xiǎoshí.

단원 종합 평가

본문 200쪽

01 ⑤	02 ④	03 ①	04 ③	05 ③
06 ④	07 ④	08 ②	09 ③	10 ①

01 나머지 단어는 경성으로 읽는데 '⑤ 打的 dǎdī'만 제1성으로 읽는다.

① 咱们 zánmen 우리   ② 这里 zhèli 이곳

③ 舒服 shūfu 편하다   ④ 要是 yàoshi 만약

⑤ 打的 dǎdī 택시

02 나머지 단어는 모두 교통수단과 관련된 단어인데 '④ 头疼'만 건강 관련 단어이다.

① 飞机 fēijī 비행기   ② 出租车 chūzūchē 택시

③ 火车 huǒchē 기차   ④ 头疼 tóuténg 두통

⑤ 自行车 zìxíngchē 자전거

03~05 제시된 중국어 문장을 해석하면 아래와 같다.

> A : 실례합니다. 정류장이 어디입니까?
> B : 이곳에서 곧장 가다가, 교차로에서 왼쪽으로 돌면 됩니다.
> A : 감사합니다.
> B : 천만에요.

03 모르는 사람에게 무엇을 물을 때 예의바른 표현으로 보통 '请问 실례지만 말씀 좀 여쭙겠습니다.' 라는 표현을 많이 쓴다.

① 请问 qǐngwèn 말씀 좀 묻겠습니다.

② 好的 hǎo de 좋아요, 알겠습니다.

③ 就是 jiùshì 바로

④ 不远 bù yuǎn 멀지 않다

⑤ 很近 hěn jìn 매우 가깝다

04 감사의 표현을 묻는 질문으로 '谢谢。(고맙습니다.)'에 대한 대답으로 '不客气。Bú kèqi. (천만에요.)'를 쓴다.

① 下午好 xiàwǔ hǎo 안녕하세요 (오후인사)

② 明天见 míngtiān jiàn 내일 만나

④ 没关系 méi guānxi 괜찮아요.

⑤ 当然可以 dāngrán kěyǐ 당연히 가능하지

05 행인이 한 말에서 힌트를 얻을수 있다. "이곳에서 곧장 가다가, 교차로에서 왼쪽으로 돌면 됩니다."
출발점에서 직진한 후 첫 번째 교차로에서 좌회전하면 정류장이 나온다.

06 두 사람의 대화를 해석하면 어색한 대화문을 찾을 수 있다. ④는 우체국의 장소를 물었는데 대답은 우체국의 위치가 아닌 교통수단으로 가는 방법을 이야기하고 있어서 어색한 문장이다.

① A : Tiān'ān Mén zěnme zǒu? 톈안먼 어떻게 가요?

　　天安门怎么走?

　 B : Cóng A kǒu chūqù jiùshì le.

　　从A口出去就是了。

　　A출구로 나가면 바로예요.

② A : Nǎr bù shūfu? 어디가 아파요?

　　哪儿不舒服?

　 B : Yǒudiǎnr fāshāo. 열이 조금 나요.

　　有点儿发烧。

③ A : Nǐ néng péi wǒ qù ma?

　　你能陪我去吗?

　　네가 나 좀 데리고 갈수 있니?

　 B : Dāngrán kěyǐ. 당연히 가능하지.

　　当然可以。

④ A : Yóujú zài nǎr? 우체국이 어디예요?

　　邮局在哪儿?

　 B : Qí zìxíngchē qù ba. 자전거 타고 가면 되요.

　　骑自行车去吧。

⑤ A : Gōngyuán lí sùshè jìn ma?

　　公园离宿舍近吗?

　　공원은 기숙사에서 가깝나요?

　 B : Hěn jìn. 매우 가까워요.

　　很近。

07 ① Tā zuò dǎdī. (×) → 他打的。Tā dǎdī. 그는 택시를 타다. (○)
打的는 '택시를 타다'라는 뜻이므로 坐 (교통수단을 타다)를 쓰면 동사가 중복된다.

② Nǐ bù shūfu nǎr? (×) → 你哪儿不舒服? Nǐ nǎr bù shūfu. 당신은 어디가 아픈가요? (○)
어디가 불편한지, 어디가 아픈지를 묻는 문장으로 哪儿이 주어 뒤에 위치한다.

③ Wǎng guǎi yòu ba. (×) → 往右拐吧。Wǎng yòu guǎi ba. 오른쪽으로 돌아. (○)

往은 '~쪽으로'라는 뜻으로 동작의 방향을 나타내는 전치사이다.

往 + 방향 + 拐 : '~방향 쪽으로 돌다'라는 의미이다.

④ Wǒ péi nǐ qù yīyuàn. 我陪你去医院。내가 널 데리고 병원을 갈게.(○)

⑤ Qǐngwèn, chēzhàn zài nǎ? (×) → 请问, 车站在哪儿? Qǐngwèn, chēzhàn zài nǎr?

말씀 좀 묻겠습니다, 정류장이 어디에 있나요? (○)

의문사 哪는 '어느'라는 의미이고, 哪儿은 '어디'라는 의미이다.

08~10 제시된 중국어 문장을 해석하면 아래와 같다.

> 박나라 : 병원이 이곳에서 멀어?
> 리빙빙 : 멀지 않아. 어디가 아파?
> 박나라 : 감기 걸렸어.
> 리빙빙 : 만약 지하철을 타고 간다면 10분이면 도착해.

08 박나라가 감기에 걸렸다는 문장에서 힌트를 얻을수 있다. 감기에 걸려 병원을 찾고 있었으므로 병원이 이곳에서 얼마나 먼지를 묻고 있다.

① 银行 yínháng 은행 ② 医院 yīyuàn 병원

③ 公园 gōngyuán 공원

④ 邮局 yóujú 우체국

⑤ 动物园 dòngwùyuán 동물원

09 坐와 骑의 차이를 알고 있는지를 묻는 문제이다. '(지하철을) 타다'라는 의미의 동사는 坐를 써야한다.

① 骑 qí (자전거, 말 등)타다   ② 做 zuò 하다

③ 坐 zuò (버스, 지하철 등)타다 ④ 打 dǎ 치다

⑤ 能 néng 할 수 있다

10 박나라는 감기에 걸렸고, 리빙빙이 병원이 이곳에서 멀지 않다며 지하철 타면 10분이면 도착한다고 알려주고 있다. 리빙빙이 열이 났는지 박나라와 리빙빙이 함께 병원에 가는지에 대한 자세한 이야기는 언급되지 않았다.

제11과 天气怎么样

짧은 문장 만들기   본문 204쪽

Wǒ hěn xǐhuan xiàtiān.

→ 我很喜欢夏天。

Wǒ hěn xǐhuan xiàtiān.

나는 여름을 좋아합니다.

듣기 문제 1   본문 210쪽

A : 明天的天气怎么样? 내일 날씨 어때?

Míngtiān de tiānqì zěnmeyàng?

B : 可能会下雨。아마 비가 올 것 같아.

Kěnéng huì xiàyǔ.

정답 ②

듣기 문제 2   본문 211쪽

A : 你早上一般喝牛奶还是喝豆浆?

Nǐ zǎoshang yìbān hē niúnǎi háishì hē dòujiāng?

너는 아침에 보통 우유를 마시니, 두유를 마시니?

B : 喝牛奶。우유를 마셔.

Hē niúnǎi.

정답 ③

[듣기 평가]

본문 216쪽

| 01 × | 02 ③ | 03 ③ |

01 我想看看冬天的长城。

Wǒ xiǎng kànkan dōngtiān de chángchéng.

나는 겨울의 만리장성을 보러가고 싶어.

02 여 : 过年的时候, 北京的天气怎么样?

Guònián de shíhou, Běijīng de tiānqì zěnmeyàng?

설을 쇨 때, 베이징의 날씨는 어때?

남 : 非常冷。매우 추워.

Fēicháng lěng.

03 남 : 春节的时候, 中国人吃饺子、贴春联。

Chūnjié de shíhou, Zhōngguórén chī jiǎozi、tiē chūnlián.

설날 때, 중국 사람들은 만두를 먹고 춘롄을 붙여.

여 : 韩国人喝年糕汤。

Hánguórén hē niángāotāng.

한국 사람들은 떡국을 먹어.

쓰기 평가

01 (1) 설을 쇠다 (2) 블로그 (3) 여름 (4) 풍경
02 (1) Chūnjié (2) háizi (3) bàinián (4) dàrén
03 (1) 怎么样 (2) 为什么
04 (1) 新年你有什么打算? (2) 韩国人吃饺子还是吃别的?

01 (1) 过年 guònián 설을 쇠다 (2) 博客 bókè 블로그
   (3) 夏天 xiàtiān 여름 (4) 风景 fēngjǐng 풍경

02 (1) 春节 춘제 (2) 孩子 어린아이
   (3) 拜年 세배하다 (4) 大人 성인

03 (1) 天气(怎么样)?

   Tiānqì zěnmeyàng?

   (2) (为什么)冬天去呢?

   Wèi shénme dōngtiān qù ne?

04 (1) Xīnnián nǐ yǒu shénme dǎsuàn?

   新年你有什么打算?

   새해에 너는 무슨 계획이 있니?

   (2) Hánguórén chī jiǎozi háishi chī biéde?

   韩国人吃饺子还是吃别的?

   한국 사람들은 만두를 먹니 아니면 다른 것을 먹니?

기초 평가

본문 218쪽

01

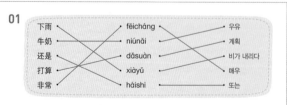

02 (1) Yīnwèi (2) háishi
03 (1) 长城 (2) 压岁钱

04 (1) shíhou (2) shēntǐ
05 (1) 可能会下雪。 (2) 我想去看看冬天的长城。
06 (1) 怎么样 (2) 热
07 (1) 比 (2) 还是
08 (1) 药方快关门了。
   (2) 他不会来。
09 (1) 저는 오늘 친구들과 함께 제야에 먹을 음식들을 준비하고 있어요.
   (2) 듣자하니 한·중 두 나라의 아이들은 어른께 세배를 드린다고 한다.
10 (1) ⓐ (2) ⓓ

01 주어진 단어의 한자, 한어병음, 의미를 모두 이해해야 해결할 수 있는 문제이다.

02 (1) 因为는 '왜냐하면'이란 뜻으로 그 이유를 설명하고 있다.

   因为雪后的风景比夏天的更美。 왜냐하면 눈이 온 후의 풍경이 여름보다 더 아름다우니깐.

   Yīnwèi xuě hòu de fēngjǐng bǐ xiàtiān de gèng měi.

   (2)번 'A 还是 B'는 'A아니면 B'라는 뜻으로 두 가지 이상의 가능한 답을 제시하고 상대방이 선택하도록 하는 의문문이다.

   Nǐ chī jiǎozi (háishi, huòzhě) chī bié de?

   你吃饺子还是吃别的?

   너는 만두를 먹니 아니면 다른 것을 먹니?

03 (1) 중국의 상징이라 불리우는 만리장성의 그림으로 长城 Chángchéng이다.

   (2) 중국도 춘제 때 어린아이들이 어른들께 세뱃돈을 받는다. 세뱃돈은 压岁钱 yāsuìqián이다.

04 (1) shíhou 时候 때 (2) shēntǐ 身体 몸

05 (1) 会는 '~할 수 있다.'는 뜻 이외에 '~할 것이다'는 뜻으로 미래의 가능성이나 추측을 나타낸다.

   可能会下雪。 Kěnéng huì xià xuě.

   아마 눈이 내릴 거야.

   (2) 동사가 두 개 이상 나오는 연동문에서는 동작이 먼저 발생한 순서대로 쓴다. 만리장성에 가야지 볼 수 있기 때문에 동사 '去(가다)' 다음에 동사 '看(보다)' 순으로 쓴다.

   我想去看看冬天的长城。

   나는 겨울의 만리장성을 보러 가고 싶어.

276

Wǒ xiǎng qù kànkan dōngtiān de chángchéng.

06 중국친구가 한국친구에게 한국의 여름날씨를 물으니 한국친구가 매우 덥다라고 말하는 상황이다.

夏天的时候, 韩国的天气怎么样?

Xiàtiān de shíhou, Hánguó de tiānqì zěnmeyàng

여름에 한국의 날씨는 어떠니?

非常热。매우 더워.

Fēicháng rè.

07 (1) 'A 比 B + 还／更 + 형용사'는 'A는 B보다 ~훨씬/더욱 하다'는 의미로 두 대상을 비교할 때 사용한다.

今天比昨天还忙。오늘은 어제보다 더 바쁘다.

Jīntiān bǐ zuótiān hái máng.

(2) 'A 还是 B'는 'A아니면 B'라는 뜻으로 두 가지 이상의 가능한 답을 제시하고 상대방이 선택하도록 하는 의문문이다.

咱们坐21路车还是坐301路车?

Zánmen zuò èrshíyī lù chē háishi zuò sān líng yāo lù chē?

우리 21번 타 아니면 301번 타?

08 (1) '快(要)~了'는 '곧 ~하려고 하다'는 뜻으로 곧 발생하려는 변화를 나타낸다.

药房快关门了。약국이 곧 문을 닫으려고 합니다.

Yàofáng kuài guān mén le.

(2) 숲는 '~할 수 있다.' 는 뜻 이외에 '~할 것이다'는 뜻으로 미래의 가능성이나 추측을 나타낸다. 숲의 부정은 숲 앞에 不를 쓰면 된다.

他不会来。그는 오지 않을 것이다.

Tā bú huì lái.

09 (1) 今天我跟同学们一起准备年夜饭。

Jīntiān wǒ gēn tóngxuémen yìqǐ zhǔnbèi niányèfàn.

오늘 친구들과 함께 제야에 먹을 음식들을 준비하고 있어요.

(2) 听说中韩两国的孩子给大人拜年。

Tīngshuō Zhōng-Hán liǎng guó de háizi gěi dàrén bài nián.

듣자하니 한중 두 나라의 아이들은 어른들께 세배를 드린다고 한다.

10 (1) 동사가 두 개 이상 나오는 연동문에서는 동작이 먼

저 발생한 순서대로 쓴다. 만리장성에 가야지 볼 수 있기 때문에 동사 '去(가다)' 다음에 동사 '看(보다)' 순으로 쓴다. 이 때 조동사 '想(~하고 싶다)'는 동사 앞에 쓴다.

我想去看看冬天的长城。

Wǒ xiǎng qù kànkan dōngtiān de Chángchéng.

나는 겨울의 만리장성을 보러 가고 싶어.

(2) 什么(무슨)는 打算(계획)을 수식해주며 동사 有 뒤에 쓰인다.

新年你有什么打算?

Xīnnián nǐ yǒu shénme dǎsuàn?

새해 너는 무슨 계획을 갖고 있니?

단원 종합 평가

본문 220쪽

01 ③	**02** ①	**03** ①	**04** ④	**05** ③, ④
06 ②	**07** ③	**08** ①	**09** ③, ④	**10** ④

01 나머지는 모두 날씨와 관련된 단어이지만 ③ 饺子은 음식과 관련된 단어이다.

① 热 rè 덥다 ② 冷 lěng 춥다 ③ 饺子 jiǎozi 만두

④ 打雷 dǎléi 번개치다 ⑤ 刮风 guāfēng 바람불다

02 ① 还是만 경성으로 읽힌다.

別的 biéde 다른 것, 孩子 háizi 아이

① 还是 háishi 또는   ② 博客 bókè 블로그

③ 春联 chūnlián 춘련 ④ 药房 yàofáng 약국

⑤ 回国 Zhōngguó 중국

03 ㉠ 过年 guònián 설을 쇠다

年夜饭 niányèfàn 제야에 먹는 음식

㉡ 意大利面 yìdàlìmiàn 스파게티

大人 dàrén 어른, 성인

04 ① 봄 - 春天   ② 여름 - 夏天

③ 가을 - 秋天 ④ 겨울 - 冬天

⑤ 춘제 - 春节

05 ① 我会不说汉语。(×) → 我不会说汉语。(○)
Wǒ bú huì shuō Hànyǔ.
부정부사 不는 조동사, 동사 앞에 쓰인다.

② 今天比昨天很冷。(×) → 今天比昨天更冷。(○)
Jīntiān bǐ zuótiān gèng lěng.
'A 比 B + (还/更) + 형용사'의 비교문에서 还/更은 사용할 수 있지만 很/太/非常은 사용할 수 없다.

③ 我比他大两岁。Wǒ bǐ tā dà liǎng suì.
나는 그보다 두 살이 많다. (○)
비교문에서 수량사를 사용할 때는 'A+比+B+형용사 +수량사/一点儿/一些' 순으로 사용한다.

④ 晚上会下雪吗? (○)

⑤ 明天快要回国了。(×) → 明天就要回国了。(○)
시간부사가 나올 경우 '就要~了 jiùyào ~ le'만 사용하고 '快要~了 kuàiyào ~ le'는 사용할 수 없다.

06 ① A : 过年的时候, 北京的天气怎么样?
Guònián de shíhou, Běijīng de tiānqì zěnmeyàng?
설을 쉴 때, 베이징의 날씨는 어떻습니까?
B : 非常冷。Fēicháng lěng. 매우 춥습니다.

② A : 春节快到了。곧 춘제구나.
Chūnjié kuài dào le.
B : 我很喜欢冬天。나는 겨울을 좋아해,
Wǒ hěn xǐhuan dōngtiān.

③ A : 明天她会来吗? 내일 그녀가 올까요?
Míngtiān tā huì lái ma?
B : 她不会来。그녀는 오지 않을 겁니다.
Tā bú huì lái.

④ A : 你比他高吗? 당신이 그보다 키가 큰가요?
Nǐ bǐ tā gāo ma?
B : 我比他更高。내가 그보다 더 큽니다.
Wǒ bǐ tā gèng gāo.
당신은 우유 마시는 것을 좋아합니까 아니면 두유 마시는 것을 좋아합니까?

⑤ A : 你喜欢喝牛奶还是喝豆浆?
Nǐ xǐhuan hē niúnǎi háishi hē dòujiāng?
B : 我喜欢喝牛奶。
Wǒ xǐhuan hē niúnǎi.
저는 우유 마시는 것을 좋아합니다.

07~10 제시된 중국어 문장을 해석하면 아래와 같다.

리 빙 빙 : 곧 춘제구나. 오늘 나는 엄마랑 같이 만두를 준비할 거야. 춘제 때, 중국사람은 만두를 먹거든. 박 나 라 : 한국 사람은 떡국을 먹어. 데이비드 : 듣자하니 한·중 양국의 아이들은 어른들게 세배를 하고 어른들은 아이들에게 세뱃돈을 준다더라.

07 吃는 '음식을 먹다', 喝는 '마시다'라는 뜻으로 饺子는 동사 吃와 年糕汤은 동사 喝와 어울린다.

08 '듣자하니~'를 의미하는 단어는 听说 tīngshuō이다.
② 听听 tīngting 듣다 ③ 说说 shuōshuo 말하다
④ 看看 kànkan 보다 ⑤ 可能 kěnéng 가능하다

09 대화의 시기가 春节이기 때문에 춘제 때 사랑하는 사람들에게 건넬수 있는 덕담을 찾으면 된다.
① 坐车 zuò chē 차를 타다
② 发短信 fā duǎnxìn 문자를 보내다
③ 年年有余 niánnián yǒuyú
매년 풍요롭기를 기원하다
④ 恭喜发财 gōngxǐ fācái
행복과 재물이 가득하기를 기원하다
⑤ 发电子邮件 fā diànzǐ yóujiàn
이메일을 보내다

10 대화의 내용은 추석이 아닌 춘제 때 일어나는 일들이다. 중국사람들은 춘제 때 만두를 빚어 먹고 한국 사람들은 떡국을 먹으며, 한·중 양국 모두 세뱃돈의 문화가 있다.

제12과 看一看，做一做

듣기 평가

본문 240쪽

01 ×   **02** ②   **03** ①

01 我晚上十二点睡觉。나는 저녁 12시에 잠을 자.
Wǒ wǎnshang shí'èr diǎn shuìjiào.

02 A : 你哪儿不舒服? 어디가 불편하십니까?
Nǐ nǎr bù shūfu?

B : 我有点儿发烧。저는 열이 조금 납니다.
Wǒ yǒudiǎnr fāshāo.

03 A : 我去过中国, 你呢?
Nǐ qùguo Zhōngguó, nǐ ne?
나는 중국 가 본 적이 있어, 너는?

B : 我没去过中国。我去过日本。
Nǐ méi qùguo Zhōngguó. Wǒ qùguo Rìběn.
나는 중국은 못 가 봤어. 일본은 가 봤어.

쓰기 평가

본문 241쪽

01 (1) 농구 (2) 학교 (3) 영화관 (4) 친구
02 (1) zhōu (2) wèi (3) piányi (4) yìqǐ
03 (1) 贵 (2) 在, 吃
04 (1) 北京的天气怎么样? (2) 天安门离他家很近。

01 (1) 篮球 lánqiú 농구 (2) 学校 xuéxiào 학교
(3) 电影院 diànyǐngyuàn 영화관
(4) 朋友 péngyou 친구

02 (1) 粥 죽   (2) 喂 여보세요
(3) 便宜 싸다 (4) 一起 함께

03 (1) 太贵了。Tài guì le.
(2) 我在吃饭呢。Wǒ zài chīfàn ne.

04 (1) Běijīng de tiānqì zěnmeyàng?
베이징의 날씨는 어떻습니까?
(2) Tiān'ān Mén lí tā jiā hěn jìn.
톈안먼은 그의 집에서 매우 가깝습니다.

기초 평가

본문 242쪽

01
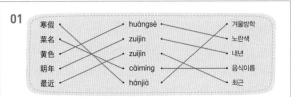
寒假	huángsè	겨울방학
菜名	zuìjìn	노란색
黄色	zuìjìn	내년
明年	càimíng	음식이름
最近	hánjià	최근

02 (1) méi (2) yìdiǎnr
03 (1) 自行车 (2) 刮风
04 (1) xià xuě (2) ránhòu
05 (1) 电影院怎么走? (2) 今天天气很好。
06 (1) 在, 哪儿 (2) 学校门口
07 (1) 谁, 谁 (2) 点菜
08 (1) 我家有四口人。
(2) 我喜欢听韩国歌。
09 (1) 차를 타고 병원을 가면, 10분이면 도착해.
(2) 매우 추워, 아마 눈이 올 거야.
10 (1) ⓒ (2) ⓐ

01 주어진 단어의 한자, 한어병음, 의미를 모두 이해해야 해결할 수 있는 문제이다.

02 (1) 경험을 나타내는 표현은 '동사+guo'로 '~한 적이 있다'이다. 이를 부정할 때는 '不'가 아닌 '没'를 써서 표현하며 '~한 적이 없다'로 해석한다.
Wǒ hái (méi) chīguo.
我还没吃过。나는 먹어 본 적이 없어.

(2) '형용사/동사+(一)点儿' '조금 ~하다'와 '有(一)点儿+형용사' '조금 ~하다'의 의미는 비슷하지만 一点儿과 有点儿은 위치도 다르고 특히 有点儿은 부정적인 느낌을 줄 때 주로 사용하는 차이점이 있다.
Tài guì le, piányi (yìdiǎnr) ba.
太贵了, 便宜一点儿吧。너무 비싸요, 조금 깎아주세요.

03 (1) 自行车 zìxíngchē 자전거
(2) 刮风 guā fēng 바람이 불다

04 (1) xià xuě 下雪 눈이 내리다
(2) ránhòu 然后 그리고 나서

05 (1) 가는 방법을 물어볼 때는 '怎么 + 走'를 쓴다.
电影院怎么走? Diànyǐngyuàn zěnme zǒu?
(2) 어제 – 오늘 – 내일 : 昨天 – 今天 – 明天 으로 시간사를 문두에 쓴다.
今天天气很好。Jīntiān tiānqì hěn hǎo.

정답과 해설 **279**

06 약속 장소를 정하는 대화이다.

哪儿은 장소를 물을 때 사용하는 의문사로 '어디'라는 뜻이다. 여학생의 말풍선은 我们在哪儿见? Wǒmen zài nǎr jiàn? 우리 어디에서 만날까? 이다.

'在+장소+동사'는 '~에서 ~을 하다'라는 뜻으로 그림 배경이 학교 정문으로 빈칸에 学校门口를 쓰면 된다. 남학생의 말풍선은 在学校门口见。Zài xuéxiào ménkǒu jiàn. 학교입구에서 만나자.

07 (1) 咱们谁跟谁呀! 우리 사이에!

Zánmen shéi gēn shéi ya!

관계가 매우 친밀하고 가까운 사이임을 나타낸다.

(2) 服务员, 我们点菜。

Fúwùyuán, wǒmen diǎncài.

종업원, 저희 주문할게요.

点은 '주문하다'라는 뜻이다.

08 (1) 가족을 세는 양사는 '口'로 '수사+양사+명사' 순으로 쓴다.

我家有四口人。 우리 집은 4식구야.

Wǒ jiā yǒu sì kǒu rén.

(2) '喜欢'은 '좋아하다'는 뜻이다.

我喜欢听韩国歌。

Wǒ xǐhuan tīng Hánguógē.

나는 한국음악 듣는 것을 좋아한다.

09 (1) ' ~ 的话, ~'는 가정문으로 '만약 ~하면 ~하다.'라는 뜻으로, '如果/要是 ~ 的话, ~'으로 쓰기도 한다.

去医院坐车的话, 十分钟就到。

Qù yīyuàn zuò chē de hua, shífēnzhōng jiù dào.

차를 타고 병원을 가면, 10분이면 도착해.

(2) '可能'은 '아마도' 라는 뜻으로 가능, 추측의 의미인 '会'와 같이 쓰였다.

非常冷, 可能会下雪。

Fēicháng lěng, kěnéng huì xià xuě.

매우 추워, 아마 눈이 올거야.

10 (1) 학습을 통해 '~할 수 있다'는 의미는 '会+동사'를 사용한다. 또한 동작의 상태나 정도를 표현할 때는 '동사/형용사 + 得+정도보어'로 나타낸다. 이 문장은 의미상 칠 줄은 아는데 잘은 못 친다는 의미로 '그러

나'라는 뜻의 '但是'가 앞문장과 뒷문장 사이에 와야 한다.

会是会, 但是打得不好。

Huì shì huì, dànshì dǎ de bù hǎo.

(2) '来'는 구체적인 동사를 대신하는 말로, 음식을 주문할 때는 '~주세요'라는 의미로 쓰인다.

来一只烤鸭和一瓶可乐。

Lái yì zhī kǎoyā hé yì píng kělè.

단원 종합 평가
본문 244쪽

| 01 ① | 02 ③ | 03 ⑤ | 04 ③ | 05 ② |
| 06 ④ | 07 ③ | 08 ③ | 09 ④ | 10 ③ |

01~04 제시된 중국어 문장을 해석하면 아래와 같다.

리빙빙 : 너는 영화 보는 것을 좋아하니?
김민호 : 좋아해.
리빙빙 : 그럼 오늘 저녁에 우리 같이 영화보자.
김민호 : 좋아, 우리 어디에서 볼까?
리빙빙 : 영화관 입구에서 만나자.

01 '喜欢'은 '좋아하다'라는 뜻으로 뒤에 '동사 看+명사 电影'이 온다. 의문문은 문미에 의문조사 '吗'를 쓴다. 이 때 질문하는 사람이 확신에 차있을 경우에는 문미에 '吧'를 쓴다. 즉, '你喜欢看电影吗?'는 '영화 보는 것을 좋아하니?'이고 '你喜欢看电影吧?' '영화 보는 것을 좋아하지?'로 의미상의 차이가 있다.

02 'ⓑ一起 yìqǐ'와 'ⓒ 一百 yì bǎi'는 一 뒤에 단어가 제3성일 경우 一를 제4성으로 읽는다.

① 一号 yī hào 일, 월을 나타내는 一는 제1성으로 읽는다.

② 看一看 kàn yi kàn 동사 중첩 사이의 一는 경성을 읽는다.

④ 十一 shíyī 본래 성조로 읽는다.

⑤ 一样 yíyàng 一 뒤의 단어가 제4성일 경우, 一를 제2성으로 읽는다.

03 我们ⓒ在哪儿见? 이 때 '在'는 전치사 '~에서'라는 의미로 쓰였다.

① 他不在家。Tā bú zài jiā. 그는 집에 없어요.

③ 姐姐在学校吗? Jiějie zài xuéxiào ma? 언니는 학교에 있나요?

→ ①, ③의 '在'는 '~에 있다'라는 뜻으로 동사로 쓰였다.

② 你在学习吗? 너는 공부하고 있니?
Nǐ zài xuéxiào ma?

④ 我在吃饭呢。 나는 밥 먹는 중이야.
Wǒ zài chī fàn ne.

→ ②, ④의 '在'는 현재 진행을 나타내는 '~하는 중이다'라는 의미로 쓰였다.

⑤ 妈妈在家看电视剧。
Māma zài jiā kàn diànshìjù.
엄마는 집에서 드라마를 보고 계셔.

→ ⑤의 '在'는 지문의 '在'과 같은 성격으로 '~에서'라는 의미로 쓰였다.

04 리빙빙과 김민호는 오늘 저녁에 영화를 보러가기로 약속했고 영화관 입구에서 만나기로 했다. 영화 시간은 언급되어 있지 않으며, 리빙빙이 어떤 영화를 좋아하는지도 언급되어 있지 않다.

05 모두 가족을 의미하는 단어끼리 연결되어 있지만, ②
老师 – 学生은 '선생님과 학생'을 의미하는 단어로 연결되어 있다.

① 哥哥 gēge 오빠, 형 – 弟弟 dìdi 남동생
③ 姐姐 jiějie 언니, 누나 – 妹妹 mèimei 여동생
④ 奶奶 nǎinai 할머니 – 爷爷 yéye 할아버지
⑤ 爸爸 bàba 아빠 – 妈妈 māma 엄마

06~09 제시된 문장을 해석하면 아래와 같다.

> 박나라 : 여보세요, 일요일에 우리 도서관 가자.
> 왕 강 : 좋아, 도서관은 학교에서 멀어?
> 박나라 : 멀지 않아. 자전거 타고 가면, 10분이면 도착해.
> 왕 강 : 일요일 아침 8시 15분에 도서관 정문에서 만나자.
> 박나라 : 좋아.

06 '离+장소, 때'의 형식은 기준점으로부터의 거리 또는 남은 시간 등을 표현 할 때 사용한다.

Túshūguǎn (lí) xuéxiào yuǎn ma?
图书馆离学校远吗?

의미상 10분이면 곧 도착한다는 의미이기 때문에 就를 쓴다.

Qí zìxíngchē dehuà, shí fēn zhōng (jiù) dào.
骑自行车的话, 十分钟就到。

07 '骑'는 '~타다'라는 의미로 马(말), 摩托车(오토바이),

자行车(자전거)등과 어울리는 동사이다.

① 飞机 fēijī 비행기 ② 出租车 chūzūchē 택시
④ 地铁 dìtiě 지하철 ⑤ 火车 huǒchē 기차

→ '坐(~타다)'와 어울리는 교통수단이다.

08 (d) bā diǎn yí kè (八点一刻)는 '8시 15분'이라는 뜻으로 八点十五分 bā diǎn shíwǔ fēn과 같은 표현이다.

① 八点半 bā diǎn bàn 8시 반
② 八点三刻 bā diǎn sān kè 8시 45분
④ 差五分八点 chà wǔ fēn bā diǎn 8시 5분 전
⑤ 八点四十五分 bā diǎn sìshíwǔ fēn 8시 45분

09 박나라와 왕강은 전화로 일요일 아침 8시 15분에 도서관에 가기로 약속을 했다. 도서관은 자전거 타고 10분이면 된다.

10 ① A : 你是哪国人? 당신은 어느 나라 사람입니까?
Nǐ shì nǎ guó rén?
B : 我是韩国人。 저는 한국사람입니다.
Wǒ shì Hánguórén.

② A : 明天几月几号? 내일은 몇 월 며칠입니까?
Míngtiān jǐ yuè jǐ hào?
B : 十二月六号。 12월 6일입니다.
Shí'èr yuè liù hào.

③ A : 多少钱? 얼마예요?
Duōshao qián?
B : 便宜一点儿吧。 조금 깎아주세요.
Piányi yìdiǎnr ba.

④ A : 请问, 医院怎么走?
Qǐngwèn, yīyuàn zěnme zǒu?
말씀 좀 묻겠습니다. 병원은 어떻게 가나요?
B : 一直往前走, 然后往右拐。
Yìzhí wǎng qián zǒu, ránhòu wǎng yòu guǎi.
곧장 앞쪽으로 가다가, 오른쪽으로 돌으세요.

⑤ A : 今天天气怎么样? 오늘 날씨가 어떤가요?
Jīntiān tiānqì zěnmeyàng?
B : 今天天气很好。 오늘 날씨 매우 좋아요.
Jīntiān tiānqì hěn hǎo

1. 중국 맛보기

1. 중국의 정식국호, 행정구역	**정식국호**: 중화인민공화국 **수도**: 베이징 **행정구역**: 22개의 성(※중국은 대만을 23번째 성으로 간주), 5개의 자치구, 4개의 직할시(베이징, 톈진, 상하이, 충칭), 2개의 특별행정구
2. 중국의 국기 및 인구, 민족	**인구**: 약 13억 명(세계 1위) **국기**: 오성홍기(국기 안의 5개 별들의 의미) : 가장 큰 별은 공산당, 작은 별들은 노동자, 농민, 소자산계급과 민족자산계급을 나타냄) **민족**: 약 92%를 차지하는 한족과 55개의 소수민족으로 구성
3. 중국어의 특징	1. 한족의 언어이기 때문에 '汉语'라고 하며, 표준어는 '普通话'라고 한다. 2. 음의 높낮이가 있는 언어인데 이 음의 높낮이를 '성조'라고 한다. 3. 복잡한 '번체자' 대신 간소화된 '간화자'를 사용한다. 4. 로마자를 이용한 '한어병음방안'을 제정하여 표기한다.
4. 중국의 대표 요리	중국 요리는 프랑스, 터키 요리와 함께 세계 3대 요리이며, 중국의 4대 대표 요리는 쓰촨 요리(川菜), 장쑤 요리(苏菜), 광둥 요리(奥菜), 산둥 요리(鲁菜)이다.
5. 중국을 대표하는 예술	剪纸 jiǎnzi: 사물의 형상을 종이로 오려내어 붙이는 공예 相声 xiàngsheng: 유머러스한 언어를 사용하여 풍자와 과장으로 사람들에게 일종의 메시지를 전달하는 문화장르 太极拳 tàijíquán: 〈진식태극권〉과 〈양식태극권〉으로 나눌 수 있는데, 부드러움 속에서 강함을 추구하며 음양오행의 조화를 이루며 수련하는 운동이자 중국을 대표하는 무술 变脸 biànliǎn: 얼굴에 쓴 가면을 바꾸는 공연예술 皮影戏 píyǐngxì: 가죽으로 만든 인형의 그림자를 움직여 이야기를 전달하는 연극
6. 중국의 명소 이해	长城 Chángchéng: 베이징 근처의 바다링 창청이 유명하며 총연장 길이가 만 리가 넘는 인류 최대의 토목 공사 兵马俑 Bīngmǎyǒung: 시안에 위치해 있으며 진나라 시황제의 호위대를 흙으로 만들어 수장한 지하 갱도 黄山 Huáng Shān: 바위, 소나무, 구름의 풍경이 유명한 중국 최고의 명산 东方明珠 Dōngfāng Míngzhū 탑 : 1994년에 완공된 높이 467m의 방송 송신탑 布达拉宫 Bùdālā Gōng: 시짱자치구 수부 라싸 시의 북부 청관구 경내 마포 일산 상에 있는 대규모 궁정 건축군으로, 1961년 전국중점문물보호단위로 지정되었으며, 1994년 UNESCO의 세계문화유산에 라싸 시 포탈라궁 역사 건축군으로 등재

1. 중국어 발음 3요소	**성조**: 음의 높낮이 **성모**: 음절의 앞부분에 해당하는 자음(우리말의 자음에 해당하며 모두 21개) **운모**: 성모를 제외한 나머지 부분(우리말의 모음에 해당하며 모두 36개)
2. 성조의 이해	**1성**: 높고 평탄하게 발음 **2성**: 음을 중간에서 위로 올리며 발음 **3성**: 음을 내렸다가 다시 올리면서 발음 **4성**: 높은 음에서 급하게 내려오며 발음 **경성**: 짧고 약하게 발음
3. 한어병음의 이해	중국어는 뜻으로 이루어진 표의문자이기 때문에 표음문자와는 달리 음을 나타낼 수 없어서 각 한자의 음을 표기하는 방법을 만들어 냈는데 이를 '한어병음'이라고 한다. 중국에서 사용하는 한어병음은 알파벳 로마자를 사용하여 표기한다. ★ 타이완에서는 한어병음이 아닌 주음부호를 이용하여 음절을 표기
4. 성조 부호 표기	1. 표기 순서 : a > o > e > l > u > ü 예 jiào, běi, shū 2. i 위의 점은 생략하고 성조만 표기 3. i와 u가 나란히 사용될 때는 뒤에 표기 예 liù, guì
5. 손으로 숫자를 표현 하는 방법	yī èr sān sì wǔ liù qī bā jiǔ shí
6. 교실 중국어 표현	非常好! 매우 좋다! 真棒! 정말 대단하다! 跟我读，现在开始! 나를 따라서 읽어주세요. 지금 시작합니다!
7. 교실 중국어 응용 표현	现在开始上课。 Xiànzài kāishǐ shàng kè. 수업을 시작하겠습니다. 我点一下名。 Wǒ diǎn yíxià míng. 이름을 부르겠습니다. 请打开书。 Qǐng dǎ kāi shū. 책을 펴세요. 请看书 (10) 页。 Qǐng kàn shū(shí) yè. 책 10쪽을 보세요. 再读一遍。 Zài dú yī biàn. 다시 한 번 읽겠습니다. 安静一下。 Ānjìng yíxià. 조용히 하세요. 有问题吗? Yǒu wèntí ma? 질문 있습니까? 今天就上到这儿。 Jīntiān jiù shàng dào zhèr. 오늘은 여기까지 하겠습니다. 大家辛苦了! Dàjiā xīnkǔ le! 여러분, 수고하셨습니다!

3. 你好

Nǐ hǎo

안녕하세요

1. 만났을 때의 인사하기 표현	你好! Nǐ hǎo! 안녕하세요! 老师好！Lǎoshī hǎo! 선생님, 안녕하세요! 大家好！Dàjiā hǎo! 여러분, 안녕하세요!
2. 감사하기 표현	谢谢! Xièxie! 감사합니다! 多谢多谢! Duōxiè duōxiè! 매우 감사합니다! 不客气! Bú kèqi! 천만에요!
3. 사과하기 표현	对不起! Duìbuqǐ! 죄송합니다! 不好意思! Bù hǎoyìsi! 미안합니다! 没关系! Méi guānxi! 괜찮습니다! 没事儿! Méi shìr! 괜찮습니다!
4. 인칭대명사의 이해	1인칭: 我 wǒ 나 2인칭: 你 nǐ 너 3인칭: '그'는 他 tā, '그녀'는 她 tā를 사용한다. 2인칭 '你'의 높임말은 '您'을 사용한다. 인칭대명사의 뒤에 '们'을 넣어주면 복수의 의미로 사용한다. 我们 : 우리들 / 你们 : 너희들 / 他们 : 그들 / 她们 : 그녀들
5. 헤어질 때의 인사하기 표현	再见! Zàijiàn! 안녕! 明天见! Míngtiān jiàn! 내일 보자! 再会! Zàihuì! 안녕히 계세요!
6. '不'의 성조변화	'不'는 동사나 형용사 앞에 쓰여 부정을 나타내며, 원래는 제4성이지만 뒤에 제4성이 오면 제2성으로 발음한다.
7. 시간대별 사용하는 단어 이해	早上 zǎoshang 아침 上午 shàngwǔ 오전 中午 zhōngwǔ 점심 下午 xiàwǔ 오후 晚上 wǎnshang 저녁

4. 我是韩国人
Wǒ shì Hánguórén
저는 한국 사람입니다

1. 의문대명사 '哪'의 이해	'어느, 어떤'이라는 뜻으로 사용되는 단어로 "你是哪国人? 당신은 어느 나라 사람입니까?"등의 문장으로 사용할 수 있다. ★문장 안에 의문사가 사용되면 의문조사 '吗'를 중복해서 사용하지 않는다. 예 你是哪国人吗?(X)
2. 이름을 물어보는 표현 이해	你叫什名名字? 당신의 이름은 무엇입니까? 여기서 사용된 '叫'의 의미는 '~라 부르다'의 의미로 이해하고 이에 대한 답변으로는 "我叫金民浩。"로 '我+叫+이름'의 형태로 말한다. "您贵姓? 당신의 귀한 성은 무엇입니까?"라는 표현으로 상대방의 성을 물어볼 때 사용할 수 있는 표현이다.
3. 동사 술어 '是'의 이해	동사 술어 '是'는 '~이다'의 뜻이고, 부정형은 '不是'이다.
4. 가족의 수를 물어보는 표현	你家有几口人? 당신의 가족은 몇 명입니까? 有: '~이 있다'의 소유를 뜻하고 '几'는 10 미만의 수를 셀 때 사용하는 의문수사로 '몇'이라는 의미이다. 口: 가족 수를 말할 때 사용하는 양사이다.
5. 국적을 나타내는 단어 이해	韩国人 Hánguórén 한국인 中国人 Zhōngguórén 중국인 日本人 Rìběnrén 일본인 美国人 Měiguórén 미국인 西班牙人 Xībānyārén 스페인인 ★ 나라 이름을 나타낼 때 한어병음의 첫 글자는 대문자로 표기한다.
7. 가족구성원을 나타내는 단어 이해	爸爸 bàba 아빠 妈妈 māma 엄마 哥哥 gēge 형, 오빠 弟弟 dìdi 남동생 姐姐 jiějie 누나, 언니 妹妹 mèimei 여동생 我 wǒ 나

5. 今天几月几号

Jīntiān jǐ yuè jǐ hào

오늘은 몇 월 며칠입니까

1. 날짜를 나타내는 표현	月 yuè: 월 号 hào: 일(日) 今天几月几号? 오늘은 몇 월 며칠입니까?
2. 요일을 나타내는 표현	요일은 '星期+숫자'로 표현한다. 단 일요일은 숫자 대신 '天'이나 '日'를 사용한다. '星期'를 '礼拜'나 '周'를 넣어서 사용하기도 한다.
3. 지시대명사 이해	가까이 있는 사람이나 사물을 가리킬 때는 '这(이것, 이분)' 멀리 있을 때는 '那(저, 저분)'를 사용한다.
4. 나이를 묻는 표현 이해	你几岁? 10세 미만의 어린아이들의 나이를 물을 때 주로 사용 你多大? 일반적인 나이를 물을 때 사용 你多大年纪? 할아버지, 할머니 등 어르신의 연세를 여쭈어볼 때 사용
5. 시제를 나타내는 단어 이해	前年(재작년) – 去年(작년) – 今年(올해) – 明年(내년) – 后年(내후년)
6. 생일을 축하하는 표현	生日快乐! Shēngrì kuàilè! 생일 축하합니다! 祝你生日快乐! Zhù nǐ shēngrì kuàilè!의 표현으로도 사용할 수 있다.
7. 의문 조사 '吗'의 이해	일반 평서문의 문장 뒤에 의문조사 '吗'를 넣으면 의문형의 문장이 된다. 明天是运动会吗? 내일은 운동회인가요?

6. 现在几点

Xiànzài jǐ diǎn

지금 몇 시입니까

1. 시간을 묻는 의문사	几 jǐ ⇒ 现在几点? Xiànzài jǐ diǎn?
2. 시간 표현	숫자 + 点 diǎn + 숫자 + 分 fēn 예 3시 10분 : 三点十分 sān diǎn shí fēn

3. 다양한 시간 표현	15분: 十五分 shíwǔ fēn
	    = 一刻 yí kè
	30분: 三十分 sānshí fēn
	    = 半 bàn
	45분: 四十五分 sìshíwǔ fēn
	    = 三刻 sān kè
	55분: 五十五分 wǔshíwǔ fēn
	    = 差五分○点 chà wǔ fēn ○ fēn

4. 二과 两의 쓰임	2시 : 两点 liǎng diǎn 12시 : 十二点 shí'èr diǎn 12분 : 十二分 shí'èr fēn 2분 : 二分 èr fēn 22분 : 二十二分 èrshí'èr fēn
5. 권유의 표현	吧 ba: ~하자 吃午饭吧。 Chī wǔfàn ba. 점심식사 하자.
6. 이유 묻는 표현	为什么 wèi shénme: 왜 因为 yīnwèi: 왜냐하면 ~ 때문에 为什么那么晚? 왜 그렇게 늦어? Wèi shénme nàme wǎn?
7. 의지의 표현	要 yào: ~해야 한다 因为我要学习汉语。 왜냐하면 나는 중국어를 공부해야 하니까요. Yīnwèi wǒ yào xuéxí Hànyǔ.

7. 我们在哪儿见

Wǒmen zài nǎr jiàn

우리 어디에서 만나요

1. 시간 명사	엊그제 – 어제 – 오늘 – 내일 – 모레 前天 – 昨天 – 今天 – 明天 – 后天 qiántiān – zuótiān – jīntiān – míngtiān – hòutiān
2. 喜欢	**喜欢+동사+명사** **不+喜欢+동사+명사** 我不喜欢听韩国歌。나는 한국음악 듣는 것을 안 좋아합니다. Wǒ bù xǐhuan tīng Hánguógē.
3. 在	**在+장소+동사**: ~에서 ~을 하다 他在学校教英语。 그는 학교에서 영어공부를 한다. Tā zài xuéxiào jiào Yīngyǔ. **在+장소**: ~에 있다. 他在图书馆。 그는 도서관에 있다. Tā zài túshūguǎn.
4. 会	**会**: (학습을 통해) ~할 수 있다, ~를 잘 한다 我会踢足球。 나는 축구를 할 수 있다. Wǒ huì tī zúqiú.
5. 打와 踢	打 dǎ: ~하다, 치다 打乒乓球 dǎ pīngpāngqiú 탁구를 치다 打篮球 dǎ lánqiú 농구를 하다 踢 tī: ~하다, (발로)차다 踢足球 tī zúqiú 축구를 하다
6. 정도 보어	**동사/형용사+得+정도보어** 他跑得很快。 Tā pǎo de hěn kuài. 그는 달리기가 매우 빠르다.

8. 你吃饭了吗

Nǐ chī fàn le ma

당신은 식사 하셨나요

1. 전화 번호 읽기	1은 'yāo'로 읽음. 15829881084。 Yāo wǔ bā èr jiǔ bā bā yāo líng bā sì.
2. 동작의 진행	'在+동사+呢' (在 나 呢중 하나만 써도 됨) 你(在)做什么呢?너 뭐 하고 있니? Nǐ (zài) zuò shénme ne? 我在吃饭呢。나 밥 먹고 있어. Wǒ zài chī fàn ne.
3. 동작의 경험	'동사+过' (부정형 : '没+동사+过') 你吃过北京烤鸭吗? Nǐ chīguo Běijīng kǎoyā ma? 너 베이징 오리구이 먹어 봤니? 我没吃过。 Wǒ méi chīguo. 나 못 먹어 봤어.
4. 수량사	수사+양사+명사 (숫자 '둘'은 两 liǎng으로 사용한다.) 一只烤鸭 yì zhī kǎoyā 오리구이 한 마리 两瓶可乐 liǎng píng kělè 콜라 두 병

5. 想	① 동사 想: 생각하다
	  我也这样想。나도 그렇게 생각합니다.
	  Wǒ yě zhèyàng xiǎng.
	② 조동사 想 + 동사: ~하고 싶다(바람, 희망 사항)
	  我想吃北京烤鸭。나는 베이징 오리구이를 먹고 싶다.
	  Wǒ xiǎng chī Běijīng kǎoyā.

9. 多少钱

Duōshao qián

얼마에요

1. 가격 묻는 의문사	多少 duōshao: 얼마 多少钱? Duōshao qián? 얼마예요?
2. 太 ~ 了	太~了:너무 ~ 하다 太贵了。 Tài guì le. 너무 비싸다.
3. 의복 관련 양사	① 件 jiàn: 벌, 건 　一件衣服 yí jiàn yīfu 옷 한 벌 ② 条 tiáo: 벌, 줄기 　一条裤子 yì tiáo kùzi 바지 한 벌 ③ 顶 dǐng: 개(모자 세는 양사) 　一顶帽子 yì dǐng màozi 모자 한 개 ④ 双 shuāng: 쌍, 짝 　一双袜子 yì shuāng wàzi 양말 한 켤레
4. yī(一) 의 성조 변화	yī+제1,2,3성 → yì(제4성) 예 yì zhāng(一张 한 장), yì píng(一瓶 한 병), yì qǐ(一起 함께) yī+제4성, 경성 → yí(제2성) 예 yí jiàn(一件 한 벌), yí ge(一个 한 개)

5. 세 자리 숫자 세는 법	100	一百 yìbǎi	120	一百二十 yìbǎi èrshí 一百二 yìbǎi èr
	101	一百零一 yìbǎi líng yī	121	一百二十一 yìbǎi èrshíyī
	111	一百一十一 yìbǎi yìshíyī	200	两百 liǎng bǎi

6. 중국의 화폐(런민비) 단위	块 kuài, 毛 máo, 分 fēn 元 yuán, 角 jiǎo, 分 fēn
7. 가격 읽는 법	￥20.8 : 二十块八(毛) èrshí kuài bā (máo)

10. 天安门怎么走
Tiān'ān Mén zěnme zǒu
톈안먼은 어떻게 가나요?

1. 길 묻기	① **장소+怎么走?** zěnme zǒu: 찾는 장소까지 가는 방향을 묻는 표현 ② **장소+怎么去?** zěnme qù: 찾는 장소까지 가는 교통수단을 묻는 표현 ③ **장소+在哪儿?** zài nǎr: 찾는 장소가 있는 위치를 묻는 표현
2. 방향 표현	**往+방향**: ~쪽으로 往前走 wǎng qián zǒu: 앞쪽으로 가다 往右拐 wǎng yòu guǎi: 오른쪽으로 돌아가다 往左拐 wǎng zuǒ guǎi: 왼쪽으로 돌아가다
3. 从	**从~ 到**: 동작의 시작점, ~부터 ~까지 从九点到六点工作。 9시부터 6시까지 일한다. Cóng jiǔ diǎn dào liù diǎn gōngzuò.
4. 离	**离+장소, 때**: 기준점으로부터 남은 시간이나 거리 公园离宿舍很近。 공원은 숙소에서 매우 가깝다. Gōngyuán lí sùshè hěn jìn.
5. 가정 표현	**要是／如果 ~ (的话)**: 만약 ~ 한다면, 要是打的的话, 要半个小时。 만약 택시를 타고 간다면 30분 걸립니다. Yàoshi dǎdī dehuà, yào bàn ge xiǎoshí.

6. 坐와 骑	<table><tr><td rowspan="5">坐 zuò ~을 타다</td><td>飞机 fēijī 비행기</td></tr><tr><td>地铁 dìtiě 지하철</td></tr><tr><td>出租车 chūzūchē 택시</td></tr><tr><td>船 chán 배</td></tr><tr><td>车 chē 차</td></tr></table> <table><tr><td rowspan="3">骑 aí ~을 타다</td><td>马 mǎ 말</td></tr><tr><td>自行车 zìxíngchē 자전거</td></tr><tr><td>摩托车 mótuōchē 오토바이</td></tr></table>

11. 天气怎么样
Tiānqì zěnmeyàng
날씨가 어떻습니까

1. 会	① ~할 수 있다(학습 후 할 수 있는 능력) 我会说汉语。 나는 중국어를 말할 수 있다. Wǒ huì shuō Hànyǔ. ② ~할 것이다(미래의 가능성이나 추측) 明天他不会来。 내일 그는 오지 않을 것이다. Míngtiān tā búhuì lái.
2. 비교문	① A+比/不比+B+형용사 我不比他高。 나는 그보다 키가 크지 않다. Wǒ bù bǐ tā gāo. ② A 比 B+(还/更)+형용사 今天比昨天很冷。(×) Jīntiān bǐ zuótiān hěn lěng 今天比昨天还冷。(○) 오늘이 어제보다 더 춥다. Jīntiān bǐ zuótiān hái lěng ③ A+比+B+형용사+수량사/一点儿/一些 我比他大两岁。 나는 그보다 두 살이 많다. Wǒ bǐ tā dà liǎng suì.
3. 임박태	快要~了 kuàiyào le: 곧 ~하려고 하다
4. 선택의문문	A 还是 B: A 아니면 B 你是中国人还是日本人? 당신은 중국사람입니까 일본사람입니까? Nǐ shì Zhōngguórén háishi Rìběnrén?
5. 날씨 관련 어휘	多云 duōyún 구름 많음 毛毛雨 máomaoyǔ 이슬비, 보슬비 晴 qíng 맑다 阴 yīn 흐리다 阵雨 zhènyǔ 소나기 暖和 nuǎnhuo 따뜻하다 凉快 liángkuai 선선하다 雾 wù 안개

과별 어휘 체크

3과

☐ 你	nǐ	너
☐ 好	hǎo	안녕하다, 좋다
☐ 们	men	~들(복수를 나타냄)
☐ 吗	ma	~입니까?
☐ 我	wǒ	나
☐ 很	hěn	매우
☐ 再见	zàijiàn	안녕, 잘 가
☐ 明天	míngtiān	내일
☐ 见	jiàn	만나다
☐ 老师	lǎoshī	선생님
☐ 大家	dàjiā	여러분
☐ 他	tā	그
☐ 她	tā	그녀
☐ 它	tā	그것
☐ 同学	tóngxué	학우, 급우
☐ 请	qǐng	청하다
☐ 写	xiě	쓰다
☐ 听	tīng	듣다
☐ 读	dú	읽다
☐ 看	kàn	보다
☐ 谢谢	xièxie	고맙다
☐ 不	bù	아니다, ~하지 않다
☐ 客气	kèqi	겸손하다, 예의가 바르다
☐ 对不起	duìbuqǐ	미안하다
☐ 没关系	méi guānxi	괜찮다
☐ 不好意思	bù hǎoyìsi	미안하다
☐ 您	nín	당신(你의 존칭)
☐ 去	qù	가다
☐ 晚上	wǎnshang	저녁
☐ 下午	xiàwǔ	오후
☐ 一会儿	yíhuìr	잠시, 잠깐 동안
☐ 医生	yīshēng	의사
☐ 小	xiǎo	성, 이름 앞에 붙는 애칭, 나보다 나이 어린 사람을 친근하게 부를 때 사용함.
☐ 阿姨	āyí	아주머니, 이모
☐ 护士	hùshi	간호사

☐ 师傅	shīfu	기사, 아저씨
☐ 警察	jǐngchá	경찰
☐ 先生	xiānsheng	선생, 남편
☐ 早上	zǎoshang	아침

4과

☐ 是	shì	~이다
☐ 哪	nǎ	어느
☐ 国	guó	나라
☐ 人	rén	사람
☐ 韩国人	Hánguórén	한국인
☐ 叫	jiào	~라고 부르다
☐ 什么	shénme	무엇, 무슨
☐ 名字	míngzi	이름
☐ 谁	shéi	누구
☐ 中国人	Zhōngguórén	중국인
☐ 学生	xuésheng	학생
☐ 这	zhè	이, 이것
☐ 那	nà	저, 저것
☐ 家	jiā	집
☐ 有	yǒu	있다
☐ 几	jǐ	몇
☐ 口	kǒu	식구(양사)
☐ 三	sān	3, 셋
☐ 呢	ne	~는요
☐ 四	sì	4, 넷
☐ 爸爸	bàba	아빠
☐ 妈妈	māma	엄마
☐ 妹妹	mèimei	여동생
☐ 和	hé	~와/과
☐ 也	yě	~도
☐ 两	liǎng	둘, 2
☐ 手机	shǒujī	휴대 전화
☐ 没有	méiyǒu	없다
☐ 年级	niánjí	학년
☐ 个	gè	명, 개
☐ 书包	shūbāo	책가방
☐ 弟弟	dìdi	남동생

☐ 日本人	Rìběnrén	일본인	
☐ 美国人	Měiguórén	미국인	
☐ 姐姐	jiějie	누나, 언니	
☐ 哥哥	gēge	형, 오빠	
☐ 爷爷	yéye	할아버지	
☐ 奶奶	nǎinai	할머니	
☐ 叔叔	shūshu	삼촌	
☐ 儿子	érzi	아들	
☐ 女儿	nǚér	딸	

5과

☐ 今天	jīntiān	오늘
☐ 月	yuè	달
☐ 号	hào	일(日)
☐ 十	shí	10, 열
☐ 星期五	xīngqīwǔ	금요일
☐ 运动会	yùndònghuì	체육 대회
☐ 啊	a	(어기 조사)
☐ 加油	jiāyóu	힘내다
☐ 劳动节	Láodòng Jié	노동절
☐ 生日	shēngrì	생일
☐ 快乐	kuàilè	즐겁다
☐ 认识	rènshi	알다
☐ 高兴	gāoxìng	기쁘다
☐ 今年	jīnnián	올해
☐ 多	duō	얼마나
☐ 大	dà	(나이가) 많다
☐ 岁	suì	세(양사), 나이
☐ 的	de	~의
☐ 朋友	péngyou	친구
☐ 年纪	niánjì	나이, 연세
☐ 儿童节	Értóng Jié	어린이날
☐ 春节	Chūnjié	춘제
☐ 前天	qiántiān	그저께
☐ 昨天	zuótiān	어제
☐ 后天	hòutiān	모레
☐ 国籍	guójí	국적
☐ 护照	hùzhào	여권

☐ 号码	hàomǎ	번호
☐ 签证	qiānzhèng	비자
☐ 签名	qiānmíng	서명하다
☐ 周末	zhōumò	주말
☐ 祝	zhù	축원하다

6과

☐ 现在	xiànzài	현재
☐ 点	diǎn	시
☐ 分	fēn	분
☐ 天	tiān	하늘
☐ 迟到	chídào	지각하다
☐ 了	le	(동태조사)
☐ 真的	zhēnde	정말
☐ 快	kuài	빨리
☐ 走	zǒu	걷다, 가다
☐ 吧	ba	~하자(제안 어기조사)
☐ 刻	kè	15분
☐ 半	bàn	반, 30분
☐ 差	chà	부족하다
☐ 休息	xiūxi	쉬다
☐ 吃	chī	먹다
☐ 午饭	wǔfàn	점심 식사
☐ 每	měi	매
☐ 睡觉	shuìjiào	잠자다
☐ 为什么	wèi shénme	왜
☐ 那么	nàme	그렇게
☐ 晚	wǎn	늦다
☐ 因为	yīnwèi	왜냐하면
☐ 要	yào	해야 한다
☐ 学习	xuéxí	공부하다
☐ 汉语	Hànyǔ	중국어
☐ 这么	zhème	이렇게
☐ 冷	lěng	춥다
☐ 冬天	dōngtiān	겨울
☐ 到	dào	도착하다
☐ 了	le	~했다(완료·변화의 어기조사)

☐ 做	zuò	하다	
☐ 作业	zuòyè	숙제	
☐ 考	kǎo	시험 보다	
☐ HSK	hànyǔ shuǐpíng kǎoshì	중국어 능력 시험	
☐ 考试	kǎoshì	시험	
☐ 起床	qǐchuáng	일어나다	
☐ 回	huí	돌아가다	
☐ 上课	shàngkè	수업하다	
☐ 上午	shàngwǔ	오전	
☐ 洗	xǐ	씻다	
☐ 脸	liǎn	얼굴	
☐ 上学	shàngxué	등교하다	
☐ 放学	fàngxué	하교하다	
☐ 洗澡	xǐzǎo	목욕하다	
☐ 聊天儿	liáotiānr	잡담하다	
☐ 暑假	shǔjià	여름 방학	
☐ 中午	zhōngwǔ	정오, 낮	
☐ 上网	shàngwǎng	인터넷을 하다	

7과

☐ 演唱会	yǎnchànghuì	콘서트	
☐ 喜欢	xǐhuan	(~하기를) 좋아하다	
☐ 韩国歌	Hánguógē	한국 노래	
☐ 在	zài	~에서	
☐ 哪儿	nǎr	어디	
☐ 学校	xuéxiào	학교	
☐ 门口	ménkǒu	입구	
☐ 音乐	yīnyuè	음악	
☐ 电影	diànyǐng	영화	
☐ 电视剧	diànshìjù	텔레비전 드라마	
☐ 会	huì	할 수 있다(능력)	
☐ 打	dǎ	치다	
☐ 乒乓球	pīngpāngqiú	탁구	
☐ 但是	dànshì	그러나	
☐ 得	de	(술어와 정도 보어를 연결 시킴.)	
☐ 可以	kěyǐ	~할 수 있다(허락), 해도 된다	

☐ 教	jiāo	가르치다
☐ 没	méi	없다
☐ 问题	wèntí	문제
☐ 踢	tī	차다
☐ 足球	zúqiú	축구
☐ 太极拳	tàijíquán	태극권
☐ 篮球	lánqiú	농구
☐ 跑	pǎo	달리다
☐ 不太	bú tài	그다지, 별로(~하지 않다)
☐ 快	kuài	빠르다
☐ 医院	yīyuàn	병원
☐ 图书馆	túshūguǎn	도서관
☐ 商店	shāngdiàn	상점
☐ 玩儿	wánr	놀다
☐ 电脑	diànnǎo	컴퓨터
☐ 跳舞	tiàowǔ	춤추다
☐ 羽毛球场	yǔmáoqiúchǎng	배드민턴장
☐ 健康	jiànkāng	건강(하다)
☐ 日期	rìqī	날짜
☐ 时间	shíjiān	시간
☐ 地点	dìdiǎn	장소
☐ 比赛	bǐsài	시합
☐ 爱好	àihào	취미
☐ 游泳	yóuyǒng	수영(하다)
☐ 书法	shūfǎ	서예
☐ 棒球	bàngqiú	야구
☐ 排球	páiqiú	배구

8과

☐ 喂	wèi	여보세요
☐ 饭	fàn	밥
☐ 早饭	zǎofàn	아침밥
☐ 一般	yìbān	일반적으로
☐ 喝	hē	마시다
☐ 粥	zhōu	죽
☐ 包子	bāozi	(소가 든) 찐빵
☐ 什么的	shénmede	등등
☐ 汤	tāng	탕, 국

□	米饭	mǐfàn	쌀밥
□	好吃	hǎochī	맛있다
□	餐厅	cāntīng	식당
□	电话	diànhuà	전화
□	号码	hàomǎ	번호
□	多少	duōshao	얼마
□	还	hái	아직
□	想	xiǎng	~하고 싶다
□	北京烤鸭	Běijīng kǎoyā	베이징 오리 구이
□	过	guo	~한 적이 있다
□	请客	qǐngkè	한턱내다
□	服务员	fúwùyuán	종업원
□	点	diǎn	주문하다
□	菜	cài	요리
□	来	lái	(어떤 동작·행동을) 하다
□	只	zhī	마리(양사)
□	瓶	píng	병(양사)
□	可乐	kělè	콜라
□	可是	kěshì	그런데
□	辣	là	맵다
□	碗	wǎn	그릇(양사)
□	炸酱面	zhájiàngmiàn	짜장면
□	首	shǒu	곡(양사)
□	书	shū	책
□	茶	chá	차
□	信	xìn	편지
□	火锅	huǒguō	훠궈(중국요리 이름)
□	宫保鸡丁	gōngbǎojīdīng	궁바오지딩(중국요리 이름)
□	汉堡包	hànbǎobāo	햄버거
□	鱼香肉丝	yúxiāngròusī	위상러우쓰(중국요리 이름)
□	炒饭	chǎofàn	볶음밥
□	饺子	jiǎozi	만두
□	菜名	càimíng	요리 이름
□	数量	shùliàng	수량
□	买单	mǎidān	계산서
□	菜单	càidān	메뉴, 차림표
□	咖啡	kāfēi	커피

9과

□	买	mǎi	사다
□	件	jiàn	벌(양사)
□	旗袍	qípáo	치파오(옷)
□	红色	hóngsè	빨간색
□	怎么样	zěnmeyàng	어떠하다
□	最近	zuìjìn	최근
□	流行	liúxíng	유행하다
□	好	hǎo	꽤, 몹시
□	漂亮	piàoliang	예쁘다
□	钱	qián	돈
□	打折	dǎzhé	할인하다
□	块	kuài	콰이(중국 화폐 단위)
□	衣服	yīfu	옷
□	裤子	kùzi	바지
□	裙子	qúnzi	치마
□	条	tiáo	벌(양사)
□	袜子	wàzi	양말
□	双	shuāng	켤레(양사)
□	大衣	dàyī	외투
□	帽子	màozi	모자
□	顶	dǐng	개(양사)
□	元	yuán	위안(중국 화폐 단위)
□	角	jiǎo	块(元)의 1/10
□	毛	máo	角의 구어체
□	分	fēn	毛(角)의 1/10
□	普洱茶	pǔ'ěrchá	푸얼차
□	怎么	zěnme	어떻게
□	卖	mài	팔다
□	贵	guì	비싸다
□	便宜	piányi	싸다
□	一点儿	yìdiǎnr	조금
□	行	xíng	좋다, 괜찮다
□	给	gěi	주다
□	一	yī	1, 하나
□	百	bǎi	100, 백
□	找	zhǎo	거슬러 주다

□ 慢	màn	느리다	
□ 有点儿	yǒudiǎnr	조금, 약간	
□ 累	lèi	피곤하다	
□ 英语	Yīngyǔ	영어	
□ 黄色	huángsè	노란색	
□ 蓝色	lánsè	파란색	
□ 黑色	hēisè	검은색	
□ 鞋	xié	신발	
□ 本	běn	권(양사)	
□ 张	zhāng	장(양사)	
□ 火车票	huǒchēpiào	기차표	
□ 购买	gòumǎi	구매하다	
□ 送	sòng	주다, 증정하다	
□ 价格	jiàgé	가격	

10과

□ 请问	qǐngwèn	말씀 좀 묻겠습니다	
□ 天安门	Tiān'ān Mén	톈안먼	
□ 从	cóng	~로부터	
□ 出	chū	나가다	
□ 就	jiù	바로, 곧	
□ 这里	zhèli	이곳, 여기	
□ 一直	yìzhí	곧장, 곧바로	
□ 然后	ránhòu	그러고 나서	
□ 往	wǎng	~쪽으로	
□ 右	yòu	오른쪽	
□ 拐	guǎi	(방향을) 바꾸다	
□ 动物园	dòngwùyuán	동물원	
□ 出发	chūfā	출발하다	
□ 工作	gōngzuò	일하다	
□ 到	dào	~까지	
□ 左	zuǒ	왼쪽	
□ 前	qián	앞	
□ 十字路口	shízì lùkǒu	사거리	
□ 离	lí	~로부터	
□ 这儿	zhèr	여기	
□ 远	yuǎn	멀다	
□ 舒服	shūfu	편안하다	

□ 发烧	fāshāo	열이 나다	
□ 坐	zuò	앉다, 타다	
□ 出租车	chūzūchē	택시	
□ 的话	dehuà	~한다면	
□ 分钟	fēnzhōng	분	
□ 能	néng	~할 수 있다	
□ 陪	péi	동반하다, 수행하다	
□ 当然	dāngrán	당연하다	
□ 咱们	zánmen	(상대를 포함한)우리	
□ 呀	ya	(어기조사)	
□ 感冒	gǎnmào	감기 (걸리다)	
□ 头疼	tóuténg	머리가 아프다	
□ 公园	gōngyuán	공원	
□ 宿舍	sùshè	기숙사	
□ 近	jìn	가깝다	
□ 寒假	hánjià	겨울 방학	
□ 要是	yàoshi	만약	
□ 打的	dǎdī	택시를 타다	
□ 要	yào	소요되다, 걸리다.	
□ 小时	xiǎoshí	시간	
□ 银行	yínháng	은행	
□ 邮局	yóujú	우체국	
□ 车站	chēzhàn	정류장	
□ 骑	qí	타다	
□ 自行车	zìxíngchē	자전거	
□ 飞机	fēijī	비행기	
□ 前门	Qiánmén	첸먼	
□ 王府井	Wángfǔjǐng	왕푸징	
□ 号线	hàoxiàn	호선	
□ 天坛公园	Tiāntán Gōngyuán	톈탄 공원	
□ 公交车	gōngjiāochē	시내버스	

11과

□ 过年	guònián	설을 쇠다	
□ 时候	shíhou	때	
□ 天气	tiānqì	날씨	
□ 非常	fēicháng	매우	
□ 可能	kěnéng	~일 것이다	

□	下	xià	내리다
□	雪	xuě	눈
□	新年	xīnnián	새해
□	打算	dǎsuàn	계획
□	后	hòu	~ 후에, 뒤
□	风景	fēngjǐng	경치
□	比	bǐ	~ 보다
□	夏天	xiàtiān	여름
□	更	gèng	더, 더욱
□	美	měi	아름답다, 예쁘다
□	身体	shēntǐ	몸, 신체
□	一定	yídìng	꼭, 반드시
□	忙	máng	바쁘다
□	高	gāo	(키가) 크다
□	博客	bókè	블로그
□	准备	zhǔnbèi	준비하다
□	年夜饭	niányèfàn	제야에 먹는 음식
□	贴	tiē	붙이다
□	春联	chūnlián	춘련
□	还是	háishi	또는
□	别的	bié de	다른 것
□	年糕汤	niángāotāng	떡국
□	听说	tīngshuō	듣자 하니
□	孩子	háizi	(어린) 아이
□	大人	dàrén	어른, 성인
□	拜年	bài nián	세배하다
□	压岁钱	yāsuìqián	세뱃돈
□	药房	yàofáng	약국
□	关	guān	닫다
□	门	mén	문
□	比萨饼	bǐsàbǐng	피자
□	意大利面	yìdàlìmiàn	스파게티
□	路	lù	노선
□	雨	yǔ	비
□	刮	guā	불다
□	风	fēng	바람
□	打雷	dǎ léi	천둥 치다
□	发	fā	보내다
□	短信	duǎnxīn	문자
□	电子邮件	diànzǐ yóujiàn	이메일
□	牛奶	niúnǎi	우유
□	豆浆	dòujiāng	콩국
□	说	shuō	말하다
□	恭喜	gōngxǐ	축하하다
□	发财	fācái	돈을 벌다
□	有余	yǒuyú	여유가 있다
□	雨伞	yǔsǎn	우산
□	铅笔	qiānbǐ	연필
□	外套	wàitào	외투
□	地图	dìtú	지도
□	暖和	nuǎnhuo	따뜻하다
□	凉快	liángkuai	시원하다
□	云	yún	구름
□	晴	qíng	맑다
□	阴	yīn	흐리다

🖊 획순에 맞게 다음 글자를 써 봅시다.

你 你

nǐ 너, 당신

ノ亻亻亻亻你你你

好 好

hǎo 좋다

乀女女奷好

们 们

men ~들

ノ亻亻亻们们

吗 吗

ma ~입니까?

丨冂冂叮吗吗

我 我

wǒ 나

一二千手我我我

很 很

hěn 매우

ノノ彳彳彳彳很很很

3과 쓰기 공책

학년   반   번   이름:

✎ 획순에 맞게 다음 글자를 써 봅시다.

他 他	
tā 그	ノ 亻 伫 仲 他

你 们	
nǐmen 너희들	ノ 亻 亻 伫 你 你 你　ノ 亻 亻 们 们

再 见	
zàijiàn 다시 만나자	一 厂 厅 厅 再 再　丨 冂 贝 见

明 天	
míngtiān 내일	丨 冂 日 日 旷 明 明 明　一 二 于 天

老 师	
lǎoshī 선생님	一 十 土 耂 老 老　丨 丿 厂 圷 师 师

大 家	
dàjiā 여러분	一 ナ 大　丶 丷 宀 宁 宇 宇 家 家 家 家

300

✎ 한어병음에 알맞은 성조를 표기하고 읽기 문장을 따라 써 봅시다.

1

Ni hao! 　　你好!

Nimen hao! 　　你们好!

Zaijian! 　　再见!

Mingtian jian! 　　明天见!

2

Xiexie! 　　谢谢!

Bu keqi! 　　不客气!

Duibuqi! 　　对不起!

Mei guanxi! 　　没关系!

4과 쓰기 공책

학년 　 반 　 번 　이름:

✏️ 획순에 맞게 다음 글자를 써 봅시다.

是	是					
shì ~이다	ㅣ 冂 冃 믐 므 ⿱日疋 昰 昰 是					

有	有					
yǒu 있다	一 ナ 𠂇 有 有 有					

几	几					
jǐ 몇	ノ 几					

口	口					
kǒu 명(식구의 양사)	ㅣ 冂 口					

哪	哪					
nǎ 어느	ㅣ 口 口 叮 叮 叼 哪 哪 哪					

叫	叫					
jiào ~라고 부르다	ㅣ 口 口 叫 叫					

✏ 획순에 맞게 다음 글자를 써 봅시다.

谁	谁					
shéi 누구	`丶讠讠讠讠讠诈诈谁谁					

的	的					
de ~의	´丿自自自的的的					

两	两					
liǎng 둘, 2	一丁丙丙丙两两					

妈	妈	妈	妈			
māma 엄마	乚女奵妈妈 乚女奵妈妈					

什	么	什	么			
shénme 무엇, 무슨	´亻仁什 ´幺么					

名	字	名	字			
míngzi 이름	´クタタ名名 `宀宀字字字					

학년   반   번   이름:

✏ 한어병음에 알맞은 성조를 표기하고 읽기 문장을 따라 써 봅시다.

1

Ni shi na guo ren?   你是哪国人?

Wo shi Hanguoren.   我是韩国人。

Ni jiao shenme mingzi?   你叫什么名字?

Wo jiao Jin Minhao.   我叫金民浩。

2

Ni jia you ji kou ren?   你家有几口人?

San kou ren, ni ne?   三口人，你呢?

Wo jia you si kou ren.   我家有四口人。

Baba、mama、meimei he wo.
爸爸、妈妈、妹妹和我。

Wo ma ye shi Hanguoren.   我妈也是韩国人。

 **쓰기 공책**

학년   반   번   이름:

✏️ 획순에 맞게 다음 글자를 써 봅시다.

月	月					
yuè 월		丿 刀 月 月				

号	号					
hào 일, 호		丨 冂 口 므 号				

岁	岁					
suì 살, 세		丨 屮 屮 屵 岁 岁				

今	天	今	天			
jīntiān 오늘		丿 人 스 今 一 二 于 天				

今	年	今	年			
jīnnián 올해		丿 人 스 今 丿 스 二 乍 年				

明	天	明	天			
míngtiān 내일		丨 冂 曰 日 明 明 明 明 一 二 于 天				

학년   반   번   이름:

✏ 획순에 맞게 다음 글자를 써 봅시다.

昨 天
zuótiān 어제
昨 天
丨冂日旷旷旷昨昨　一二于天

加 油
jiāyóu 힘내다
加 油
フ力加加加　丶丶氵汩汩汩油油

生 日
shēngrì 생일
生 日
丿一牛牛生　丨冂日日

快 乐
kuàilè 즐겁다
快 乐
丶丶忄忄怏快快　一丆乐牙乐

星 期 四
xīngqīsì 목요일
星 期 四
丨冂日旦早早星星　一十卅廿苴苴其期期期期
丨冂冂四四

运 动 会
yùndònghuì 운동회
运 动 会
一二テ云云运运　一二云云动动　丿人今今会

306

학년　　　반　　　번　이름:

✎ 한어병음에 알맞은 성조를 표기하고 읽기 문장을 따라 써 봅시다.

1

Jintian ji yue ji hao?　　　　　今天几月几号?

Wu yue shi hao, xingqiwu.　　五月十号，星期五。

Mingtian shi yundonghui ma?　明天是运动会吗?

Shi a! Dajia jiayou!　　　　　是啊! 大家加油!

2

Shengri kuaile!　　　　　　　　生日快乐!

Xiexie! Zhe shi wo meimei.　谢谢! 这是我妹妹。

Renshi ni, hen gaoxing.　　认识你, 很高兴。

Ni jinnian duo da?　　　　　你今年多大?

Wo jinnian shisan sui.　　我今年十三岁。

6과 쓰기 공책

학년   반   번   이름:

✎ 획순에 맞게 다음 글자를 써 봅시다.

点　点
diǎn (시간 단위) 시

丶 ⺊ ⺊ 占 占 卢 点 点 点

分　分
fēn (시간 단위) 분

丿 八 分 分

半　半
bàn 반, 30분

丶 丷 ⺀ ⺊ 半

快　快
kuài 빨리

丶 丶 忄 忄 忙 快 快

真　的　真　的
zhēnde 정말

一 十 十 古 古 亩 直 直 真 真　丿 亻 白 白 白 的 的 的

休　息　休　息
xiūxi 쉬다

丿 亻 仁 什 休 休　丿 亇 卢 白 自 自 息 息 息

학년   반   번   이름:

🖊 획순에 맞게 다음 글자를 써 봅시다.

| 学 习 | 学 习 | | | |

xuéxí 공부하다

丶丷丷兴学学学 乛乛习

| 汉 语 | 汉 语 | | | |

Hànyǔ 중국어

丶丶氵沪汉 丶讠讠讠讠讠语语语

| 考 试 | 考 试 | | | |

kǎoshì 시험

一十土耂考考 丶讠讠讠讠试试

| 现 在 | 现 在 | | | |

xiànzài 지금

一二三王王邘玑现现 一ナオ右在在

| 晚 上 | 晚 上 | | | |

wǎnshang 저녁, 밤

丨冂日日日旷肿晦晦晩晩 丨卜上

| 为 什 么 | 为 什 么 | | | |

wèi shénme 왜, 무엇 때문에

丶丿为为 丿亻仁什 丿厶么

✏ 한어병음에 알맞은 성조를 표기하고 읽기 문장을 따라 써 봅시다.

1

Xianzai ji dian?　　　　现在几点？

Xianzai qi diǎn sishi fen.　　现在七点四十分。

Tian a! Women chidao le.　天啊！我们迟到了。

Zhende? Kuai zou ba.　　真的？快走吧。

2

Ni mei tian ji dian shuijiao?　你每天几点睡觉？

Wanshang shi'er dian ban.　晚上十二点半。

Wei shenme name wan?　　为什么那么晚？

Yinwei wo yao xuexi Hanyu.　因为我要学习汉语。

학년　　　반　　　번　이름:

✎ 획순에 맞게 다음 글자를 써 봅시다.

在	在						

zài ~에서

一 ナ ナ 才 在 在

会	会						

huì ~할 수 있다

丿 人 스 仝 숲 会

打	打						

dǎ 치다, 때리다

一 亅 才 扌 打

喜	欢	喜	欢				

xǐhuan 좋아하다

一 十 士 吉 吉 吉 声 喜 喜 喜 喜　丿 又 ヌ 欢 欢 欢

哪	儿	哪	儿				

nǎr 어디

丨 卩 卩 叩 叩 明 明 哪 哪　丿 儿

可	以	可	以				

kěyǐ ~할 수 있다, 가능하다

一 丁 丏 可 可　丨 以 以 以

학년   반   번 이름:

✏ 획순에 맞게 다음 글자를 써 봅시다.

音 乐	音 乐			
yīnyuè 음악	ﾞ ﾞ ﾞ ﾞ ﾞ ﾞ 音音音 一 ﾞ ﾞ 乐乐			

电 影	电 影			
diànyǐng 영화	丨 冂 冂 电电 丨 冂 冂 旦 昰 昺 景 景 景 景 影影			

唱 歌	唱 歌			
chànggē 노래를 부르다	丨 卩 卩 卩 卩 叩 唱唱唱唱 一 ﾞ ﾞ ﾞ 哥 哥 哥 哥 哥 歌歌歌			

篮 球	篮 球			
lánqiú 농구	ﾞ ﾞ ﾞ ﾞ ﾞ 竺 竺 笢 笢 笢 笢 篮篮篮 一 ﾞ 王 玗 玗 玗 玗 球球球			

足 球	足 球			
zúqiú 축구	丨 冂 冃 甼 疋 足足 一 ﾞ 王 玗 玗 玗 玗 球球球			

乒 乓 球	乒 乓 球		
pīngpāngqiú 탁구	ﾞ ﾞ ﾞ ﾞ 乒乒 ﾞ ﾞ ﾞ ﾞ 乓乓 一 ﾞ 王 玗 玗 玗 玗 球球球		

312

학년   반   번 이름:

✏ 한어병음에 알맞은 성조를 표기하고 읽기 문장을 따라 써 봅시다.

1

Mingtian qu yanchanghui,	明天去演唱会,
hao ma?	好吗?
Hao,	好,
wo xihuan ting Hanguoge.	我喜欢听韩国歌。
Women zai nar jian?	我们在哪儿见?
Zai xuexiao menkou jian.	在学校门口见。

2

Ni hui da pingpangqiu ma?	你会打乒乓球吗?
Hui shi hui,	会是会,
danshi da de bu hao.	但是打得不好。
Ni keyi jiao ta ma?	你可以教他吗?
Mei wenti.	没问题。

8과 쓰기 공책

학년　　　반　　　번　이름:

✏ 획순에 맞게 다음 글자를 써 봅시다.

吃 吃

chī 먹다　丨 冂 冖 吀 吃 吃

饭 饭

fàn 밥, 식사　丿 乀 饣 饣 饣 饭 饭

点 点

diǎn 주문하다　丨 卜 占 占 占 卢 点 点 点

菜 菜

cài 요리　一 艹 艹 艹 芣 苹 苹 菜 菜

茶 茶

chá 차　丿 十 圤 艹 艾 艾 茶 茶 茶

米 饭 米 饭

mǐfàn 쌀밥　丶 丷 半 米 米 丿 乀 饣 饣 饣 饭

 **8과** 쓰기 공책

학년   반   번   이름:

✏️ 획순에 맞게 다음 글자를 써 봅시다.

早 饭	早 饭				
zǎofàn 아침밥	ㅣ 冂 冂 日 旦 早　ノ ㇏ ㇏ 饣 饣 饣 饭 饭				

包 子	包 子				
bāozi (소가 든)찐빵	ノ ㇆ 勺 勺 包　㇇ 了 子				

喝 粥	喝 粥				
hēzhōu 죽을 먹다	ㅣ 口 口 叮 叼 呬 呬 唱 喝 喝 喝　㇇ ㇇ 弓 弜 弜 弨 粥 粥 粥 粥				

请 客	请 客				
qǐngkè 한턱내다	㇀ ㇈ 订 订 请 请 请 请 请 请　丷 丷 宀 宀 客 客 客 客				

烤 鸭	烤 鸭				
kǎoyā 오리 구이	㇀ ㇏ ㇒ 火 火 灯 炷 炷 烤 烤　ㅣ 冂 冂 日 甲 甲 卯 叩 鸭 鸭				

可 乐	可 乐				
kělè 콜라	一 丆 冂 可 可　一 ㇇ 牙 乐 乐				

✏ 한어병음에 알맞은 성조를 표기하고 읽기 문장을 따라 써 봅시다.

1

Wei, ni zuo shenme ne?	喂，你做什么呢？
Wo zai chi fan ne.	我在吃饭呢。
Ni jia zaofan yiban chi shenme?	你家早饭一般吃什么？
He zhou、chi baozi shenmede,	喝粥、吃包子什么的，
nimen ne?	你们呢？
Women yiban he tang,	我们一般喝汤、
chi mifan.	吃米饭。

2

Ni chi fan le ma?	你吃饭了吗？
Hai mei chi.	还没吃。
Wo xiang chi Beijing kaoya.	我想吃北京烤鸭。
Ni mei chiguo?	你没吃过？
Na wo qingke.	那我请客。

(식당에 들어간다.)

Fuwuyuan, women dian cai.	服务员，我们点菜。
Lai yi zhi kaoya he yi ping kele.	来一只烤鸭和一瓶可乐。

✎ 획순에 맞게 다음 글자를 써 봅시다.

贵 贵						
guì (값이) 비싸다	丨 ㄈ ㅋ 中 虫 虫 串 贵 贵					

块 块						
kuài (중국 화폐 단위) 원, 콰이	一 十 土 扌 圡 坊 块					

买 买						
mǎi 사다	乛 乛 乛 卖 买 买					

钱 钱						
qián 돈	丿 ㇐ ㇐ ㇟ ㇟ 钅 钅 钅 钱 钱 钱					

卖 卖						
mài 팔다	一 十 士 吉 吉 吉 卖 卖					

找 找						
zhǎo 거슬러 주다	一 十 扌 扌 扌 找 找					

학년   반   번   이름:

✏ 획순에 맞게 다음 글자를 써 봅시다.

漂 亮
漂 亮
pìàoliang 예쁘다
｀丶氵氵氵沪沪沪沪沪漂漂漂 ｀亠亠宁亩亩亮亮亮

裤 子
裤 子
kùzi 바지
｀丶冫衤衤衤衤衤裤裤裤 ㇖了子

多 少
多 少
duōshao 얼마
ノクタタ多多 丨丿小少

便 宜
便 宜
piányi (값이) 싸다
ノイ仁仁仴佢佢便便 丶丶宀宁宁宜宜宜

一 点 儿
一 点 儿
yìdiǎnr 조금
一 丨卜占占占点点点 丿儿

有 点 儿
有 点 儿
yǒudiǎnr 조금, 약간
一大ナ有有有 丨卜占占占点点点 丿儿

학년   반   번 이름:

✎ 한어병음에 알맞은 성조를 표기하고 읽기 문장을 따라 써 봅시다.

1

Wo yao mai yi jian qipao.	我要买一件旗袍。
Zhe jian hongse de zenmeyang?	这件红色的怎么样?
Zuijin hen liuxing.	最近很流行。
Hao piaoliang.	好漂亮。
Duoshao qian?	多少钱?
Xiànzài da ba zhe,	现在打8折,
yibai ershi kuai.	120块。

2

Pu'ercha zenme mai?	普洱茶怎么卖?
Qishi kuai yi ge.	七十块一个。
Tai gui le. Pianyi yidianr ba.	太贵了。便宜一点儿吧。
Liushi kuai, xing bu xing?	六十块,行不行?
Xing. Gei ni yibai kuai.	行。给你一百块。
Zhao nin sishi kuai.	找您四十块。

10과 쓰기 공책

학년   반   번 이름:

✏ 획순에 맞게 다음 글자를 써 봅시다.

拐	拐				

guǎi 방향을 바꾸다　　　　一 扌 扌 扗 扮 护 拐 拐

坐	坐				

zuò (택시 등을) 타다, 앉다　　　ノ 人 人 从 丛 坐 坐 坐

走	走				

zǒu 걷다, 가다　　　一 十 土 丰 丰 走 走

往	往				

ǎng ~쪽으로　　　ノ ノ 彳 彳 彳 往 往 往

离	离				

lí ~로부터　　　一 亠 亠 卤 卤 肉 肉 离 离

一	直	一	直		

yìzhí 곧장, 곧바로　　　一　　一 十 十 古 古 吉 首 直

320

10과 쓰기 공책

학년 　　반 　　번 　이름:

✏ 획순에 맞게 다음 글자를 써 봅시다.

发 烧	发 烧			

fāshāo 열이 나다

一ナ方发发　′丷丬ᅮ火灯灶炒炒烧烧烧

感 冒	感 冒			

gǎnmào 감기(걸리다)

一厂厂厂厂厄感咸咸咸感感感　丨冂冂冃冃冒冒冒冒

请 问	请 问			

qǐngwèn 말씀 좀 여쭙겠습니다

丶讠讠计讲讲请请请请　丶门门问问

怎 么	怎 么			

zěnme 어떻게, 왜

丿丆丆乍乍乍怎怎怎　丿厶么

出 租 车	出 租 车		

chūzūchē 택시

丨屮屮出出　′二千禾禾利和和和租　一ナ乍车

十 字 路 口	十 字 路 口	

shízì lùkǒu 사거리

一十　丶宀宀字字字
丨丬丬丬丬丬跞跞跞跞路路路路　丨冂口

학년   반   번 이름:

✎ 한어병음에 알맞은 성조를 표기하고 읽기 문장을 따라 써 봅시다.

1

Qingwen,	请问,
Tian'an Men zenme zou?	天安门怎么走?
Cong A kou chuqu jiu shi le.	从A口出去就是了。
A kou zai nar?	A口在哪儿?
Cong zheli yizhi zou,	从这里一直走,
ranhou wang you guai.	然后往右拐。
Hao de, xiexie.	好的, 谢谢。

2

Yiyuan li zher yuan ma?	医院离这儿远吗?
Bu yuan. Ni nar bu shufu?	不远。你哪儿不舒服?
Youdianr fashao.	有点儿发烧。
Qu yiyuan zuo chuzuche dehua,	去医院坐出租车的话,
shi fenzhong jiu dao.	十分钟就到。
Ni neng pei wo qu ma?	你能陪我去吗?
Dangran keyi.	当然可以。
Zanmen shei gen shei ya!	咱们谁跟谁呀!

학년　　　반　　　번　이름:

✏ 획순에 맞게 다음 글자를 써 봅시다.

冷　冷

lěng 춥다

丶冫冫父父冷冷

比　比

bǐ ~보다

一上比比

忙　忙

máng 바쁘다

丶丶忄忄忙忙

打　算　打　算

dǎsuàn 계획

一十扌打打 ⺮⺮⺮笪笪笪笪笪算算

准　备　准　备

zhǔnèi 준비하다

丶冫冫冫冹冹准准准 ⺈夂夂各各备备

还　是　还　是

háshi 또는

一丆丆不不还还 丨口日旦早早是是

✎ 획순에 맞게 다음 글자를 써 봅시다.

拜	年	拜	年			
bài nián 세배하다		｀ ｆ ｆ 手 手 手 手 拜 拜 ノ ヒ ヒ ヒ 年				

天	气	天	气			
tiānqì 날씨		一 二 于 天 ノ ヒ ヒ 气				

下	雪	下	雪			
xià xuě 눈이 내리다		一 丁 下 一 ヒ ヒ 币 币 币 雪 雪 雪				

冬	天	冬	天			
dōngtiān 겨울		ノ ク 久 冬 冬 一 二 于 天				

新	年	新	年			
xīnnián 새해		｀ ｆ ｆ ｆ ｆ 辛 辛 亲 新 新 新 ノ ヒ ヒ ヒ 年				

春	节	春	节			
Chūnjié (중국의 설날) 춘제		一 二 三 三 夫 表 春 春 春 一 十 艹 节 节				

324

11과 쓰기 공책

학년   반   번 이름:

✏ 한어병음에 알맞은 성조를 표기하고 읽기 문장을 따라 써 봅시다.

1

Guonian de shihou,

过年的时候，

Beijing de tianqi zenmeyang?

北京的天气怎么样？

Feichang leng, keneng hui xia xue.

非常冷，可能会下雪。

Xinnian ni you shenme dasuan?

新年你有什么打算？

Wo xiang qu kankan dongtian de Changcheng.

我想去看看冬天的长城。

Wei shenme dongtian qu ne?

为什么冬天去呢？

Yinwei xue hou de fengjing bi xiatian de geng mei.

因为雪后的风景比夏天的更美。

Chunjie kuai dao le.

春节快到了。

Jintian wo gen tongxuemen yiqi zhunbei nianyefan.

今天我跟同学们一起准备年夜饭。

Chunjie de shihou,

春节的时候，

Zhongguoren chi jiaozi、tie chunlian.

中国人吃饺子、贴春联。

Chunjie de shihou,

春节的时候，

Hanguoren chi jiaozi haishi chi bie de?

韩国人吃饺子还是吃别的？

Women he niangaotang.

我们喝年糕汤。

Tingshuo Zhong-Han liang guo de haizi

听说中韩两国的孩子

gei daren bai nian,

给大人拜年，

daren gei haizi yasuiqian.

大人给孩子压岁钱。

剪纸(119쪽)

제로 카드(246쪽)